Kjell Eriksson

Den upplysta stigen

kriminalroman

Lindelöws bokförlag

Kjell Eriksson har givit ut:

Knäppgöken (roman) 1993
Frihetsgrisen (roman) 1995
Efter statarna – en ny tid (reportagebok) 1995
Den upplysta stigen (kriminalroman) 1999
Jorden må rämna (kriminalroman) 2000
Stenkistan (kriminalroman) 2001
Prinsessan av Burundi (kriminalroman) 2002
Nattskärran (kriminalroman) 2003
Nattens grymma stjärnor (kriminalroman) 2004

www.lindelow.se

Lindelöws bokförlag
Box 17133
402 61 Göteborg
tel & fax 031-84 67 10

fjärde tryckningen

Omslagets torrnålsgrafik "Skogsbryn" av Gunnar Norrman
Porträttfoto på omslaget av Tommy Arvidson
Tryckt av AIT Nørhaven A/S, Danmark 2004

ISBN 91-88144-34-8

Till mina vänner,
här som där

DEN GRÖNA MOSSAN hetsade honom. Så var det alltid. Varje gång han vandrade i skogen, oavsett årstid, om det var i arbetet eller på fritiden och oavsett i vilken sinnesstämning, så gjorde åsynen av en mjuk grön mossmatta honom hetsad och het. Färgerna var liksom signaler, där grönt svarade mot kärlek, kåthet och förtrolighet.

Granen reste sig pelarrakt, med de kraftiga grenarna systematiskt ordnade i en svindlande stege. Värme, kådrik värme. Edvard drog med den ena handen över den skrovliga barken, medan den andra sökte mobiltelefonen vid bältet. Sedan besinnade han sig. Lingonkok, tänkte han och log. Det är lingonsylt som gäller för henne.

I öster kallade kyrkklockorna till högmässa, men så här djupt in i skogen hördes dess klanger mer som korta flämtningar. Det var fjorton år sedan han besökte kyrkan, det var då Jens döptes.

Han sjönk ned på knä och förvånades över att det var så torrt. Mosstäcket bestod av flera arter, en ljusgrön, en lite mörkare och en som kändes strävare mot handen. Om det var dagens klarhet, hackspettens gungande flykt mellan träden, doften av myr, barr och svamp eller att plöjningen var till ändå, kunde han inte så noga veta. Troligen var det en kombination som fick Edvard att skratta högt för sig själv, men han ångrade sig genast då skrattet inte lät hjärtligt, utan snarare tomt och ihåligt när det studsade mellan granarnas stammar. Att ensam skratta i skogen är dårskap.

Kanske var det tanken på Marita som rann likt en pilsnabb insekt genom huvudet. Den dök upp från ingenstans, från förr, och svischade genom kroppen, en signal någonstans i huvudets bakre del, ett hopp från en nervtråd till en annan, från förr till nu. Jag kanske skulle ringa ändå!

– Hej, det är jag. Hur går det med lingonen?

Edvard låg raklång i mossan.

– Nä, inget särskilt. Jag tänkte om du ville plocka svamp. Hur många gånger hade de inte gått här tillsammans. Skogen, svampen väntade dem varje år. Men inte idag. Inte i år. Marita skötte lingonen. Edvard skötte svampen. De gick på skilda marker.

Under en storgran, på en bädd av ris och barr, låg en människa och förmultnade sakta. Upplösningen av kroppen hade återigen satt fart under de varma oktoberdagarna, ändå var han i förvånansvärt bra skick. Det var en kropp som lämnats åt naturen och säkert hade den sjunkit ned och in i riset om inte Edvard av en slump funnit den. Efter vintern hade bara några ben återstått, några textilrester, en klocka och en läderrem med en spänne.

Det Edvard såg var en svart keps, som stack fram under en gran. Det var en sådan där som Jens bar dygnet runt, av amerikansk modell. Ingen lukt, ingen bar hud, inget spår av blod, bara en keps och ändå förstod han omedelbart att det under granen låg en kropp. Han visste det och fruktade att det var en ung människa. Han gick närmare, drog undan en ridå av grenar och fann så "Chicago", som han skulle komma att kalla honom.

Den döde låg på sidan, med knäna uppdragna och händerna utsträckta. Huvudet var vinklat framåt med hakan nedpressad mot bröstet. Den kortärmade skjortan, batikmönstrad, var uppdragen och blottade en naken rygg. Strax ovanför jeanslinningen och det mönstrade läderbältet lyste ett dåligt läkt, vitt ärr. Edvard lutade sig framåt, sträckte fram handen och lät fingret löpa längs den knöliga huden. Ärret hade formen av en nymåne, en skära.

Tvärs över ryggen marscherade en myra. Så ytterligare en. Edvard lät grenarna falla tillbaks. Sommarklädd, var det första Edvard tänkte. Sommarklädd, och nu var det oktober. Hur länge kan en människa ligga och ändå till formen förbli en människa. Vem var han? Han kunde räkna upp samtliga boende i byn och kände dem alla till utseende. Detta var en främling. I batikskjorta och baseballkeps, under en gran, tio meter från Edvards och Maritas förnämligaste svampställe. Här hade de travat i tjugo år utan att ha sett en själ, ja, ännu längre egentligen då svampstället var ett arv från Edvards föräldrar.

Han visste att han gjorde fel, men nyfikenheten fick ho-

8

nom att runda granen och skjuta grenarna åt sidan, för att få
en blick på den dödes ansikte: insjunkna kinder, en tunn
mustasch, lugg som föll ned över ögonen, plågade drag. Det
såg ut som om han krupit ihop under granen för att söka
skydd, men somnat och nu plågades av maran. Det var ett
ansikte utan identitet, utan något bekant att fästa sig vid. En
utlänning, mumlade han tyst. Stackars jävel, hamna här un-
der en gran. I en tunn batikskjorta. Han släppte grenarna,
som med ett svagt prasslande åter dolde den främmande.
Stackars sate!

Edvard tittade ut över vitmossehällen till höger, följde
dess kontur. Enarna i den branta slänten upp mot hällen stod
likt ett följe, avvaktande, stumma vittnen i en sluten grupp.
Blicken stannade vid blöthålet, i vars kant svampen växte så
rikligt. Han visste att han måste ringa, men ville dröja några
ögonblick, för att pränta in bilden av den plats där han skör-
dat hundratals kilo och där han nu funnit en döing. Han blev
med ens klar över att han aldrig med samma ro skulle kunna
vandra stigen hit. Det här var inte längre svampstället och i
förlamningen och rädslan växte nu en ilska: detta var hans
och Maritas plats, okänd, dold för omvärlden, en slags skog-
lig helgedom, en scen för årlig upprepning, en näst intill sak-
ral bekräftelse på att Edvard och hans släkt hade ett rum i
världen.

Illamåendet kom hastigt. På ett ögonblick låg frukosten
utspydd i den gröna mossan. Han stod framåtlutad, snörv-
lande och spottande. Fy satan, mumlade han, fy satan, fy sa-
tan, för att förjaga bilden av den okände döde, för att fördriva
honom från näthinnan, men framförallt från skogen, från
deras svampställe. Att lägga sig här och dö! Det finns ju för i
helvete tusentals skogar och miljoner granar och så går den
fan och kolar här.

Nä, sluta nu, du vet inte varför och hur han dog, du vet
inte ens vem det är. Han pinades nog i livet och sen . . . vad
vet jag. . . han kom ju inte härifrån. Hur kom han hit?

Först nu slog det Edvard att den unge mannen kanske inte
tagit sitt liv, något som han omedvetet förutsatt. Edvard såg
sig omkring. Skogen låg tyst, inte en vindpust, inte ens ett
fågelläte. Hackspetten, som tidigare så ihärdigt trummat sin
konsert, var borta. Kyrkklockornas klang hade klingat ut.

Försvunnen var den frid som hela förmiddagen vilat över skogen.

I så fall måste det finnas en mördare, en mördare som går fri. Som släpat och svettats, av rädsla och ansträngning. Det var minst en kilometer till närmaste bilväg, en skogsväg som dragits fram ett tjugotal år tidigare, knappt körbar för en vanlig personbil, med stenar och stubbar. Varför hit?

Edvard hade vid ett tillfälle drabbats av skräcken för döden. Det hade kommit helt oväntat och omotiverat. På våren för drygt två år sedan hade han rest till Öregrund för att titta på en båt som var till salu. Det var en junidag, strax innan skolorna stängde för sommaren. Båten, förtöjd i den lilla hamnen, strax nedanför ett båthus som gjorts om till pizzeria, var inte mycket att orda om. För Edvard hade det räckt med en snabb blick från kajen för att konstatera att han inte var intresserad.

Trots den nästan tio mil långa resan och båtägarens lögnaktiga marknadsföring på telefon, blev inte Edvard på dåligt humör. Han slog sig ned på en bänk, studerade en mås som ihärdigt rensade en papperstallrik med pommes frites. I hamnen låg livräddningskryssaren och ett stort antal fritidsbåtar. Folk fejade, ordnade, såg mot himlen.

Han hade fötts i ett lantarbetarhem, mil från det salta havet, obefaren på sjön, men hade sedan barnsben närt en dröm om havet, som en diffus lockelse. Havet och allt det som förknippades med sjöfart hade känts som en möjlighet. Han hade läst om de stora sjöfararna, Columbus, Vasco da Gama, Cook, Nordenskiöld och alla de andra som trotsat de gränser som omgav dem. Han gjorde sina barndoms åkrar och ängar till skummande hav, odlingsrösen blev förrädiska grynnor och rev och han strandade i backar och förvandlade asparna till palmer och grankottar till kokosnötter. De små lyckorna, insprängda i skogsmarken, blev okända vikar och laguner som måste utforskas och kartläggas. I skogen lurade infödingar, ofta trolösa och beväpnade med skarpslipade vapen och djävulska masker.

Han blev Joshua i byn. Joshua Slocum som ensam seglade jorden runt. Med sin "Spray" välkomnades han av Malietoa på Samoa efter dagar och nätter på Stilla Havet. Han var nära att gå under vid Kap Horn och på Sargassohavet, men nådde så hemmet efter tre år. Edvard fick en vaggande gång, ett väderbitet ansikte och ett korthugget språk. Han behandlade sina lekkamrater som landkrabbor eller nymönstrade skeppsgossar. Han betraktade byn med sjöbussens ögon, fnyste föraktfullt åt julgransplundringar och hembygdsfester, men åt gärna av den helstekta grisen på Ramnäs stora höstfest.

Innan han reste hem beslöt han sig för att ta en promenad genom den lilla staden först. Han gick gatorna och gränderna upp och ned, kikade försiktigt in över de rödmålade planken och in genom de portar som stod öppna. I ett gathörn stod en äldre kvinna och när Edvard passerade nickade hon vänligt och nämnde något om vädret. Edvard stannade, men kom inte på någonting att säga utan sa bara "Goddag". Därefter nickade han åt alla de som mötte hans blick på Öregrunds gator. Förvånansvärt många hälsade tillbaka och han kom på sig själv att le, och besvikelsen över den halvruttna båten i hamnen sjönk undan.

Mitt emot kyrkogården öppnade just ett konditori och Edvard slank in. Han blev sittande vid ett bord på konditoriets uteservering med gråsparvarna som enda sällskap. De noppade ogenerat i hans giffel på fatet.

Då slog ensamheten honom, likt en explosion i hans inre. Den fysiska reaktionen fick hans kropp att dra sig samman, han gjorde sig mindre, slöt alla håligheter, men oron hade redan krupit in. Han viftade undan sparvarna och blev plötsligt vansinnigt irriterad över de fula bord och stolar som stod utspridda på gården. Han såg de vanskötta rabatterna, glasspappren i buskarna och den löjliga fontänen.

Här vill jag inte dö, for som en blixt genom hans huvud och paniskt upprepade han orden: Här vill jag inte dö!! Ansiktet förvreds under någon tiondels sekund i en grimas. Här vill jag inte dö, jag vill inte falla samman över detta idiotiska bord, kräla på denna ogräsfyllda grusgård och med en sista blick stirra på några ruggiga sparvar. Jag vill inte dö på denna okända plats. Det var en dödsskräck så oväntad att Edvard inte förmådde hantera den. Aldrig hade han upplevt något liknande. Han visste hur döden såg ut, men sin egen död hade han hittills aldrig föreställt sig. Nu visade sig döden på ett obefolkat konditori, miltals från hemmet och familjen. Att dö ensam framstod nu som en obeskrivlig fasa som fyllde honom med en gastkramande ångest. Han grep tag i bordskanten, spände musklerna och försökte tränga tillbaka skräcken. Sparvarna hade åter intagit bordet och pickade obekymrat vidare.

Så måste det ha varit för främlingen! Öregrundsångesten återkom likt en sjö som slog in i Edvards kropp. Vad fan gjorde du här?! Varför valde du att dö så långt bort, under en gran i en okänd skog? Du är inte från byn, du är inte svensk och så dör du här. Var finns ditt hem och dina kära? Hur ser ditt landskap ut? Är det böljande kullar, dramatiska berg eller högplatå, fiskeläge, storstad med avgaser och bilhorn, var finns din kärlek? Var fanns den? Var du också en Joshua? Lade du knopar på din fars livrem och mors garner? Hoppade du ner från päronträd, rakt ned i havet?

Han ville krypa in under granen, ruska den döde tillbaka till livet, förmå honom att tala, att le, resa sig upp, borsta av bosset och tillsammans kunde de språka på vägen ner mot samhället. Jag känner dig inte. Ingen i byn känner dig. Du kände ingen här, inte ens vid namn eller utseende. Blev du mördad? Här eller någon annanstans. Lika illa.

– Marita.

Edvard stod nu på knä i mossan och upptäckte att han hade knäppt sina händer.

– Marita, upprepade han sakta.

Han mumlade, malde sina käkar, åkallade någon slags ordning, befriad från den orätt som han förstod var begången i hans skog. Det djupt orättfärdiga att en ung människa inte får leva livet ut. Går man klädd i basebollkeps med texten "Chicago" och blåvitmönstrad batikskjorta då är man inställd på att leva. Att få smeka och bli smekt.

Det var en åkallan fri från Gud, inte särskilt välformulerad eller artikulerad, mera som en primitiv ramsa, en magisk besvärjelse, sprungen ur Edvard Risbergs tro att livet måste vara värt att leva, det tvång som varje människa bygger upp inom sig för att orka älska. Det makabra fyndet under granen hade slagit ned likt en kulblixt i hans medvetande, vandrat runt i hans kropp och blottat en mycket tunn hud som spänts över ett sår, där under en öm hinna pulserade en

12

vattnig ångest.

Ångesten tycktes tala till Edvard: "Riv litet, kratsa litet på ytan, känn på den tunna huden. Smek mig, lek med mig". Likt en kliande ruva lockade ångesten Edvard: "Vad finns här under, öppna mig. Min sav är också livet". Spänningen att lämna ut sig, att svara, drog i honom. Han framkallade synen av Marita, Jerker och Jens. Han reste Ramnäs gård, sin arbetsplats, för sitt inre, han såg ut över marker han besått och vars grödor han skördat, han mindes promenader i vårljumma kvällar, han såg sin farfar på övervåningen, han såg vännerna i avdelningen och i jaktlaget. Edvard reste livet, det liv han försökt bygga, mot ångestens lockande stämma.

Dannemora, tänkte han. Var det inte där de fann en död pojke i ett gruvhål? En flykting, som förgäves sökt asyl. Och nu här. Han gick till gruppen av enar, sjönk tungt ned i dess mitt. Juniperus Suecia communis, mumlade han. Svensk en. Svensk skog. Svensk svamp. Svensk. Du är inte svensk. Ni fyller våra gruvhål. Ni fyller våra skogar. Ni fyller våra sjöar.

Edvard föreställde sig hur män, men också kvinnor och kanske barn, just i denna stund dog, lade sig som lager, på lager, på lager, avsattes likt sediment, i gruvhål, skogar och sjöbottnar. Kroppar, ärrade kroppar. Ni plågades av ett skall, hånades med tystnad, drevs i en vanvettig jakt, löpte likt fredlösa tills ni stupade. Blev till mull. Någonstans älskade, med kroppar för kärlek och arbete. Någonstans saknade, med ögon så klara att alla skogars alla djur suckar. Det är därför, tänkte han plötsligt, det är därför djuren inte har rört främlingen! Det är därför räven inte smugit sig fram, inte mössen och knappt skalbaggarna. De vet hur det är. Djuren vet hur det är att bli jagade, hetsade. Nu klappar de med sina näbbar, stampar med sina tassar, hovar och klövar, skakar sina mular. Till och med ormarna rister i sina hålor. Djuren vet.

13

ANN LINDELL SATT på jobbet fast hon inte behövde och inte borde. Behovet fanns väl, det räckte med att titta på alla mappar, pärmar och lösa blad som hopade sig på skrivbordet och i hyllor. Men det var söndag och ledig dag. Hon borde vara hemma, eller någon annanstans, men inte på jobbet.

Hon hörde steg i korridoren och funderade på vem det var, men ville för allt i världen inte prata med någon av kollegerna. Håglöst bläddrade hon i en rapport om en våldtäkt, där allting talade för att de gripit rätt man, men där bevisningen inte räckte till åtal. Hon visste att det var han, en före detta universitetsanställd, som under flera år trakasserat en gammal arbetskamrat och för sex veckor sedan sökt upp henne i hennes bostad och där genomfört en våldtäkt. Han nekade, förnekade att han överhuvudtaget sett kvinnan det senaste året. I tre dagar hade hon nu i omgångar förhört mannen, men skulle bli tvungen att släppa honom. Åklagaren menade att det inte räckte. En grannes något tveksamma vittnesmål och utpekande var för dåligt. Kvinnans egen berättelse skulle ensamt inte kunna fälla mannen. Den tekniska bevisningen var obefintlig. Det hade gått för lång tid mellan våldtäkten och kvinnans anmälan. Om hon kommit direkt så hade fallet varit löst, det var Lindell övertygad om.

Hon suckade, drog med pekfingret över pappersbunten framför henne. Jag borde gå hem, tänkte hon och slog igen mappen, men dröjde sig ändå kvar. Skulle hon ta ett förhör till? Sällan eller aldrig hade hon känt en sådan ilska över att inte kunna slutföra sitt arbete så att brottet fick sin lösning och brottslingen sitt straff. Han var en otrevlig typ, inte för att han var överlägsen eller gapig som många andra, utan tvärtom mild och, som han sa, mån om att det hela löste sig på bästa sätt. Han ömmade för kvinnan, sa han i det senaste förhöret och Lindell ville slå honom på käften. Förhöret avbröts. Hon skämdes över att ha bringats på fall av hans lugna släpiga röst. Hon ville ha revansch!

Hon tvekade. Handen låg på telefonen och i samma ögon-

14

blick ringde den.

Det var vakthavande som visste att hon var på sitt rum.

– Jag ringer dej istället för jouren, sa han.

Det var Ödetun, östgöte liksom Lindell. Han hade tagit emot ett samtal från "bortre rymden", som han uttryckte det, ett bondställe utanför stan. Det gällde en tråkig sak, sa han.

Det brukar göra det, tänkte hon trött.

kneed, noh om,

3
feature;

FRÅN GÅRDSPLANEN SÅG Edvard Risbergs ansikte groteskt ut. Det skeva fönsterglaset förvred hans <u>anletsdrag</u>. När han med händerna på fönsterbrädan lutade sig fram och kikade på termometern, förstorades hans panna och hakparti, medan munnen och näsan förminskades. Jerker halvsprang förbi utanför, på väg från lidret till garaget och såg rörelsen i fönstret. Han fick en känsla av att hans far genomgick en förvandling. Pojken var tvungen att stanna upp och för ett ögonblick betrakta Edvards gestalt. Deras blickar möttes och fadern log, men leendet fick hans ansikte att se än mer demoniskt ut, som om han var besatt av en främmande kraft. Jerker skyndade vidare.

– Tänk om vi aldrig får veta?

Marita svarade inte. Klockan hade ringt och köttfärslimpan i ugnen skulle ut. Edvard slog sig ned vid köksbordet.

– Går du efter barna?

Edvard drog med tummen och pekfingret i den högra örsnibben.

– Ropar du in ungarna?

– Jag tänkte på en sak, om han nu gjort slut på sig själv, varför trava iväg så förbaskat långt.

Marita suckade. Hela eftermiddagen hade Edvard suttit vid köksbordet och <u>ältat</u> frågor kring främlingen i skogen. Den fråga han just ställt sig hade redan varit formulerad ett

15

otal gånger. Marita hade inte haft något svar och inte heller denna gång kunde hon ge en rimlig förklaring som förmådde stilla Edvards oro. Hon lämnade köket, gläntade på ytterdörren och skrek åt Jens och Jerker.

– Kan det vara så att han gått vilse. Så måste det vara!

– Nu äter vi!

Edvard väcktes ur sina funderingar.

– Hej, min vän, sa Marita.

Hon betraktade sin man tvärs över bordet. Hans mörka hår stod på ända. Över pannan låg två parallella streck, rynkor som fördjupats under årens lopp och som framträdde tydligare när Edvard var fundersam eller orolig. Han kände hennes blick, såg upp och Marita förnam för ett ögonblick den slutenhet som Edvard emellanåt satte upp likt en spärr mot henne och barnen.

Deras gemensamma liv hade alltid präglats av öppenhet. De hade talat om allt med en uppriktighet som för omgivningen många gånger framstod som naiv. Därför var dessa stunder av avspärrning och tystnad en skarp relief mot ett annars så öppet och troskyldigt förhållande. Marita hade lärt sig, men under de senaste åren hade stunderna av bruten kontakt kommit allt oftare. Att han nu såg ovanligt fundersam ut förvånade inte Marita, men ändå kunde hon inte fördra hans passiva tystnad, hans streck i pannan som fungerade likt ett hag, som stängde henne ute, reducerade henne.

Det hade börjat för en fyra, fem år sedan då Edvard rustade det gamla utedasset. Det hade stått där i eviga tider, lutande mot lidret, övergivit sedan decennier. Plötsligt en helg hade Edvard, utan förvarning, rivit ut dess innanmäte, den dubbla fjölen och hyllan där handfatet varit placerat och tidningarna legat. Medan han på gårdsplanen brände det gamla virket hade han spikat ihop en ny fjöl, nu bara med en sittplats. Han bytte några brädor som legat an mot marken och ruttnat, justerade trappstenen och skiftade gångjärn.

Marita hade följt det hela från fönstret, men när han reste en stege mot dasset och klättrade upp med motorsågen, då var hon tvungen att gå ut.

– Ska du inte ha visiret?

– Nä, jag ska bara ta ett hål.

– Där uppe?

Han nickade och drog igång sågen. Spånen rök och efter några sekunder hördes en skräll inne på dasset då en cirkelrund trälapp for ned.

– Ska man sitta där uppe nu, frågade Marita, när sågen tystnat, fylla hela dasset och sen skotta ut genom dörren?

Edvard slog sig ned på taket, med benen dinglande.

– Jag tänkte mig en utkiksställe, sa han och såg mot himlen.

Hon såg på hans händer, som vilade på dasstakets kant.

– Hur då?

Hon ville att han skulle klättra ned. Jens och Jerker var hos morfar och nu han hade ägnat hela dagen åt dasset.

– Jag tänkte mig en astronomisk observationspunkt.

Han hoppade ned från taket, öppnade dörren, grep den runda träbiten och slängde ut den på backen.

– Här inne kan man sitta och spana mot himlen.

– När blev du intresserad av stjärnor?

– Det har jag alltid varit, men man har för bråttom, kikar en stund och går vidare. Här inne, sa han och förde handen i en inbjudande gest mot fjölen, kan man sitta länge och verkligen studera.

Från och med den stunden försvann Edvard allt som oftast ut till sitt dass, reglade dörren inifrån och begav sig ut på resor från Castor, via Pollux, Wasat och Mekbuda, till Alhena. Han färdades i djurkretsarna, umgicks med såväl dvärgar som överjättar, läste himlavalvet.

Han pratade sällan om sina resor, delade inte med sig, försökte inte få någon annan i familjen intresserad. Marita kände det som otrohet. Många kvällar låg hon ensam och vakade medan Edvard riktade sin jaktkikare och sedermera sin stjärnkikare mot himlen. Hon försökte läsa, hon virkade eller löste korsord, men ständigt återkom Edvard i hennes tankar. Hon försökte många kvällar att vänta ut honom, men oftast var det förgäves. Hon somnade orolig och otillfredsställd. Hon ville ha honom nära sig, som förr, bli betraktad, åtrådd.

Vad han gjorde där ute, vad det var som förmådde honom att natt efter natt betrakta himlen, visste hon inte, kunde inte ens föreställa sig hennes Edvard som en amatörastronom. Hon kom att älska de tunga skyarna vid horisonten,

ovädersdagarna och de täta snöfallen.
– Grubbla inte så mycket!
– Hörde dom dej?
– Jag tror det, men vi äter nu.

Edvard och Marita hade varit gifta i tjugo år. Båda kom från byn och kände varandra sedan barnsben.

Efter lantbruksskolan började Edvard på gården och introducerades i arbetet av sin far. När de den första morgonen gått nerför backen och stod utanför maskinhallen, sträckte fadern fram handen. Det ögonblick av tystnad som följde, det lätta trycket från faderns hand och hans något stränga anletsdrag bekräftade för Edvard att han nu hade en plats. Han såg mot byggnaderna, lät blicken gå över planen, hörde djuren i lagården. Fadern hade tagit några steg mot lagårdsdörren, men sedan vänt sig om.

– Nu är vi arbetskamrater, sa Erik.

Edvard nickade.

Fadern hade nästan alltid en historia till varje moment, om det så var att smörja upp en rostigt lämlås eller justera plogdjupet. De arbetade tillsammans med en känsla av att de dög, att deras arbete var viktigt. Erik Risberg var nöjd med kontinuiteten. Han tänkte på Bengt Ramnäs' barn som alla var ointresserade av jordbruk. I Edvards blick såg han förståndet, hans spirande färdighet, glädjen, och han gladdes själv. Dagarna blev ljusare med pojken bredvid. Ibland var han ett dammoln i fjärran, ett slag med handsläggan i verkstan, en dörr som slog.

Två år efter det Edvard slutat på skolan och börjat på Ramnäs blev han ensam Risbergare på gården. Fadern högg i skogen. Det var i februari och snön låg halvmeterdjup. Halvvägs till skiftet, där han och en inlejd granne högg sedan någon vecka, stannade Erik Risberg, ställde ifrån sig sågen i snön, såg på sin arbetskamrat och sa: "Jag måste vila en stund, knalla på du, jag kommer efter. Jag känner mig inte kry". Birger sa just ingenting, nickade och fortsatte.

När en halvtimme gått och Erik inte kommit fram avbröt Birger arbetet och gick tillbaka, bara för att finna Erik död. Birger tog sin kamrat på ryggen och vände mot Ramnäs. "Det var en börda det", sa Birger.

Kvar på gården blev Eriks far, den gamle djurskötaren, Eriks fru Aina och Edvard. Marita fanns redan då på Ramnäs gård. Anställd hos Bengt och Kristina Ramnäs, som barnflicka hette det, men det kunde lika bra ha kallats piga. Hon diskade, skurade, tvättade och emellanåt fick hon passa de två minsta barnen, men huvudsaken för henne var att hon slapp siffror och ost. Som enda barn till byns lanthandlare var det givet att hon skulle börja i butiken efter skolan.

Men Marita hade ett problem och det var att hon inte hade något som helst sinne för siffror. Den lilla vita etiketten, genomborrad av en tandpetare, nedstucken i en herrgårdsost, innehöll två siffror. Kanske stod där 29, följt av Kr. Marita läste 92, eller kanske 26. Det blev omotiverat dyrt eller ett sensationellt extrapris. Kunderna klagade eller höll god min. Hennes far rasade, förmanade, satt långa kvällar med ett kollegieblock och skrev ändlösa rader med siffror som Marita skulle analysera.

Det var en plågsam tid, en upprepning av matematiklektionernas fasa. Det var lika illa i kassan. Marita kom att avsky sitt arbete, bara åsynen av en ICA-dekal, vimplar som slog i vinden, fick henne att svettas. Hon kom att avsky sin far som aningslöst fortsatte sitt tjat, i tron att hon inte ville lära sig siffror och det enkla fem gånger fjorton. Han såg det som ointresse, lättja och ett hån mot lanthandelns hela idé.

Det höll ett år. Efter en ovanligt sorgesam dag, med upprepade felräkningar, missförstånd och faderliga utbrott i det lilla utrymmet bakom ost- och charkdisken, grep Marita en mellanburk med mimosasallad och slängde den i bakhuvudet på sin far. Hon fullföljde med att dra ned ett berg av dessertostar som fadern omsorgsfullt arrangerat på disken, snörde av sig förklädet och körde ned det mellan strömmingar och torskfilé, rundade disken och lämnade butiken. Det var tjugotre år sedan och sedan dess hade hon inte satt sin fot i affären.

Överhuvudtaget besökte hon aldrig en ICA-handel och blev med ens en av kooperationens mest fanatiska företrädare i Ramnäs by, vilket innebar att familjen handlade två mil från hemmet.

Maritas sinne för siffror var fortfarande outvecklat, men hon brydde sig föga. Hennes arbete på skolköket i Alv bestod i att laga mat åt tvåhundra elever och hon gjorde det bra. Ibland kom hon att tänka på sin far, hans affär, den fördömda disken och det år hon plågats. Det var framförallt i åsynen av ost som minnena gjorde sig påminda. Hon hade försonats med sin far, Axel Hauge, men besökte aldrig hans butik, trots hans upprepade vädjanden. Till våren skulle han fylla sextiofem och sökte en efterträdare.

Efter sin misslyckade inskolning i familjeföretaget stannade Marita hemma i två veckor, innesluten i sig själv och sitt rum. Fadern kom upp varje kväll när han räknat kassan och stängt butiken, ställde sig i dörren till hennes rum och ställde samma fråga: "Kommer du ner i morgon?". Själva affärsdelen utgjorde undervåningen och bostaden de två övre våningarna. Marita kunde varje kväll höra hur fadern omsorgsfullt plockade in skyltar, låste och ibland växlade några ord med någon förbipasserande. Hon avskydde hans smäll i dörren, hans steg uppför trappan och hans menlösa, sårade ansiktsuttryck där han stod i dörrhålet. Hon svarade inte, vände sig demonstrativt bort och efter någon minut lunkande han ner, förvirrad och oviss om hur situationen skulle redas ut.

Efter två veckor var så Marita försvunnen och Axel Hauge definitivt ensam i sitt stora hus. På sin säng hade hon placerat ett kort meddelande: "Finns hos Ramnäsarn, jobbar som barnflicka åt Kristina".

Marita och Edvard kände redan då varandra bra, dels från skolan men framförallt i det ungdomsgäng som brukade hålla till vid affären och när Marita började på Ramnäs fanns Edvard där. Erik Risbergs tjänstebostad låg ett hundratal meter från gården och Edvard var hemma under veckosluten. I veckorna bodde han på lantbruksskolan.

De syntes allt oftare tillsammans på byn, för det mesta på Edvards moped. De for runt, utforskade framförallt varandra. Kallt på marken, knottrig hud och gamla löv. Marita låg på Edvards jacka och Edvard på henne, tung, spänd som en fjäder. Han borrade ned sitt ansikte i förnan, men hon tog hans huvud och reste det, drog undan hans lugg, för att få en blick. Edvard blundade, men hans tunga andedräkt slog mot henne, omslöt hennes drag med en värme som skulle komma att bestå. Hon såg hans ansikte och det var som en spegel, samma blyghet som trängdes med smärtan och njutningen, samma iver att fullfölja.

Under dagarna gick han i par med sin far och på kvällar och nätter fanns Marita. Efter faderns död blev Edvard tvungen att stanna hemma mer. Aina, hans mor, förvandlades på några veckor till en skuggfigur, magrade och tystnade, i en sorg som för Edvard framstod som näst intill frånstötande. Han var det enda barnet och fick som tjugoåring träda in som familjens huvudman. Han fick anstånd med det militära, för att sedan bli helt bortglömd eller utgallrad ur rullorna.

Men Marita släppte honom inte. Hon kom allt mer att bli vid Risbergs och var den som sakta lyfte Aina upp ur sorgen. Hon lagade maten, skurade, skjutsade farfadern till sjukhuset, lappade Edvards arbetskläder och tvättade. Hon tvingade Aina att äta, följde henne varje vecka till graven och höll henne hårt de stunder då Aina inte förmådde att leva av egen kraft.

Edvard lät det hela ske. Sakta växte Marita in i hushållet och blev kvar de flesta nätter. När Edvard senare tänkte tillbaka på året efter faderns död, så var det Maritas onaturliga styrka och självpåtagna samaritroll som han mindes med värme, men också med en känsla av att Marita medvetet sög sig fast i hans föräldrahem, gjorde sig oumbärlig, att hon inte enbart hade givit, utan också tagit något. Hur det gått till var han oförmögen att formulera, men efteråt så kände han att det där året var den tid då hans egna val gick om intet. Vilka valmöjligheter som fanns, vad han skulle kunna ha valt, visste han inte. Han hade varit inställd på att arbeta på gården, kanske bygga sig en kåk, bilda familj, men nu skedde allt utanför honom själv. Hans egen röst blev aldrig hörd.

– Att ingen har sett honom.
– Det vet vi ju inte.
– Det skulle ha pratats om nån sett en utlänning.
– Han kanske kom på natten, sköt Jens in.
– En svartskalle på natten är inte lätt att se, sa Jerker.
– Säg inte så, det är inget vackert ord.
– Vackert och vackert, vad ska jag säga då?
Jerker antog en frågande min, lutade sig över bordet och tittade på Marita.

– Om jag inte får säga svartskalle kan jag säga blatte.
– Lägg av, fräste Edvard. Dividera inte så förbannat!
– Han kanske är bosnier, sa Marita.
– Han är nog knarklangare, sa Jens.
Edvard reste sig från bordet, men blev stående med tallriken i handen.
– Vad tänkte han på?
Det blev stilla i köket. Jens såg ned i bordet. Jerker på sin far, vars plågade min laddade köket med en oskyld rädsla. Han plågade sig själv och familjen med sina funderingar, oupphörligt malande sina frågor. Frågor som ingen kunde ge svar på.
– Ta inte så illa vid dig, Edvard, sa hon och tog tag i hans arm, du fann honom, men det var inte ditt fel att han dog.
Han knep ihop läpparna.
– Han låg i vår skog. Han dog i vår skog, på vårt svampställe.
– Polisen kanske tror att du har slagit ihjäl honom, sa Jens.
– Nämen Jens!
– Ja, om farsan kom dit och såg att nån annan plockade vår svamp.
– Man slår inte ihjäl nån för lite svamp.
Marita började hastigt plocka ihop disken. Det kända ljudet av bestickens skramlande mot tallrikarna förstärkte den oro som likt en skuggfigur smög omkring i deras kök. Edvard lade handen på Jens huvud. Den stora handen omslöt nästan pojkens hela skult. Jerker såg en hastigt övergående skräck i broderns ansikte.
– Det är riktigt Jens, det är för svamp man dödar, sa Edvard och kramade lätt hans hjässa. Det ser vi överallt.
– Vi får säkert någon förklaring, sa Marita. Vi får väl lyssna på nyheterna i kväll. Har du berättat för farfar?
– Nä, jag tänkte gå upp nu.

4

ALBERT RISBERG HADE legat på sitt yttersta i tolv år. I alla fall om man fick tro honom själv. "Nu är det snart slut", var en stående kommentar från hans sida. Varje morgon inleddes med en harang hur rasslig han kände sig, att det nog var dagar, kanske timmar, innan han skulle få "gå slut". Men efter frukosten piggnade gubben till, allrahelst om någon stannade en stund extra uppe på rummet och läste valda delar av tidningen. Det var dödsannonserna och sporten som intresserade mest, två motsatta sidor av livet. Dödsannonserna skulle läsas noggrannt, med datum, årtal, namn på alla sörjande, eventuella verser, samt var och när begravningen skulle äga rum. Dagar med många annonser livade upp gubben och han skrockade förnöjt om det mot förmodan återfanns någon med hans eget årtal. Nu var det brist på avlidna 97-åringar. De flesta hade passerat tidigare.

Sportsidorna var intresse nummer två och då framförallt bandy under vinterhalvåret och friidrott under sommaren. Han var en hängiven Siriusanhängare och minst ett par gånger per säsong baxade Edvard in sin farfar i bilen och for in till Uppsala och Studenternas idrottsplats. Men den senaste säsongen blev det ingen resa och Edvard var inte så angelägen inför denna heller. Sirius hade degraderats i seriesystemet och med motståndarlag som Tillberga och Vindhemspojkarna var det svårt att uppbåda det rätta intresset.

Lika mycket som han älskade Sirius så avskydde Albert framförallt två lag, Örebro Sportklubb och Västerås Sportklubb. Varför kunde han inte ange mera bestämt. Vad det gällde ÖSK var det mest färgen på klubbens dräkter som tycktes reta honom. VSK hade å sin sida "ingen bandykultur". Den gamle hade med häpen blick följt VSK-anhängarnas framfart vid det senaste mötet på Studenternas. Med bara överkroppar, halsande ur buteljer, vrålande och spastiskt gestikulerande, hade de ytterligare förstärkt Albert Risbergs väl inarbetade fördomar om västmanlänningar i allmänhet och VSK-are i synnerhet. Detta med bristande bandykultur var ett omdöme som drabbade flera lag, framförallt i södergruppen, men fina insatser från dessa elvor kunde i generösa stunder inbringa erkännande kommentarer från Alberts sida. ÖSK och VSK, aldrig! Hälsingland och Värmland låg bra till, med lag som Karlstad-Göta, Edsbyn och Broberg.

Den gamle var Ramnäs äldste innevånare, jämngammal med seklet. Han kallades ibland "professorn" av folket i byn och åtnjöt en grundmurad respekt. Så hade det inte alltid varit, men Alberts liv hade utvecklats så att ingen, inte ens Ramnäsarn, kunde säga några förklenande ord om gamlingens liv utan att själv framstå i en löjlig dager.

Albert Risberg var något så ovanligt i Ramnäs som ett språkgeni. Han behärskade sju främmande tungomål och det efter enbart fem år i skolan. Han hade, allt efter åren gick och pengar kunde avstås till inköp av böcker, och senare skivor, lärt sig språk efter språk, suttit vid köksbordet och nött in glosa efter glosa, ljudat och härmat. Han hade börjat med tyska, därefter engelska och franska. På 30-talet läste han italienska och spanska. Efter kriget kom finskan och när han pensionerades kom turen till ryska.

Han hade aldrig haft direkt nytta av sitt språkkunnande, förutom en gång i slutet på 40-talet då han fick fara till Frankrike för att träffa yrkesbröder. Det var ett led i arbetet att stärka kontakterna mellan de europeiska lantarbetarna, en slags förbrödring med fackliga förtecken, efter det långa kriget. Förbundet hade när de fått erbjudandet att skicka en representant haft stora svårigheter att finna en medlem som på ett meningsfullt sätt kunde delta i den europeiska fackliga gemenskapen. Förbundsordföranden hade då fått tipset från en ABF-are som väl kände den bildningstörstige lantarbetaren i Uppland.

Albert hade rest, tio dagar var han borta, men nämnde aldrig med ett ord det han sett eller hört. Förbundet hade avkrävt honom en redogörelse, men Albert hade ignorerat deras propåer. På Ramnäs Gård, bland sina arbetskamrater och i byn, hade han bara helt kort berättat vilka orter han besökt, aldrig talat om besökta arbetsplatser eller franska lantarbetare. "Det var ett djävla rännande", hade han avfärdat det hela med.

Det fanns de som hävdade att Alberts språkliga bildning var tunn, en hinna som höll i Ramnäs, där den aldrig sattes på prov, men att han aldrig förstått särskilt mycket av det han hade varit med om. När rösterna nådde Albert avfärdade han påståendet med tystnad. Fackföreningens årsmöte året därpå hade han opåkallat inlett på franska språket. Han hade hälsat välkomna och föredragit dagordningen. När väl det var gjort tog han upp svenskan och anmodade mötet att välja en sekreterare. Då förstod de församlade att han redan avverkat valet av mötesordförande. Därav den diskreta knackningen med klubban i bordet i slutet av det främmande ordflödet.

Detta blev en visa i byn som mot förmodan ökade Albert Risbergs prestige i byn. De fanns de som påstod att Albert blivit högfärdig, rent av något snurrig, men dessa invändningar föll platt till marken. Alberts ställning som språkvetare var grundmurad. Man hade under så många år talat om Albert och hans kunnande att det nu syntes för sent att revidera byns uppfattning.

– Smakade det?
– Det är samma!
– Du vet svampstället.
– På Lindgrens mark?

Edvard nickade.

– Jag var där i morse. Hittade ett lik.

Albert satt djupt nedsjunken i en sliten öronlappsfåtölj. De fläckiga händerna vilade på armstöden. Käppen stod lutat mot hans ben.

– Jaså, det är sig likt, sa han. Fann du på nån svamp?
– Ingen svamp. Ett lik! Jag hittade en död människa där!

Den gamle höjde på huvudet.

– Vad fan säger du!

Edvard drog pinnstolen närmare.

– Han låg under en gran.
– En av Lindgrenarna... den där jävla skogen!
– Nä, det var ingen som högg. Det var ingen jag kände.
– Inte?

Edvard berättade om fyndet och det han visste. Den gamle hade gripit käppen och snurrade den mellan sina händer.

– Jag tror det är en flykting.

– En på flykt?

Edvard nickade.

– Från vad då?

– Det vet jag inte. Han var mörk.

– En neger?

– Han var mörk, men ingen riktig svarting.

Albert tog stöd av käppen och reste sig oväntat snabbt och gick fram till fönstret. Där blev han stående en kort stund, tittande ut över gården.

– På Lindgrenarnas skog, sa han och vände sig om. Det var själva djävulen. Vad ville han här?

Gamlingen såg återigen ut. Hans bröstkorg hävdes när han tog ett djupt andetag och sjönk samman när han blåste ut luften genom näsan. Edvard kände igen symptomen. Den gamle upprepade den djupa andningen. Käppen dunkade rytmiskt helt lätt mot golvet. Ljuset från fönstret genomlyste Albert Risbergs vita, bakåtstrukna hår.

– Hur såg han ut?

Han vände sig hastigt om.

– Berätta hur han såg ut!

– Jaa, han var ung, kanske tjugo. Inte nån riktigt svart, som sagt, inget krulligt hår och så. Han hade en liten mustasch. Han såg rädd ut.

– Var han stor, kraftigt byggd?

– Inte speciellt.

Albert Risberg suckade tungt och slog sig ned i fåtöljen igen. Han såg på sitt barnbarn.

– Hade han någon fingerring?

Edvard tvekade ett ögonblick.

– En ring, upprepade han frågande.

– En ring, ja!

– Det såg jag inte. Du menar om han var gift?

Gubben svarade inte.

5

Bengt Ramnäs satt bakåtlutad med benen raklånga och brett i sär. De gröna byxorna var oljefläckade och en bred tygremsa på låret hängde på trekvart och blottade ett par randiga långkalsonger. Fiberjackan hade han hängt på stolsryggen. Den klarröda hjälmen med hörselkåporna, utspända likt vingar, låg på golvet. Den ena handen vilade på bordet medan den andra oupphörligt rev i hårbottnen.

Radion i fönstret sände väderleksrapporten. Fortsatt kyligt med risk för snöbyar i nordöstra Uppland. Den styva vinden över Ålandshav skulle under kvällen tillta och vrida mot nordost.

Ramnäsar'n såg ut att vara runt femtio, men närmade sig sextio. Huden var slät, kinderna runda, skäggstubben gles. Mungipornas vinkel och det faktum att han oftast höll munnen något öppen skapade intrycket att han ständigt log. Det litet fåraktiga utseendet motverkades av hans händers uttryck, såriga, rödfnasiga och bulliga gjorde de ett näst intill aggressivt intryck, en aktiv mans händer. Hans väsen speglades i hans händer. De fanns de som fruktade hans handslag och de sätt han grep efter arbete och rikedom. De talade ett språk som förstods i byn, inget av det han vunnit skulle varit möjligt utan dessa händer. De gav honom en legitimitet, vad han uppnått var ett resultat av styrka. Hans egen styrka. Det som fattades i klokskap och boklig bildning kompenserades mer än väl av hans händers grepp i arbetet, men även när hans händer fattade pennan eller när hans fingrar brutalt slog ned skrivmaskinens tangenter, så var det med en självmedveten råstyrka, en förvissning om att han, Bengt Ramnäs i Ramnäs By, ägde rätten.

Han tolkade världen utifrån byns perspektiv. Världen styrdes från hans kök och från det lilla kontorsutrymmet med ingång från hallen. Ett oansenligt utrymme, som inte mätte mer än tio kvadratmeter, med ett nött skrivbord, överlastade arkivhyllor och ett klumpigt kassaskåp. In dit fick ingen annan komma, inte ens familjemedlemmarna. Han kunde sitta där, med sluten dörr och med den bleka lampan över skrivbordet som den enda ljuskällan, hela kvällar, pokulerande med sig själv, ofta med några uppslagna pärmar, redovisningslistor eller mappar, uttagna från kassaskåpets inre.

På väggen till vänster om fönstret fanns det enda som bröt den murriga atmosfären. Det var ett inramat färgfoto av honom själv. Med på bilden var också kungen. De tog varandra i hand. Kungen log krystat. Kanske var det Ramnäsarns handslag, kanske mängden av mjölkbönder, som stod på tur att få sin medalj, som gav kungen detta något pressade utseende. Allt emellanåt brukade Ramnäsarn titta på fotot. Han såg sig själv i en mörk kostym, håret nedpressat mot skallen av doftande hårvatten, det sneda leendet. Det såg ut som han var på språng, med benet närmast kameran sträckt bakåt, som om han tog sats. I bakgrunden ett par svenska flaggor, konstfullt draperade på väggen.

Han var den ende i byn som skakat hand med kungen, sa hans fru Kristina.

– Kunde du inte ha tagit av dig stövlarna?

Ramnäsarn muttrade något.

– Jag städade här i går.

– Dom varna för snö.

– Vetrinärn ringde. Han är försenad.

– Jag har förstått det, sa Ramnäsarn. Var det Lidmark?

– Nä, den nye.

– Det kanske blir en snövinter?

Kristina bar ut hjälmen till förstugan.

– Bara det bär i skogen, så är jag nöjd.

Han reste sig med en suck, gick fram till fönstret och tog en titt på termometern.

– Det är konstigt med den där svartingen i skogen, sa han.

– Hur då?

– Det är sånt där man ser på teve, att folk dör.

– Folk har väl dött i alla tider, även här i byn.

– Men i skogen.

– Erik dog i skogen. Vill du ha kaffe?

– Det var skillnad. En halv kopp, i så fall.

Han slog sig ned vid bordet igen, rev sitt hår.

– Jag tror jag såg den där döingen för nån månad sen.

– Jaså?

Kristina röjde för första gången ett intresse för Ramnäsarns ord.

– Det var när jag kom med tröskan och skulle ut på Blackbergsvägen. Jag hade varit uppe och tagit det sista vid Vattlösa. Det måste ha varit i slutet av september.

Hon ställde fram två koppar på bordet.

– Jag tyckte det var underligt redan då. Han gick endes vägen upp. Jag hade stannat tröskan. Det är ju som en lurig kurva där. Han gick precis framför bordet.

– Gick han till fots?

– Det tror jag väl.

– Hur såg han ut då?

– Såg ut och såg ut . . . Han var mörk, hade nån stor duffel på sej. Jag kom ihåg att jag tyckte att han såg ut som en munk.

– Såg han lessen ut?

– Nja, han såg ut . . . jag vet inte. Han travade på.

– Sa han nåt?

– Vad skulle det ha varit.

– Har du pratat med Edvard?

– Nä, jag såg'n i morse. Han skulle in till stan och hämta lite grejer. Det är den där satans torken igen.

– Har du ringt polisen?

– Varför det?

– Du är ju ett vittne.

– Det är inte mycket jag sett.

– Men ring ändå.

– Ähh, det blir ett satans spring bara.

Ramnäsarn avslutade diskussionen, sköt koppen åt sidan och reste sig.

– Jag går ner så länge.

– Ta med dej sågspånen, sa Kristina och drog med handen över bordsskivan.

Det blåste snålt över gårdsplanen. Flaggstångslinan smattrade och lönnlöven från det stora vårdträdet for likt papperslappar, kvittenser att hösten nu var här. Ramnäsarn stod ett slag och såg sig omkring. Vid Risbergs såg han Jens skymta utanför garaget. Ska inte pojken gå till skolan, tänkte han.

I sakta mak gick han mot lagårn. I tankarna fanns främlingen på Blackbergsvägen. Han kunde ju inte veta att svartingen skulle gå och dö. Man möter så mycket folk. Jag fattade inte vad han sa heller.

Han blev stående vid syrenhäcken som löpte likt ett skilje mellan gårdsplanen och lagårdsbacken. Kristina hade talat om en belysningsstolpe i många år nu och nu låg den vid grindhålet. Ramnäsarn satte igång att stega, från grinden, över backen, till lagårn. Sjutton meter. Han frös, det kunde man ju se. Han såg ju inte kriminell ut, men man vet aldrig. Mer som en bortkommen turist. Han ville åka med tröskan. Det skulle ha sett ut det. Sjutton meter. Jag får väl lägga ett skyddsrör också.

I lagårn råmade några djur. Från torken hördes en borrmaskin. Edvard hade kommit tillbaka, men Ramnäsarn hade ingen lust att prata med någon, allra minst Edvard, så istället för att gå upp till torken och höra efter om det gick bra, om han hade fått tag i rätt grejer, så slog han upp lagårdsdörren och klev in.

6

NÄR ALBERT RISBERG vaknade låg rummet försänkt i dunkel. Kanske man kunde ana gryningen som ett svagt ljus, men inte mer. Den gamla nedsuttna öronlappsfåtöljen stod tung i rummets mitt. Där hade han suttit hela kvällen innan, med halvslutna ögon och det franska språket hade kommit åter. Till och med dofterna. Bilarnas väsen, signalerna, den koleriske polismannen som mest liknade en fladdermus i sin vida slängkappa, vilt gestikulerade i gatukorsningen. Visselpipan skrek ut sina kommandon, understruket av de flaxande armarna och ett minspel som påminde om en bytoks. Trafiken var tät och ett blått dis låg över gatan. Allt emellanåt gjorde polisen hastiga utfall mot bilarna, kastade sig fram i en dramatisk rörelse, vevade med armarna likt en semafor och visslade frenetiskt med pipan. Så, på ett ögonblick, förändrades hans kroppsspråk och minspel. Med en bugande rörelse, leende, vände han sig mot de väntande gångtrafikanterna på trottoaren, förde ena armen i en inbjudande gest, medan han vinkade lätt med den andra handens fingrar. Han följde de gående med blicken, nickade eftertänksamt med huvudet och log. Var det en kvinna, ung, gammal, vacker eller böjd och ful, log han litet extra och förde handen till uniformsmössan. När de väl var över gatan, återupptog han, som om han hade elektrifierats av en plötslig stöt, sitt vildsinta agerande.

Detta drama, iscensatt med en aktörs medvetna förflyttningar och kast, med Place de la Concorde som bakgrund och Seine helt nära, var det starkaste minnet Albert hade av Parisvistelsen, förutom den store svarte. Han hade försökt återberätta sin upplevelse, men inte lyckats. Det gick inte att återskapa miljön, ljuden, avgaserna, skratten, polisen, hans utspel. Det var ett skådespel så långt från Ramnäs det tänkas kunde. Det var en skicklighet i yrkesutövandet som hade fascinerat Albert, övertygat honom att arbetet kan vara konst.

Lantarbetaren försökte, när han återvände till sina svin, att tillämpa Parispolisens metodik, men gesterna blev mest knyckar och bugandet för suggorna föreföll näst intill obscent. De lät sig inte imponeras. Besättningen blev tvärt om allt oroligare ju mer Albert spelade ut. Svinen ville ha foder, vatten, lugn och ro, inte någon tragedi eller folklustspel utspelad i gångarna mellan båsen.

Polisen hade uppmärksammat lantarbetaren på trottoaren. Han hade helt plötsligt övergivit sin position, efter en kraftfull insats för att hejda trafikflödet, tagit några snabba kliv mot Albert, gjort honnör och hälsat honom välkommen till Paris. Albert svepte av sig hatten, tackade och uttryckte sin beundran för den flinke trafikövervakarens insats. Polisen böjde anspråkslöst på nacken, kvitterade med en komplimang för främlingens utmärkta franska. Det hela hade tagit några sekunder, strax var han tillbaka på sin plats mitt i gatan. Självmedveten fortsatte han sitt arbete.

Albert följde strömmen över gatan, när han passerade polisen gav de varandra en kort blick, fylld av samförstånd.

31

Hur kunde polisen vara så tvärsäker på att han var en besökare? Albert anade att det berodde på kläderna, kanske kroppshållningen.

Det låg en overklighet över hans besök, hans steg mot trottoarerna. Det var första gången lantarbetaren var utomlands. Han fick känslan av ett det hela kanske var en del i någon språkkurs, någon ny slags metod, att han i själva verket gick som vanligt bland svinen i Ramnäs, medan han mentalt förflyttats till Paris. Som ett pedagogiskt trick för att fördjupa kunskaperna. För språket, förståelsen av det utländska, låg inte bara fraserna, utan minst lika mycket i inandningsluften, stenbeläggningarnas mönster och människornas ansikten. Strax skulle han dimpa ned bland gyltorna igen, portföljen ersättas av rakan och kostymen av blåblusen.

Overkligheten låg också i dofterna. Blomsterförsäljarna med sina överlastade vagnar, lockade med mimosa och narcisser. En lumpsamlare, med en gigantiskt knyte vid sin sida hade slagit sig ned för att vila mot en husvägg och somnat med ett saligt uttryck i sitt härjade ansikte. Kring honom stod en stank av urin och orenlighet. En ung man, vars benprotes klapprade mot trottoarbeläggningen, hastade förbi.

Albert vek ned mot floden, följde dess kaj bort mot Eifeltornet. Just där på kajen, han stod och stirrade ned i vattnet, kom kvinnan som förde honom till det hus som han lämnade först i gryningen morgonen därpå, men vars enkla rum han aldrig hade kunnat lämna bakom sig.

I nästan fem decennier hade han nu förnummit smaken av blod i sin mun. En främmande mans blod. Han hade sköljt gommen med det vatten han gav svinen, men det var som om en ny körtel hade inplanterats i hans kropp, avsöndrande ett sekret, vars bittra förnimmelse bröt igenom allt. Han hade försökt att omvandla den där dagen, lagt ner all sin möda på att förstora minnet av polisen, göra honom till den dagens hela massa och tränga bort allt annat. Han hade tänkt på polismannens stolthet, hans ridderlighet och den auktoritet med vilken han smörjde den intensiva parisiska trafiken. Allt annat försköt han, lumpsamlarna, tiggarna, nasarna och allt annat fattigt, det som kunde påminna om huset på Rue de la Goutte d'Or.

Långa stunder hade han lyckats. Han hade arbetat ytterligare nästan tjugo år och därefter levt trettio till. Fyrtioåtta år med rummets kala väggar, den knarriga sängen, golvlampans milda sken, handfatet, vars vita emalj färgats av mörkt blod. Blodet. Vattnet. Först som slingor, en fällning, sedan fullt ut, som en rödbetslag. Smaken i munnen. De trådiga gardinernas loja, hjälplösa fladder i den milda natten. Väggen på andra sidan gränden, vars handslagna tegel skimrade brunrött, helt nära, så att han trodde sig kunna sträcka sig ut genom fönstret och röra dess skrovliga yta, skrapa sina händer, skapa smärta. Så ville han då, skapa smärta, större än allt annat. Större än smaken i munnen. Manschetterna fläckade. Golvet nersölat. En röst på gatan. En sen nattvandrares melankoliska sång. Kvinnan i sängen. Hennes kön. Hennes tunga bröst. Det värsta var känslan av våld, viljan att fullfölja. Hon såg hans blick, tryckte sig mot hörnet, drog åt sig det smutsade lakanet. Den hesa, snabba, regelbundet återkommande, näst intill ljudlösa, men ändå så påträngande, andhämtningen. Ett jagat djurs flämtande.

Händelserna hade skenat, med en dramatik som efteråt inte nöjaktigt gick att rekonstruera. Han hade handlat blixtsnabbt, instinktivt, med en väldig styrka som överraskade även honom själv. På bråkdelen av en sekund hade hans kropp tömts i en furiös utlösning av vrede, vars upphov han bara kunde ana. När han långt senare tvingade sig att, inför sig själv, spela upp sekvensen, trodde han att det var känslan av oskyddad nakenhet som var grunden till hans exploderande ilska. Hans egen bleka kropp och kvinnans mörka. De hade älskat, han passionerat och hon professionellt. Hon hade med fingertopparna strukit över hans seniga axlar och rygg. Han hade låtit tungan löpa över hennes mörka bröstvårtor. Det var då allt hände.

Dörren stod fortfarande öppen. Han stängde den sakta, vände sig om och tvingade sig att se. Han fick en impuls att haka ned den spruckna spegeln ovanför handfatet för att göra en sista kontroll, men visste att det var onödigt. Istället synade han sitt eget ansikte. I spegelbilden såg han kvinnans skrämda blick. Hon hade inte sagt ett ord, men nu grät hon och mumlade något, som han uppfattade som ett namn. Ilskan kom åter och hon såg det på hans rygg och snyftade än mer högljutt. Han lämnade henne utan ett ord till ursäkt, förklaring eller tröst. Han steg över liket, snappade åt sig sin kavaj och gick. Han slöt dörren bakom sig och väntade sig skrik, springande fötter, händer som skulle gripa efter honom, frågor, upprörda röster, men allt var tyst. Trappan knarrade, det stank kattpiss och någonstans i huset hostade en man.

Han halvsprang längs okända gator. Ibland stannade han upp, spottade och fräste, tog stöd mot väggar och belysningsstolpar. Stadens fattiga följde hans väg. Längs trottoarerna stod soptunnorna på rad. De morgonpigga renhållningsarbetarna svepte sina kvastar i rännstenens avskräde och männen skrek ömsom förolämpningar och ömsom uppmuntrade ord.

På en kyrkogårdsbänk blev han sittande. Han huttrade. Var fanns den värme som skulle kunna skänka honom lindring? Vem i helvete var mannen? Det skulle han aldrig få veta. Var det kvinnans man, hennes älskare, kanske bror? Inte ett enda ord hade han sagt. Han liksom sprack. Inombords. Ögonen.

När solen stod högt på himlen reste han sig, tog en taxi till hotellet, där en delegation av franska lantarbetare väntade i foajén.

Han var pissträngd, men dröjde sig kvar. Svagt hörde han Edvard en trappa ned. Fötterna värkte.

Kvällen innan hade han försökt med trafikpolisen, men han trängdes med en obeveklig kraft undan och ersattes med minnesbilderna från det kala rummet med den franska horan. Hennes bröstvårtor hade varit så mörka och stora. För första gången på åratal hade han under natten vaknat med en spirande lust i sin skinntorra kropp. Han hade känt den tidigare, kåtheten. Till en början hade det äcklat honom, att dessa tankar överhuvudtaget kunde komma, men med tiden hade han förstått att det ena låg så nära det andra. Albert hade råkat livet och döden i samma rum.

Nu gick Edvard. Albert segade sig upp ur sängen och linkade fram till fönstret. Under natten hade några snökorn fallit och låg likt skimrande pärlor i fruktträdgården. Edvard var nästan framme vid lagårn. Det glimmade till i mörkret

34

när han öppnade dörren. Det dröjde inte många sekunder innan han återigen kom ut och styrde stegen mot gårdsbilen. Albert såg Ramnäsarns skugga i lagårdsdörren. Edvard for iväg. Strålkastarna stannade för ett ögonblick till och Albert förstod att Ramnäsarn ropade ett sista meddelande, innan bilen sköt fart igen och försvann.

Så var det stilla igen. Det var annat förr. Som mest hade gården tolv hästar.

– Sex par granna hästar. Jag minns namnen ... och mjölkerskornas prat. Så det pratades. Dom ... jag minns för mycket. Vad hette han, befallar'n, som gick efter två dar ... Landström ... Jag har levt för länge.

Han stötte käppen i golvet.

– Och föreningen. Alla är nu borta: Wik, Kristoffersson, Ko-Lasse, Asklund, Petter. Alla.

Han strök fönsterbrädans svala yta. En rynkad hand, arbetsmärkt. En dråpares hand.

Det har varit bättre om det hade varit jag som legat under granen. Jag har gått här i snart femtio år med döden som följeslagare. Den har viskat sina fraser i mina öron. Vad som retat mig mest är den fantasilösa upprepningen. Döden utvecklas inte, i sin statiska skepnad är den densamme nu som för fyrtioåtta år sedan. Samma ansikte, samma malande budskap. Jag trodde att den skulle förändra sitt anlete med åren. Kanske att döden skulle framstå som mildare, mer försonande, men inte!

Ta mej då, mumlade Albert, lyfte händerna och tryckte handflatorna mot fönsterglaset. Mellan händerna låg gården. Du har plågat mej länge nu. Du tog Erik, men Edvard finns kvar. Jag såg hans blick. Är det så att han ska behöva gå igenom samma sak? Samma ältande? Det kan inte vara så!

Edvard svängde ut på landsvägen utan att stanna eller ens titta om det kom någon bil. Han hörde bara den ilskna signalen från bilen som dök upp alldeles för snabbt bakom honom. Bilen gjorde en snabb omkörning och föraren slog frenetiskt med höger pekfinger mot tinningen i en gest för att visa vad han tyckte om den besinningslösa manövern. Edvard ökade farten och kom ifatt bilen någon kilometer innan Vråby. Sedan följdes de åt tills den andre svängde ner mot golfbanan. Där nere på åkermarken stod en grävmaskin och en dumper. Det lyste ur anläggningsarbetarnas kojfönster och Edvard skymtade ett huvud i ett schakt. En chaufför var i färd med att lossa sin bil, fullastad med grov polytenslang. Det byggdes för golf. Edvard hade i tidningen läst om djurskötaren på Vråby som i ett fruktlöst försök att stoppa bygget tagit fram älgstudsaren.

Ramnäsarn hade för en gångs skull tagit den svages parti, fördömt golfbaneprojektet och faktiskt skrivit en insändare i lokaltidningen. "Vår enda jord" hade den något patetiska rubriken varit. Henning Berger, den gamle djurskötaren, hade blivit något av en hjälte. Hans sorgliga öde hade rört människorna i bygden. Det hade cirkulerat namnlistor och också Edvard hade skrivit på, men bygget hade planenligt kommit igång.

Det hade varit en orolig natt. Efter ha legat sömnlös ett par timmar hade han gått upp, dragit på sig overallen och gått ut. Rakt ovanför honom formade sig Cassiopejas fem ljusa stjärnor ett W. Cih, på 650 ljusårs avstånd, glimmade. Det var Edvards tröstestjärna. Varje stjärnbild hade sin betydelse, varje enskild stjärna sin roll. Stora Björnen, som symboliserade kärleken, var dold av molnslöjor. Mot norr blinkade Valfiskens buk. "Tröskan" kallade han den. Det hade börjat som en lek. För att överhuvudtaget kunna lära sig de olika stjärnorna, hade han kopplat dem till olika sinnesstämningar, arbetsmoment och händelser inom familjen eller i byn. Han hade skapat sig en egen mytologi.

Det blåste snålt och i träden gungade kvarlämnade Åkeröoch Ribstonäpplen. Ibland hördes en svag duns när ett äpple föll. Det prasslade i syrenhäcken. Ett par kattögon glimmade till. Ramnäs Gård, ett stycke bort, låg försänkt i mörker.

Vissa nätter kunde det lysa i Ramnäsarns kontorsrum. Då visste Edvard att hans arbetsgivare satt uppe med sin bokföring och numera också med de EU-blanketter som fyllde brevlådan. Det var tillfällen då han kunde känna en viss samhörighet med Ramnäsarn, en nattlig frändskap, även om orsaken till deras sudd var olika.

Jag måste sova upprepade han gång på gång, men i det mekaniska upprepandet låg det mer av en bön än en realistisk

36

övertygelse om att det var möjligt. Allrahelst skulle han velat väcka Marita, men det var omöjligt av flera skäl. Dels så var hon näst intill oförmögen att från djup sömn till förvirrad vakenhet utgöra någon vettig samtalspartner. Dels visste Edvard inte vad han skulle vilja tala med henne om. De hade pratat om kroppen i skogen mest hela dagen. Det fanns inget nytt att tillägga och han var inte säker på att det var just det han ville tala om.

Det var nattoron som kröp i hans kropp. Stjärnorna, de som syntes mellan molnen, gav ingen lindring.

Han hade vänt tillbaka in vid tretiden på natten. Marita sov tungt. Han gick fram till sängen, studerade henne, knäböjde så hans ansikte kom i jämnhöjd med hennes. Han kände hennes andedräkt. Han ville så gärna sträcka ut sin hand, stryka bort några lockar från kinden, känna hennes varma hud, älska henne, fylla deras rum med kärlek och förtrolighet.

Hos El-Gurra väntade man fortfarande på ett företagspaket från en leverantör i södra Sverige, så Edvard gick tomhänt därifrån med uppmaningen att komma tillbaks om ett par timmar. Det var ingen idé att kuska fram och åter till Ramnäs, så för att fördriva tiden åkte han ned till Lantmännen. När han klev ur bilen kände han för första gången den annalkande vintern, inte så mycket för de enstaka flingorna i luften, utan mer för doften.

Han nickade igenkännande åt Frans, som signalerade med saftblandaren på trucktaket.

– Kom hit, skrek Frans.

Edvard visste vad som väntade och sneddade motvilligt mot trucken.

– Var det du som hittade liket?

Edvard nickade.

– Jag förstod det av tidningen. Hur såg han ut?

– Ja, vad ska man säga . . .

– Det var en svartskalle, va?

– Javisst.

– Vad fan hade han där att göra?

– Inte en aning.

– Ruggigt, ruggigt.

Frasse satt upp ena benet på instrumentpanelen och tog fram ett cigarettpaket ur bröstfickan.

– Var han åtgången? Jag menar, hade han blivit ihjälslagen?

– Det tror jag inte.

– Det är väl ingen större skada skedd, sa truckföraren och slog eld på en tändsticka.

– Hur menar du?

Frasse grinade upp sig, tog ett bloss, höll upp tändstickan framför Edvard.

– Här är också en svart skalle, sa han, flinade och sprätte iväg stickan. Där for den, är du lessen för det?

Edvard såg på Frans. Tröttheten i hans huvud gjorde att reaktionen helt uteblev. Han bara vände sig om, såg efter stickan på marken och upptäckte den i en vattenpöl. Den svartbrända stickan, med ett krokigt huvud, seglade makligt i vattnet. Truckens saftblandare vispade nervöst runt sitt orangegula ljus. Frasse satt fortfarande bakåtlutad, med benen nonchalant utsträckt. Han log inte hånfullt, utan mer segervisst nöjt. Edvard öppnade munnen för att säga något, men ångrade sig, slog igen truckdörren och återvände med snabba steg till bilen. Han hörde hur trucken gled iväg, in i förrådet, där säckar med gödning och kalk låg staplade på pallar.

Edvard stegade fram till vattenpölen, böjde sig ned och grep försiktigt stickan mellan pekfingret och tummen, höll upp den och lät en droppe falla mot marken. För fattiga barns beklädnad, tänkte han, och såg framför sig solstickans skenande pojke.

Vad skulle han göra med den? Att återigen kasta den i smutsen och vätan kunde han inte med. Att stå här som ett fån, med risken att Frasse skulle dyka upp igen, gick inte för sig. Edvard klämde fast stickan i den obegagnade askkoppen i bilen, körde ut från Lantmännens parkering och tog Kungsgatan in mot stan.

På polishuset fördes Edvard in till kriminalinspektör Lindell. Det var med en viss förvåning han konstaterade att Lindell var en kvinna. Han tvekade någon sekund innan han slog sig ned i besöksstolen. Han granskade kvinnan på andra sidan skrivbordet. Nu skulle han få besked.

– Vad kan jag hjälpa dig med, sa hon.

Hennes ljusa hår var uppsatt i en hästsvans och håret var så hårt tillbakapressat att det gav henne ett något strängt utseende. Rummet uppfylldes av en svag, men för Edvard högst påtaglig, parfymdoft.

– Jag hoppas du kan hjälpa mig. Det var jag som hittade honom i Ramnäs i går. Jag skulle vilja veta vem han var.

– Jaså, det var du. Edvard Risberg med andra ord. Det skulle vi med. Han hade ingen handlingar på sig som visade hans identitet, inget körkort, pass, inte ens en papperslapp.

– Jaså. Han var inte efterlyst?

Lindell skakade på huvudet och tog fram en mapp, slog upp den. Edvard skymtade ett foto på mannen. En bröstbild. Lindell förde handen till ör-hänget i höger öra, en stor guldgul ring. Naglarna blänkte metalliskt. Ann Lindell tuggade tuggummi och hennes frenetiska tuggande tillsammans med nagelns knäppande ljud mot örhänget gav Edvard en känsla av oro, likt en fågel beredd att i vilken sekund som helst flyga. Men det flyktigt nervösa motsas av hennes strama, litet bestämda drag.

– Vi har skickat ut en bild på mannen, med hopp om att han ska bli igenkänd. Alla flyktingförläggningar är kontaktade. Hittills inget napp.

– Han såg så ung ut.

– Han var ung, kanske 18-19 år.

Hon bläddrade vidare bland pappren. Hennes ögon följde snabbt några rader i den tunna mappen. Hon såg snabbt upp och deras blickar möttes.

– Du frågades ju ut i går av en kollega.

Edvard väntade på fortsättningen medan polisen läste några rader. Han la upp det ena benet över det andra, granskade sina händer på stolens karmar, knöt händerna. Ventilationsanläggningen surrade svagt, annars var det helt stilla i rummet under några sekunder. Han såg sig förstulet omkring. På anslagstavlan bakom skrivbordet satt en barnteckning uppnålad, samt en kopierad lapp föreställande en man iklädd enbart ett par säckiga långkalsonger. Texten förmådde han inte uttyda, men längst ned stod bokstäverna K U K. De bildade initialerna i tre oläsliga ord.

– Du hade inte sett honom tidigare, uppgav du. Nu när du

39

tänkt på det hela, har du dragit dig till minnes något, som kan ge oss ett uppslag.

Edvard svarade nekande.

– Ingen i trakten som sagt något i förbigående?

– Nej.

Han hade svårt att slita blicken från anslagstavlan.

– Ingen omotiverad skadegörelse den sista tiden? Något inbrottsförsök?

Edvard skakade på huvudet.

– Det kan ju vara så att det uppfattas som bagatellartat när det händer, men det kan vara av betydelse så här efteråt, nu när . . .

– Ingenting som jag har hört.

Kvinnan slog igen mappen.

– Jag tänkte på det här med flyktingar. Den där killen i Dannemora som dom hittade. Kan det inte vara något sånt? Nån som inte fått stanna, blivit förtvivlad.

– Vi kollar det också.

– Hur dog han?

– Han obduceras just nu. Jag tänkte på en sak, skogen där han hittades är ju rätt så otillgänglig. Normalt sett brukar det inte finnas så mycket folk i rörelse där, eller hur?

– Så är det nog.

Han lutade sig fram något, så mycket som det gick utan att det skulle verka märkligt, men förmådde ändå inte läsa texten på anslagstavlan.

– Vad gjorde du där?

– Platsen är vårt svampställe. Jag går dit minst ett par gånger varje höst. Det är det bästa kantarellstället i hela trakten.

– Tack för tipset, sa Lindell och log för första gången.

– Han var nog inte där för svampens skull.

– Säkert inte. Men om du kommer på något som kan vara av värde eller hör något i byn, slå en signal.

– Får jag veta hur han dog?

– Ring mig i morgon.

Edvard reste sig, sträckte fram handen till avsked. Hon grep den och reste sig samtidigt. Han fick känslan att han drog henne upp ur stolen.

– Har du sovit dåligt?

Han höll fortfarande hennes hand i sin.

– Nejdå, jag brukar titta på stjärnor.

– Det låter fint.

Han ville så gärna fortsätta tala, men förstod att hennes intresse bara var en artighet, en lämplig avrundning av samtalet. Han nämnde ingenting om dasset, hans eget observatorium.

– Vi hörs, sa han och fick en impuls att röra vid hennes hand igen.

Hon nickade.

Han var på väg ut ur rummet, när han vände sig om.

– Ja, sa Lindell frågande.

– Jag tänkte på en sak. Hade han nån ring på sig? På fingret.

– Nej. Hur så?

– Det var inget särskilt. Jag bara tänkte.

7

EDVARD LÄMNADE POLISHUSET med en känsla av att han gjort något fel, att han i kontakten med Lindell helst velat tala om sig själv och inte så mycket om "Chicago". Det kändes som en trolöshet.

Han ville sammanträffa med förnuftet, möta det sammanhängande. Edvard hade trott att det fanns ett sådant tillstånd. I fem år hade han betraktat stjärnhimlen, spanat mot alltets yttersta rand, utan att bli klokare. Snarare hade förvirringen tilltagit. De positioner han intagit, tagit för givna, hade långsamt underminerats och nu stod han som i en grustäkt, på glid, med allt större massor i rörelse. Nu gled han allt snabbare utför och fyndet av "Chicago" tycktes ha accelererat den processen. Vad denna påverkan bestod av visste han inte. Det var inte bara obehaget att finna en död människa på en plats så djupt förankrad i familjen Risbergs liv, utan mer en dunkel aning om att de kända måtten inte längre gällde.

Tum för tum försköts de, förvreds, så passbitarna inte så enkelt föll på plats. Han fick allt oftare, allt häftigare, pressa sitt liv in i former som föreföll allt mer främmande. Det var som om en ny och märklig skepnad smugit sig in, vänt på verktygen, lagt om de kända stigarna.

Han gick sakta gatan fram. Det var ovanligt tyst, inte en bil hördes. Han såg sig om och upptäckte att han inte kunde se en enda människa i rörelse. Helt öde. Han stod blickstilla och avvaktade. Det måste komma någon! Det är ju ändå förmiddag i en stor svensk stad. Så, efter ett tiotal sekunder, dök en man upp runt närmaste hörn. Han stannade till och såg sig även han förvånat omkring. Om det var gatans stillhet eller om det var Edvards ansiktsuttryck som för ett ögonblick fick mannen ur balans var svårt att avgöra. Edvard kände sig ertappad, som om han olovandes befann sig på Salagatan.

När mannen passerat bara någon meter från lantarbetaren, utan att ge honom en blick, slog det Edvard att han önskade att mannen stannat till, bytt några ord, givit sig till känna, uttryckt någon mening om sakernas tillstånd eller det faktum att en central gata låg så pass öde. Vad som helst, om så bara några meningslösa fraser, allt skulle vara bättre än denna anonyma tystnad, än denna frånvaro av liv.

Han såg efter mannen, vars rockskört fladdrade. Han gick något framåtlutad, med händerna i rockfickorna. Edvard, vars blick var upparbetad på djurs gång, tyckte sig se att mannen haltade något. Han påminde också om ett djur, ordlös, snabb, med sinnena på helspänn hade han passerat och nu slank han in genom polishusets dörr. Kanske hans ärende var att anmäla ett brott, var han kallad till förhör eller något så trivialt som ett passärende? Vad har du med den mannen att göra? Han har säkert nog med sitt.

Edvard fortsatte mot bilen. På vindrutan satt en parkeringsbot. Det var i alla fall en kommunikation, ett bevis på uppmärksamhet, på att någon brydde sig var han parkerade sin bil, att någon form av ordning måste upprätthållas, att allt har ett pris.

Han slängde in böteslappen på passagerarsätet. Tändstickan i askkoppen stack upp som en sotig påminnelse om hans irrfärd. Nu gällde det El-Gurras!

Där var allt som förr. Gurra bakom disken såg jäktad ut
som han alltid gjort. Ändå gav han sig tid att höra efter hur
livet gick i Ramnäs. Han lutade sin kraftiga kroppshydda
mot disken.

– Han fyller väl i blanketter som fan, kan jag tro.

– Mycket vill ha mer, sa Edvard.

– Bonnjävlarna har alltid snott åt sig.

Elektrikern var stadsfödd.

– Dom skriar som några satans grisar, sa han och använde
en bild från landet.

Edvard åhörde Gurras utläggning om bonderörelsen, cen-
terpartiet, fläskkvalitet och EU med tacksamhet. Han anade
varje replik innan den fälldes, kunde förutsäga var resone-
manget skulle ända. Han lät Gurra hållas, underhöll honom
med korta inpass. Om han fann ett påstående felaktigt eller
orimligt underlät han att korrigera elektrikern. Han ville
bara avlyssna harangen, njuta av att han deltog, om än pas-
sivt, i ett tryggt resonemang.

– Såg du Sahlinskan i teve då, skiftade Gurra hastigt
ämne.

– Nä, är hon igång igen?

– Nu ska hon ut på plan igen. Jag tror hon har fått för då-
ligt. Det ser man. Hon blir så där blötögd och himlar. Nä, fy
fan! Hon lider brist, den saken är klar. "Åh, om jag hade ve-
tat att det var så svårt att driva ett företag", kvittrade Gurra
med förställd röst. Vilket fjäskeri!

En ny kund hade kommit in på verkstan men det bekym-
rade inte Gurra. Tvärtom, nu när åhörarskaran fördubblats,
skruvade han upp volymen ytterligare något.

– Undrar vad för slags karl hon har. Det är väl nån sån där
blekfis. Från rörelsen. Jag tror hon hade nån slags hållhake
på Carlsson. Ger mig fan på det!

– Är det politiska klubben, frågade den nye kunden.

Gurra blängde till, sköt över en kabelrulle som låg på dis-
ken.

– Ska det märkas?

– Eriksberg, kan du skriva.

Medan Gurra slog några tejpbitar kring kabeln, vände sig
mannen mot Edvard.

– Jag tror för min del, sa han med en förvånansvärt eftersinnad och lite skolmästaraktig ton, att politiken har blivit för komplicerad för politikerna. De hänger inte med. Det brister i kunskap och överblick.

Han såg på lantarbetaren. Edvard kände sig tvungen att fälla en kommentar.

– Ja, världen blir mindre, sa han litet omotiverat. När han sagt det såg han utedasset och stjärnhimlen framför sig. Han såg de miljarder galaxer som han visste fanns där ute och han fick känslan av att han uttalat en lögn.

– Jag menar att vi i Sverige inte har så mycket att säga till om längre. Det bestäms på annat håll.

Han tyckte det lät fånigt och som en upprepning av vad många andra sagt tidigare. Som han var ett instrument i vilket andra blåste. Att det mesta bestämdes på annat håll var inget nytt. Så var det, men att säga det så var att överlämna sig själv, att låta sig spelas.

– Jag menar . . .

Kunden, som nu stod med kabelrullen under armen, avbröt honom.

– Jag tror tekniken skulle kunna ersätta alla politiker. Om vi allesammans fick varsin dator. Då kunde vi få information och rösta direkt.

– Men vem skulle ta fram informationen, sköt Gurra in. Bonnjävlarna? Eller Sahlin? Nä, fy fan!

– Det kunde vetenskapsmännen göra.

Gurra såg på mannen med en fundersam blick. För ett ögonblick såg han ut att vilja invända mot hans resonemang.

– Ha en bra dag, sa han i stället och slog igen boken med följesedlar.

Den gigantiska magen gungade när han förflyttade sig några meter bakom disken.

– Dina prylar har kommit, sa han och plockade med några paket.

– Nä, tog han upp resonemanget igen, det märks på Sahlinskan. Blir så där glansögd och så där, du vet. Sväller lite. Nästan så att det savar. Det vet väl du, som jobbar med djur. Det syns på gångarten. Brunstig liksom.

Edvard småskrattade åt den tjocke. Han hade hört honom förut. För elektrikern var politiken en fråga om kön. Gurra hade egenskapen att fastna i ett ämne och sedan älta det

44

några dagar. Nästa gång Edvard kom förbi skulle Sahlin tillfälligt vara glömd.

– Hon går liksom så här, sa den tjocke och skred vaggande iväg bakom disken. Han svängde sin oformliga kropp i ett försök att se utmanade förförisk ut, men det liknade mest mödosamma manövrer av en trög bummel. Hans omfångsrika kropp framstod som än klumpigare, med de smala kablarna i sina rullar på väggen som kuliss.

– Det är männen som står för det rationella, sa han, röd i ansiktet.

– Bildt till exempel, sköt Edvard in.

– Den kraktarmen. Han gick ju sängvägen, han också. Nä, dom snor åt sig.

– Det går väl ingen nöd på dej!

Invändningen kom från ett utrymme i verkstans inre. Ett huvud stacks ut genom en dörröppning bakom Gurra.

– Du blir ju bara fetare och fetare. Politiskt förstånd mäts inte i kilo.

Det var en av montörerna som lyssnat på konversationen och nu fann det lämpligt att göra ett inlägg. Mannen log, men det låg något dystert över hans gestalt.

– Du gapar över bönderna, men de enda du gynnar är just bönder. Du äter dom rika.

Han sa det utan egentligt engagemang och Gurra tog hans inpass med ro. Edvard anade att de slängt käft kring detta tema tidigare.

– Jag tror inte på nån, sa Gurra. Trots att jag är egen har jag röstat på sossarna i alla tider, men det blir svårare och svårare. Min farsa var politiker. Han satt med i Bondkyrko kommun, men jobbade heltid på Ekeby och skötte det politiska på kvällarna. Han var verkligen folkvald. Han var formare på bruket. Jag minns hur folk kunde komma hem till oss, slå sig ned och prata om ditt och datt. Det var skolan eller nåt vägbygge. Farsan lyssnade.

– Det var enklare förr, sa montören.

– Nä, så fan det var! Vi hade stora problem då med, men farsan och de andra växte inte ifrån folket på bruket. Dom skälldes på, då med, men dom hade kvar sin ideologi. Farsan hade ingen fallskärm eller kontokort. Han fick en vas, från Ekeby, när Bondkyrko försvann och las ihop med Uppsala.

Det var allt.

Gurra hade blivit allvarlig.

– Att du inte ger dig in i politiken?

Montören log sitt sneda leende.

– Det ska jag tala om för dej: skulle jag gå på ett möte så skulle jag bara skälla som en bandhund. Dom skulle skratta åt mej.

Ramnäs Gård hade varit kund hos Gurra i över tio år. Edvard kände elektrikern så pass väl att han visste att den slutsatsen var riktig. Gurra var ingen politiker. Det språk han förde passade inte in i några mötessammanhang. Hans onaturliga fetma bildade också en lite suspekt fond till hans argument. Det var som om man inte tog riktigt allvarligt på vad han sa. Fläsket förminskade honom, dolde hans tendens. Elektrikern kände det naturligtvis och svaret blev ett onyanserat gapande och ett bottenlöst förakt för allt vad politiker hette.

– Jaha, sa Edvard. Man kanske ska knalla vidare.

Gurra stoppade ned gårdens varor i ett par plastkassar.

– Hälsa ut till bonnjäveln, var det sista Edvard hörde när han lämnade verkstan. Det var med en känsla av obehag han tänkte på Gurras tal. Var det allvaret han förnummit i elektrikerns ord och ögon, som gjorde honom upprörd, irriterad? Var det så enkelt att han inte hade varit beredd på allvaret?

När han gått ett stycke slog det honom att inte ett ord om främlingen under granen hade nämnts. Han fick en impuls att vända tillbaka in och berätta vad han varit med om.

När han satt i bilen återkom den döde. Hans unga ansikte, det svårmod som Edvard tyckte sig ha läst in i hans drag. Såg döden ut så eller var det hans eget svårmod som han speglat sig i? Faktum var att han nu hade svårt att återkalla bilden av den dödes ansikte. Den gled ihop med barren och kvistarna på den bädd han vilat. Men visst hade han sett plågad ut.

Edvard mindes sin fars ansiktsuttryck när Birger hade släppt sin börda och försiktigt lagt ned sin hugggarkamrat på den snöiga gårdsplanen. Efteråt hade Edvard funderat på varför han lagt honom ute i snön och inte burit honom ända in i huset. Det fanns en återhållsamhet i Birgers rörelser. Erik Risberg hade liksom glidit ned på marken, lagt sig till-

46

rätta. Birger hade böjt sig ned och lagt samman Eriks armar mot kroppen, tagit några steg bakåt. De hade varit vänner i över fyrtio år.

– Det gick säkert fort, mumlade han.

Över faderns panna gick ett svagt rött streck, som efter en rispa av en gren. I övrigt såg han fridfullt avslappnat ut. Inget spår av smärta eller kamp. Han hade segnat ned i sitt arbete och det tycktes han vara nöjd med. Så läste Edvard hans uttryck.

Främlingen hade krupit samman under en gran. Däri låg en rädsla och en ensamhet som dessutom underströks av den färggranna batikskjortan. Ärret på ryggen, format som en halvmåne, hade talat om smärtan. Det var ärret som gav främlingen en kropp. Ärret hade påmint om ett bomärke. Genom att skapa smärtan i ryggen visar vi var du hör hemma. Du är märkt. Du kan fly, förändra ditt liv, men en gång för alla är du märkt. Du ser inte ärret, men för din hand över ryggen, låt fingrarna stryka den valkiga randen som omger den blanka, blekvita ytan, så påminns du. Smärtan kunde du leva med, den gick över. Såret varade och kliade, men läkte. Ärret däremot kan du aldrig bli kvitt. Vi märkte dig, varthän du än styr dina steg så talar vi till dig.

Hörde du någon röst där du låg hopkrupen under granen? Edvard fick för sig att ärret var viktigt, att det berättade en historia som kunde förklara vem mannen var och vart han var på väg. Han hade glömt att fråga Lindell om de hade någon teori om hur det uppkommit.

Själv hade han en ärr på vänster arm som påminde om främlingens, men då betydligt mindre. Han fick det som barn, uppe hos Edholms i det gamla garveriet. Det verkade som om gubben Edholm slutat för dagen och gått in, för att aldrig mer återkomma. Redskapen låg som han lämnade den. Skinnstycken låg fortfarande på bockar och bänkar. I garvkaren simmade en oljig vätska. Edvard hade kottat på arbetsbänken med ett rostigt blancherjärn och slintit. Järnet hade tagit strax ovanför handleden och skurit en ful skårsa.

– Så går det när man fördärvar, sa gubben Edholm, som hjälpte honom hem. Pissa i såret du så blir det bra.

Edholm var borta, garveriet nedslaget och stugan förvandlad till sommarnöje, men ärret på underarmen lyste. På sätt och vis var Edvard tacksam för sin oförsiktighet. Ärret påminde om tider som han annars kanske skulle haft svårt att minnas.

Det var nog annorlunda med främlingen. Hans skada, hans märke, hade säkert bara givit onda hågkomster. Så trodde Edvard.

8

VÄGEN UPP TILL Rosander var som vanligt i dålig kondition. För att undvika de värsta groparna kryssade Edvard med bilen från den ena kanten till den andra. Lindell, kan hon verkligen finna ut vem den döde är? Edvard hade föreställningen att en tänkande polis för det första var en man och för det andra betydligt äldre än Lindell. Han skulle ha föredragit en manlig utredare.

Han kände bara en polis sedan tidigare. Det var en försiktigt karl, strax under pensionsstrecket. Går det att ringa honom? Jag vet knappt vad han heter, Lindberg, Lundberg? I jaktlaget gick han under namnet Drutten. Han brukade alltid vara först på plats vid samlingen, sa sällan något, men lyckades alltid bra i jakten. Vid förra älgjakten hade han fällt tre djur, av lagets tilldelade sju.

Edvard hade vid några tillfällen haft sällskap med polisen ut på passen och förvånats över den rika kunskap han besatt. Han tycktes uppmärksam på allt. Han kände växternas namn och kunde genom några få ord beskriva ett sammanhang, ett samspel i naturen som Edvard bara kunde ana. När de en gång kommit fram till ett vidsträckt hällområde hade polisen hukat sig ned, dragit med handen över det släta berget och, i Edvards öron, redogjort för hela universums skapelse. När jag var ung ville jag bli geolog, hade polisen sagt.

Det var en sådan polis Edvard ville ha, som förklarade, gav de stora sammanhangen, men också kunde peka på de små, till synes obetydliga, detaljerna.

Vägen gick över hygget där de plockade hallon i somras. De jättelika stenblocken som frilagts genom avverkningen och nu låg likt forntida, idisslande, mossruggiga djur, försvann alltmer i den starkvuxna slyn. Hallonbladen skrumpnade med bruna sorgkanter.

Edvard stannade bilen och gick ett tiotal meter upp på hygget. I väster kunde han se vägen som slingrade sig genom byn. I söder skymtade han silostornet vid Widegrens och ännu något längre bort, men dolt i vegetationen, låg ICA-handeln. En vit personbil kom farande, stannade till vid vägskälet upp mot Lindgrens och efter några sekunder vek den in mot stället. Edvard följde bilen med blicken tills den försvann i skogen. Där måste "Chicago" ha gått för att komma till skogsbilsvägen, som i sin tur ledde mot svampstället. Det är klart, han kan ha kommit från andra hållet, men det skulle ha inneburit många kilometers vandring i oländig terräng. Han gick nog Lindgrens väg, men varför? Var det en slump eller hade han ett ärende? Vad skulle det vara? Lindgrenarna var inte kända som gästfria. De bodde uppe i skogen, den gamle alltmer folkskygg och ledbruten och sönerna näst intill oförmögna till kontakt med andra varelser. Den äldste, "Bromsen", betecknades av många som utvecklingsstörd. Öknamnet hade han fått under skoltiden, då läraren kallade honom retarderad. Ingen av eleverna kände ordets betydelse, men en av dem tog mod till sig, räckte upp handen och frågade. "Uppbromsad", förklarade läraren och Åke Lindgren blev "Bromsen". Hans yngre bror blev "Lill-Bromsen", trots att han inte var fullt lika enfaldig som brodern. Gemensamt för de båda var dock deras arbetskapacitet och Lindgrens ställe fortlevde blott och bart på grund av brödernas idoga slit på de femtiofem hektaren odlad mark och den dubbla arealen skog.

Edvard blev sittande på en sten. Framför honom låg hans landskap: åker, äng, skog, gårdar och hus, med vägar som likt ett blodomlopp sammanband de fåtaliga boplatserna. Efter Widegrens kom Liths, där far och son bedrev mekanisk verkstad. Där var flaggan hissad som vanligt. De hade alltid gott om arbete. Det kunde vara bilreparationer, smidesjobb eller byggnadsarbeten, inget tycktes omöjligt för Litharna. Barbro Lith syntes ofta i kökslandet, med den breda ändan i vädret, rensande ogräs, med sådd eller skörd. Hennes skratt hördes ofta. Agne och Sören Lith vaggade från bostadshuset till verkstan varje morgon vid sju, kom in till mat vid halv tio, för att vagga tillbaks en halvtimme senare. Kaffe avbröt deras arbetsdag två gånger om dan. Så förflöt deras dagar, sommar som vinter. Emellanåt pressade de in sina oformliga kroppar i en liten pickup och for till stan för att köpa reservdelar, svetstråd eller vad som nu gick åt.

Femtio meter längre ned på vägen lyste biodlarn's tak. I trädgården och i skogskanten stod ett trettiotal bikupor som höll Einar Andersson sysselsatt, medan Alice var den drivande kraften i hembygdsföreningen. Vad gjorde han nu? Rengjorde ramar? Honungen såldes dels i byn, men framförallt i en hälsokostbutik inne i stan. Ibland hände det att Einar packade bilen och for in till Fyris torg för att där sälja några burkar. Det gav just ingen förtjänst, men både hans och Alices föräldrar hade torgat. Att då åka in var att återuppliva gamla minnen.

Liths och Biodlarn´s låg i byns centrum, om inte ekonomiska, så dess idémässiga mittpunkt. Alla i de två gårdarna var födda i byn och hade tillsammans ett dussintal gravstenar på kyrkogården. Visst vägde Ramnäsarns ord tungt när för byn viktiga angelägenheter dryftades, men det var som om Agne Liths och Alice Anderssons mening hade företräde. Det underströks av att tvärs över vägen vid Liths låg hembygdsgården och granne med Anderssons låg den gamla skolan.

Edvard blev allt mer vemodig av att ströva över hygget. Stubbarna, de nakna rötterna, den såriga marken, riset och de skuggälskande örterna och mossorna som nu antingen brändes bort eller kvävdes av det toviga, vildsint snärjande gräset. Han gick allt hastigare mot bilen, för att sedan springa de sista trettio metrarna.

Jag är inte överens med den här marken, tänkte han. Säg nåt som du är ense med! Skäll inte på Widegren för att han slår ner sina granar. Marken repar sig, naturen tar åter. Widegren bygger nytt, tror på EU. Världens renaste jordbruk. Widegrens kärring talar om folkpartiet. Säga vad man vill om Ramnäsarn: han röstade nej och ger alla fan. Vad röstar du på då? Skitoxarnas Riksförbund! Jag är inte överens!

Med marken här, med den väg som "Chicago" gick, med de nätter som bryts upp av oron.

Den sista biten upp mot Rosanders försökte han tänka på Marita. Det brukade hjälpa. Det hjälpte förr, när han utom sig av trötthet sådde eller harvade på vårkvällarna. När han plöjde i strålkastarsken då kunde vetskapen om Marita och barnen värma, få honom att nynna lågt och sömnigheten att vika något. Men nu såg han hennes förtvivlade blick, hennes irritation, som en lång, lång mens. Nej, värre, här syntes ingen ände. Älskade han henne? Ja, visst, visst. Vad var det då som bröt sönder allt, som underminerade marken?

Vid Rosanders infart stod två bilar, dels Taunusen, men också en Golf. Det var Vitrosens bil, textilarn, som höll till i gamla skolan. Edvard kände framförallt igen dekalen i bakrutan: "Tillsammans kan vi". Vad är det vi kan tillsammans hade han tänkt första gången han fick Golfen framför sig på vägen. Hon och Rosander kan säkert tillsammans. Det var nytt.

Han kikade in i baksätet där flera banankartonger stod staplade. Ska hon flytta hit var Edvards första tanke, men så såg han att de var fyllda med mat, mest torrvaror. Han gick sakta fram mot huset. Förra gången han besökte torpet stod stjärnflockan och stormhatten i full blom. Nu slokade de. Några oktoberastrar lyste dock karminrött. Några gullris som expanderat ut i gräsmattan gungade sakta sina blekgula vippor.

– Hej du!

Rosander hade ljudlöst kommit ut och stod i strumplästen på den jättelika trampstenen utanför dörren.

– Du får sätta igång och räfsa.

Rosander lät blicken för ett ögonblick svepa över gräsmattan och de risiga snöbärsbuskagen.

– Så fint främmat, sa han.

Hans gröna raggsockor var noppriga av sågspån.

– Jag hade vägarna förbi. Du syns ju aldrig till.

Han rös till. Vinden hade nu vridit och tilltagit. Löven dansade.

– Snöbärna är granna så här års.

Rosander nickade. Edvard uppfattade en rörelse i köksfönstret och vred på huvudet. När han återigen såg mot

51

Rosander, såg Edvard tröttheten.

– Sover du dåligt, föll det ur honom.

Rosander synade sina sockor och Edvard tog några gungande steg, utan att egentligen förflytta sig.

– Hur så, sa Rosander.

Nu fanns irritation i rösten. Edvard ville bara gå, fara ned för backen och vara någon annanstans.

– Jag kom för att jag ville prata litet, men du har säkert annat för dej.

–Du tänker på Eva-Lena, sa Rosander. Hon ska åka snart. Kom in!

Det var som om Rosander helt hastigt bestämt sig för någonting. Han klev snabbt in, kikade på Edvard som fortfarande stod kvar.

– Kom igen! Det drar så förbannat!

Eva-Lena Vitros, kvinnan med de färggranna lakanen. Hon som spände streck över hela trädgården, från Transparante Blanche till Hampus, vidare till Åkerö, via Signe Tillisch till Alexander och Maglemer. Grova streck, som spändes hårt, det tog ett par timmar. Grova streck för att bära lakanen. Det första året mycket orange och gult, med grönt. Sedan en period med blått och nu dominerade sedan flera år hud- och jordfärgade tygsjok.

– Jag behöver egentligen inte hänga ut dom i trädgårn, sa hon till Biodlar'n, som var närmaste granne, men det blir så vackert. De rör sig så fint i vinden.

Einar förstod och bryddde sig inte så länge hans bin inte stördes. Den gamla skolans alla fruktträd var ett bra drag och lakanen misshagade inte bina.

Det fanns andra som inte förstod. De talade ofta och länge om "hon i skolan". När Vitros en vår inte dekorerade sin trädgård, de första lakanen brukade komma upp till äppelblommen, så satte pratet förnyad fart. När halva juni gått utan ett enda tygstycke, firade framförallt Lindgrenarna, men även Ramnäsarn, triumfer.

– Hon får dom inte sålda längre, trumpetade Lill-Bromsen ut, för pratarna i byn hade sent omsider förstått att "hon i skolan" gjorde affärer med sina lakan. Att de inte bara var till för skönhetens skull. Det gjorde saken än värre. Hon gjorde pengar på sina fladdrande trasor.

52

– Det är inte arbete, fastslog Ramnäsarn.

Året därpå hängde de där igen. Ilsket röda och blå. Vitrosen lät sig fläktas och gick som en berusad mellan doftande lakan och singlande äppelblom. Hon vinkade till Einar och Alice.

– Kom hit på kaffe, skrek hon och de satt i den lilla bersån, tyckte sig se hur syrenens knoppar svällde för var minut. Över träden surrade bina och Einar log.

– Kan så vara, sa äldste Lindgren, att hon är trevlig, men hon ser ju ut som en sjaska.

– En pissruska, sa Ramnäsarn.

– Jag tycker hon är vacker, sa Einar, och så doftar hon såpa, gammeldags såpa. Tänk att det finns folk som tvättar sina kläder i såpa.

– Och nu ska hon visst starta en barnteatergrupp. Som om inte vi hade annat att göra!

– Det är för barna.

– Jamen, då ska man springa där. Köpa biljetter och annat skit!

Eva-Lena Vitros var en omfångsrik kvinna. Det är mycket att se på, som Lith junior utryckt det. Om det var kroppens volym eller Vitrosens sätt att klä sig, med lager på lager av linnen, västar och koftor som skapade denna myckenhet, var ovisst i byn. Einar, som sett henne näst intill naken, sa att hon var en grann kvinna.

– Hon färgar håret, sa Lill-Bromsen och fick det att låta som om hon spred en dödlig sjukdom.

– Det lyser upp, sa Einar, och så är hon rar.

– Hål som hål, sa Bromsen, som aldrig varit nära en kvinna.

Edvard och Vitrosen handhälsade. Hon var klädd i jeans och en lårlång farfarströja. Edvard betraktade hennes kropp när hon vände in mot köket.

– Vill du ha kaffe, sa hon och vände sig om.

Edvard fick fram ett förvirrat tack. Rosander tycktes som uppslukad. Resterna av en måltid, dukad för tre, stod på bordet. Vitrosen dukade av, fick fram en kaffemugg och ett kakfat.

Rosander kom intassande i köket. Nu var de gröna raggsockorna utbytta mot ett par grå, utan sågspån.

53

– Du fann honom.

Edvard nickade. Han drack lite av kaffet och kom på att det var det första han fick i sig sedan frukosten vid sex.

– Jag har fått för mej att ingen bryr sig riktigt. Det är som meningslöst, att dö så där i skogen, att krypa undan. Kanske han var jagad.

– Det är nog så, sa Rosander. Det är många som är jagade.

– Vad gjorde han här, i Ramnäs? Av alla ställen.

I det ögonblicket slog det honom att Vitrosen var den enda person i byn som främlingen skulle kunna besöka. Vem annars? Vem skulle ha tillräckligt med fantasi för att ta emot en halvsvart kille? Ramnäs by, som gjorde sig lustiga över en tysk som köpt ett hus ovanför Liths. Ändå såg han ut som en svensk, pratade svenska och hade jobbat i Uppsala i säkert femton år. Vem? Edvard såg hastigt på Vitrosen.

– Var han mycket skadad, frågade hon.

– Nej, det tyckte jag också var konstigt att han var så välbevarad. Han hade ett ärr.

Rosanders andhämtning hördes tung.

– Ett gammalt, på ryggen. Jag kände på det med fingrarna. Jag har fått för mig att det är viktigt, att det berättar någonting, kanske allt, om varför han dör i vår skog.

Han såg hur det gick som en skälvning genom Vitrosen.

– Vad säger polisen, frågade Rosander.

– Dom vet just inget. Han tycks inte ha varit efterlyst.

– Det skulle dom aldrig säga, brast Vitrosen ut. Aldrig att dom skulle medge att han var efterspanad.

– Varför det?

– Då skulle det bli dålig press, tidningarna skulle skriva att han hetsats ihjäl.

– Men om han var en flykting utan tillstånd så måste han väl vara hotad av utvisning. Det går ju inte att dölja.

Edvard tänkte på Lindell. Skulle hon kunna ljuga för mej, för tidningarna, för alla? Hållas ovetande eller ljuga på kommando, kanske med vilja. Skulle en sådan sak kunna ske, bara för att polisen eller myndigheterna ville slippa kritik. Skulle de förneka den dödes existens?

– Det kan inte hända, slog Edvard fast.

– Dom pissar på humaniteten!

Rosander fick ett föraktfullt drag över munnen. Detta,

tillsammans med tröttheten, som grävt fåror i de annars så veka linjerna, förfulade ansiktet och orden. Framför sig såg Edvard hur "myndigheterna" pissade på den döde, lät sitt vatten över hans nakna, ärrade rygg. De stod i ring och det skvalade.

Vitrosen la sin hand på Rosanders. Några strålar av höstsolen letade sig in genom fönstret och bröts i hennes många fingerringar. Där fanns en bred guldring och ur dess blodröda sten slungades gnistor som vandrade på väggarna när Vitrosen smekte eller klappade Rosanders hand. Edvard hade aldrig sett honom så aggressiv, inte för vad han sa, utan hur han sa det. En klocka slog. Edvard räknade slagen.

– En gång fick jag en flaska krokodilolja av en kompis. Jag vet inte varifrån han hade fått den. Det kanske var en falsifikation, men olja var det och illa luktade det. Man skulle gnida in sej i oljan och det skulle hjälpa mot allergi, eksem och förkylning, gud vet allt. Det stank så in i helvete. Den mest vidriga lukt. Så luktar Persson, Winberg och alla de andra. Dom klibbar sig fast vid oss och luktar illa. Trumpetar ut att de är mirakelmedicinen som ska frälsa landet. Till och med Schori, som jag emellanåt tyckte var bra. På det viset blir han sämst, den mest föraktliga.

– Provade du oljan?

Rosander skakade på huvudet.

– Den kanske var effektiv.

Rosander gjorde sig fri från Vitrosens grepp och gjorde en ansats att resa sig, men förblev sittande. Axlarna sjönk. Han sänkte huvudet och när han återtog sin monolog var det med en så svag röst att Edvard knappt kunde uppfatta hans ord.

– Jag besökte ett främmande land en gång, sa han och Edvard tyckte det lät som inledningen av en saga ur "Tusen och en natt", för att titta på ruiner. Högkultur för hundratals år sen. Stenar staplade på varandra, bevattningssystem, sinnrikt, vackert och förunderligt. Hur gjorde dom? Hur högg dom stenen, hur fick dom den på plats, med den inpassningen? Murar och trappor som skulle göra vilken stensättare som helst grön av avund. Kring dessa lämningar traskade nu dessa byggherrars arvingar, skitiga, lungsiktiga och mycket fattiga. De nyttjade femhundra år gamla odlingsterasser, men de strån som stack upp ur den steniga backen spirade så glest att skärorna mejade bara några stycken åt gången. De förmådde inte föda sig, än mindre de svaga och de nyfödda. Kvinnorna bar de torkade agavebladen på ryggen, laster som fick deras bröst att tryckas samman och deras ögon att tränga ut ur hålorna, vilda av ansträngning. Männen tuggade sin koka och kultiverade jorden med redskap som nötts till skönhet, men var för grunda, för slöa. De gick mot kusten och arbete vid plantagerna och fick slita två veckor för en femtiokilos säck med gödning. Det var arvingarna.

– Vad gjorde du?

– Jag reste hem, läste allt jag kom över och ett år senare återvände jag. Då kunde jag lite bättre spanska, jag kände till småböndernas organisation och visste var jag skulle gå.

Rosander trummade på bordet. Svett hade trängt fram vid tinningarna och ögonen sökte ömsom Edvard och ömsom Vitrosen som för att förvissa sig om att de fortfarande följde hans resonemang.

–Vänta ska du se, sa han och reste sig hastigt och försvann ut ur köket.

– Kan ni inte tala om nånting annat, vädjade Vitrosen.

– Det är han som pratar.

– Det är inte bra för honom.

Varför det inte var bra, förstod inte Edvard. Han längtade efter att få tala just så. Det var därför Edvard kommit, övergivit sitt arbete och kört den gropiga vägen till torpet. Men det var någonting i Vitrosens blick som fick honom att dämpa sin iver, som efter det avmätta mottagandet hade stegrats av Rosanders allvar och intensitet. Han visste ju mycket väl att Rosander varit i Sydamerika, men nu förstod Edvard att han närmat sig det väsentliga i resorna. Denna resa ville han inte missa. Semesterbilder hade han nog av. Egna och andras. Nu gällde det livet.

Rosander återkom med en mapp. Hans ansiktsuttryck förbyttes från förväntan till oförställd häpnad när Vitrosen sträckte sig fram och med ett snabbt ryck slet till sig mappen.

– Det blir inga bilder idag!

Hon tryckte mappen mot bröstet.

– Vad i helvete, sa Rosander. Han stirrade på Vitrosen som nu backat några steg och lutade sig mot diskbänken. Hon slog ned blicken och andades tungt.

– Du är bra korkad ibland, sa hon oväntat milt.

Rosander stirrade med öppen mun och frågande blick.

– Jag går upp med bilderna. Edvard kan titta på dom sen, när allt lugnat ner sej. De lyssnade båda till hennes steg uppför trappan.

– Vad är det som ska lugna ned sig?

– Allt, sa Rosander, som till slut hade förstått.

– Vad är det för bilder?

– Vi kikar på dom sen. Då ska jag förklara.

Rosander drog med händerna över ansiktet. Han såg snabbt på Edvard, försökte finna något annat än allvaret, andades in och gav ifrån sig en djup suck. Han satt så för några ögonblick, drog sedan undan händerna. Blicken flackade än från Edvard, än ut genom fönstret där mesarna kivades på fågelbordet.

– Det är mycke nu, sa han och försökte le.

Edvard nickade frånvarande.

– Har bilderna något samband med den döde i skogen?

Rosander slog ned blicken, reste sig och gick fram till spisen, öppnade luckan och petade in några pinnar.

– Det är en grej mellan Eva-Lena och mej.

– I helvete!

Rosander skakade på huvudet.

– Jag hittade honom. Tror du det va så roligt? Jag måste få veta. Det handlar inte bara om mej och min nyfikenhet.

Rosander väntade på en fortsättning, men Edvard hade tystnat.

Rutorna i farstukvisten skallrade. Edvard blev stående på dörrstenen några sekunder, andades in den svala luften. För ett ögonblick tänkte han vända in igen, men nu var det sagt. Han hade skällt Rosander för en pratskit som satt i sitt torp och malde världens orättvisor, tuggade på oförrätten, sög rättfärdighetens ihåliga tänder och smackade med den renhjärtades läppar.

Rosander hade lyssnat med böjt huvud och hängande armar. De tilltufsade byxorna och de sladdriga raggsockorna underströk en mållös passivitet, som Edvard uppfattade som falsk förkrosselse från en man som lämnat samhället, för att istället skriva om nätvingarnas sexualliv. I Edvards ilska låg

besvikelsen. Den förhoppning som han knutit till resone-
mangen med Rosander låg som spillsäd. Han hade åkt till
torpet, inte bara denna gång, utan många, för att vinna kuns-
kap, öppna kanaler till ett liv utanför Ramnäs gård och by.
Rosander, insektsforskaren med de många bokhyllorna,
pärmarna och mapparna, med de spännande orden och iro-
nin hade representerat något nytt. Nu framstod ironin som
en bitter sarkasm. Böckerna blev döda ting, reliker i en grav-
kammare. Hade inte Edvard tagit ned ett av banden, vars tit-
lar lovade så gott och funnit dammet likt en grå hinna som
fick honom att nysa.

– Läser du aldrig böckerna, hade han frågat Rosander.

Rosanders katt satt på stenstolpen som vanligt, sköt rygg
och började spinna.

Kattjävel!

9

VID AVFARTEN TILL Lindgrens stod kriminalinspektör Ann
Lindell. Hon hade klivit ur bilen för att tänka. Hon tog ett
skutt över diket och gick några meter in i skogskanten. Vad
skulle han göra här? Enligt flera av byborna var det här den
mest logiska vägen att gå för att hamna vid Edvards svamp-
ställe. Hon kikade på kartan, måttade avståndet. Att främ-
lingen skulle vikit av från stora vägen rakt ned mot den plats
där han hittades var tänkbart, men föga troligt. Det skulle
innebära kanske ytterligare två kilometers vandring i snårig
och delvis sank terräng. Om han nu frivilligt vek in mot
Lindgrens, vad hade han då för ärende dit? Eller var det ett
missförstånd, att han hade ett annat mål, men tog miste på
väg? Hur som, varför gick han in i skogen?

Spårning med hund hade inte givit någonting. För gam-
malt, hade hundföraren sagt. Lindell och hennes två kolle-
gor Svensson och Lundin hade provgått i olika riktningar
från granen, mätt gångtider och bedömt sannolikheter. Lin-

dell var nu övertygad om att Lindgrens väg var den han hade gått. Varför?

Hon steg ned i dikeskanten. Smultronrevorna i det gråbruna gräset lyste fortfarande gröna. Hon skulle vilja resonera och saknade Lundkvists knarriga stämma. Han skulle ägna sig åt invandrarmyndigheterna idag, det vill säga: sitta i telefon, fastna på linjer mellan växeln och olika tjänstemän, mötas av uppkäftiga småpåvar. Det var vad han själv trodde i alla fall. Lundkvist hade ingen telefonröst, egentligen ingen röst för allmänheten alls. Han lät avvisande och sur som om han förutsatte att folk ville djäklas med polisen. Också inom kåren var han känd som en tvärvigg och negativist. När Lindell kom ny till roteln var det Lundkvist som presenterade kollegerna och förevisade lokalerna. Ett personalpolitiskt missgrepp. Det tog åtskilliga månader för henne att arbeta bort den negativa beläggning som Lundkvist lyckades dra över hela våldsroteln och dess personal. Det var sex år sedan.

Samarbetet med Lundkvist gick nu förhållandevis smärtfritt. Hon uppskattade hans saklighet, dold bakom muttrandet och de avvisande minerna. Lundkvist ägde kvaliteter som polis, han var minnesgod, envis och oförutsägbar i sina infall. Sedan hade han en egenskap som i början förundrade henne mycket, han visste när folk ljög. Metodiska yrkeslögnare, smålögnare, folk som förträngde sanningen eller glömde saker de fann för gott att glömma, alla granskade Lundkvist med kritisk uppsyn. "Ta om det där", muttrade han och då visste kollegerna att han var en osanning på spåren. Hur det gick till ville, eller kunde, inte Lundkvist tala om. Han hade olika, högst vardagliga, förklaringar: "Det syns i ögonen" eller "Jag hör när lögnen kommer. Det blir en annan ton".

Det första året behandlade hon Lundkvist snävt, avvisande, för att med tiden försöka närma sig honom. Hon slog sig ned vid hans fikabord, inledde samtal, ställde intresserade frågor, gjorde allt för att etablera någon form av kontakt, men Lundkvist lät sig inte påverkas. Han var omutlig i sin barskhet. Hon hade inte funnit några luckor, men ändå var Lundkvist en kollega hon numera gärna samarbetade med.

I dag skulle han behövts. Besöket hos bondfamiljen hade inte givit någonting. En av sönerna hade efter stor tvekan släppt in henne. Sedan satt de tre, far och två söner, mitt emot henne, med ett grisigt matbord emellan, i en halvtimme och hummade, snorade och rev sina armhålor. Som en karikatyr på riktiga bonnläppar. Den yngste sonen, Erik, tuggade och smackade med ett rött tuggummi under hela samtalet. Den äldre, Ulrik, stirrade oavvänt på henne. Fadern var den som, trots sin fientliga uppsyn, ändå försökte upprätthålla ett samtal, ge Lindell upplysningar och svara på direkta frågor.

Det låg en lukt över Lindgrenarnas kök som var svår att definiera och uthärda, en blandning av matos, ovädrade sängkläder, kattpiss och männens skarpa andedräkt. Var fanns den kvinna som hade dragits till denne man och fött de två debila sönerna?

– Hit kommer ingen, hade fadern slagit fast.
– Här är fridlyst från svartingar, sa den yngste.
– Fridlyst, hur menar du?

Erik Lindgren bara grinade. Tuggummit lyste som blod i hans mun.

– Vi umgås inte med svarta, sa fadern.
– Vilka umgås ni egentligen med, slank det ur Lindell, men ingen av Lindgrenarna fann något insinuant i frågan.

De tycktes fundera. Erik höll för ett ögonblick upp med tuggandet, Ulrik kikade på fadern som grinade upp sig i en för Lindgrenarna tydligen gemensam grimas.

– Vi spelar kort, sa han.
– Spelar du skitgubbe? frågade Erik.

Ann Lindell skakade på huvudet.

– Ulrik har rekord. Han blev skitgubbe tretton gånger på raken.

Han bet fast gummit mellan framtänderna och drog upp läpparna i en grin.

– Äh, sa den äldre, som inte kunde bestämma sig för om brodern jäklades med honom eller om det enbart var angenämt att för ett ögonblick ha Lindells ögon vilande på sig. Ulriks litet för stora öron blev illande röda, de flammade, gick nästan över i en lila nyans. Det ryckte i hans kinder och mungipor, som om han ville säga något. Dessutom svettades han. Det var en hel provkarta på mänskliga yttringar, där Lundkvists förmåga skulle varit värdefull. Lindell kunde inte tolka Ulrik Lindgren. Var han bara en halvdåre eller fanns det något i hans ryckande ansikte som kunde ge något bidrag till jakten efter sanningen om främlingen under granen?

– Jag tror det är svartsjuka, sa så fadern. Såna där vidbrända är populära i vissa kretsar.

– Hur menar du?

– Då blir det lätt bråk. Är det knark med också, kanske, va?

– Inte vad vi vet. Men vad menar du med svartsjuka. Att det skulle varit något svartsjukedrama?

Hon avskydde sig själv för att hon formulerade svaret i frågan, men hon ville bort från Lindgrens kök, ut i friska luften.

– Ja, det vet man ju, dom blir lätt upphetsade.

Ulrik skrattade till.

– Är det någonting du sett eller hört, som du tror kan förklara varför killen under granen befann sig på era marker?

Hon hade skärpt rösten. Ulriks flin tystnade. Erik såg ned i bordet och fadern blev en stenstod.

– Nej, sa han till slut, men det är inte säkert vi skulle berätta det för dej. Det är ju faktiskt vår skog. Vi har inte sett nån, men om han tränger sig in på vår egendom och sen dör, kan det väl inte vara vårt fel, eller?

– Det är många som skräpar ned i skogen, sa Erik. Vi hade nån som tippade bildäck och byggskrot här för nåt år sen.

– Då var det inte några poliser som kom sättande, lade Ulrik till.

Lindell kunde uppfatta ett förnöjt leende i faderns ansikte. Han var stolt över sina söner, det var uppenbart.

Här skulle jag kunna gå länge! Ann Lindell ökade takten och drog in några djupa andetag. Om man nu skulle dö, så vore friskluften här att föredra. Om man skulle dö?

Hon hade kommit fram till bilen, men ville dröja en stund. Ska jag åka upp till Ramnäs gård, till Edvard Risberg? Hon kunde förstå att han sov dåligt. Lantarbetaren hade sett uttrycket i den dödes ansikte, linjerna i hans kinder. Han hade vetat att han skulle dö och var inte överens. Han tog inte livet av sig! Det såg Risberg också!

– Fan också!

Hon slog med handen på biltaket. Spåren är gamla. Han

kanske dog för ett par veckor sedan, en månad, vi vet inte än, och redan är spåren gamla. Spåren efter inlandsisen är tiotusentals år, om någon skär i trädens bark kan jag tyda tecknen efter år, men spåren av främlingen är för gamla, som om han inte funnits, aldrig gått här. Nu minns inte gruset en främlings lätta, snabba steg, mossan har rest sig och luften han drog ned i häftiga andetag har förts bort av vindarna. En människas liv är inte mycket, tänkte hon. En ynka sekund, så är allting över.

Hon såg sig om för att upptäcka något nytt som hon förbigått, tog några steg bort från bilen, såg hastigt in mot skogen. Hon ville lösa det här mordet! Hon ville lösa alla fall som hamnade på hennes skrivbord, men främlingens ansikte stod så tydligt framför henne, som om han ville säga: Släpp mig inte, lämna mig inte!

Var det hans ungdom, hans vackra drag eller kanske den sorgsenhet som vilade över hans ansikte som gjorde henne så förstämd, men också så bestämd att hon aldrig skulle ge sig innan mördaren, eller mördarna, kunde lagföras?

Jag tror du blev jagad och ingen kan tala, bära vittne om din skräck och dina fäktande armar och pulserande blod, som den jagande så hett åtrådde. Ingen jagar genom skogen för att dräpa i hastigt mod.

Mobiltelefonen surrade och i ett slag fick hon bekräftelse: Enrico Mendoza blev 24 år och kvävdes till döds.

10

Pá gårdsplanen stod en främmande bil. Överallt dit jag kommer har någon annan kommit innan, tänkte Edvard, när han svängde in mellan äppelträden. Marita gillade inte när han parkerade på gräsmattan, men han ville inte blockera Volvon.

De möttes i farstun. Hon bar ett fång mattor.

– Vill du ha hjälp?

Hon skakade på huvudet.

– Vems är bilen?

Marita vände sig halvvägs om på trappan.

– Själasörjarn, sa hon.

Vad är det för jävla svar! Har hon besök och går ut med mattor? Men varken i köket eller vardagsrummet fanns någon. Från fönstret såg han att Marita inte gjorde sig någon brådska, hon hängde mattorna över staketet, tog upp ett äpple från marken, strök det mot byxbenet och tog ett bett. Hon såg eftertänksamt ned mot gården. Han följde hennes blick. Ramnäsarn kom körande med den gamla traktorgrävaren. Så hörde han röster, dels farfaderns litet högljudda stämma, men också en ljusare, en kvinnas. Den gamle lät upprörd, ungefär som när han diskuterade bandy.

Marita stod helt stilla, omgiven av trädens allt mer nakna grenar, på marken vissna löv och fallfrukt. Under päronträdet satt några koltrastar. Deras gula näbbar hackade frenetiskt i de krossade frukterna. Vad tänker hon på? Edvard såg henne i profil, ögat som ibland kikade litet snett, den något för stora näsan till den smala munnen, med tunna läppar och med ett skratt som fick hennes kinder och panna att rynkas. Så här älskade han henne, på avstånd, genom ett fönster, när han obemärkt kunde iaktta hennes kropp och rörelser. Visst hade hon mist lite av den fräckhet och friskhet som omgav henne för tjugo år sedan. Till och med hennes doft hade förändrats. I början hade hennes hud doftat något vegetabiliskt. Krossade vetekärnor? Gräs som slagits? Nu utsöndrade hon en annan lukt, inte oangenäm, men vassare, skarpare, lite blötmark, mossa, odon och skvattram. Visst hade hon förändrats, men de hade också känt varandra hela livet, levt tillsammans mer än hälften av den tiden. Vem förändras inte? Frågan är om inte han själv förändrats än mer, kanske inte utseendemässigt, men många gånger kände han det som om han lurat Marita. Hon köpte en pojke på moped för tjugofem år sedan, en lantarbetares son, som var ämnad till jordbruksarbete, men nu förvandlats till en nattvandrande, himmelsstirrande, undflyende zoombie. Han flydde hennes ord, hennes händer och liv.

Vem var besökaren? Han hörde hur den gamle höjde rösten. Edvard bytte fönster. En blå Volvo. Ingen han kunde tänka sig. Själasörjarn, var det allvarligt menat, så var det ju prästen. Det var en hon numera. Vad ska Albert ha prästen till? Kör hon en stor, fläskig Volvo? Prästfan, som gubben brukar säga, nu sitter han där och kuckilurar.

– När fan blir gammal blir han religiös, sa Marita från dörren.

Hon ställde en korg med äpplen på bordet.

– Det här är dom sista.

– Är det prästen?

– Javisst, hon har varit här en timme nu. Å var har du varit?

Hon tappade upp vatten i diskhon och tippade i äpplena.

– Upp till Rosander.

Marita ryckte på axlarna, gick efter en skärbräda och en kniv.

– Bengt frågade efter dej, sa hon och knyckte med huvudet åt gården till.

Åkeröäpplena gav ifrån sig en syrlig doft och när Marita skar upp det första slog sig Edvard ned, tog en klyfta och började sakta att äta. Maritas händer arbetade snabbt. Hennes koncentrationen låg på kniven och frukten, men Edvard kände sig ändå iakttagen, det fanns en förväntan på honom som han inte kunde svara på.

Han ville tala om Rosander, eller ville han det, för var det någon som Marita avskydde så var det just Rosander. Hans lärdom kände hon ingen respekt för. Hennes egen bokliga bildning var skral, men Rosanders kryp intresserade inte Marita det vittersta. I hennes ögon var Rosander en fjant, mest för sitt försiktiga sätt att uttrycka sig, att böja på huvudet, gripa efter glasögonen, hans plötsligt uppblossande entusiasm som Marita tog för en sjuklighet.

Edvard tog ytterligare en klyfta, dröjde med blicken fäst på Marita, luktade på äppelbiten och blundade. Det enda som hördes var klockans tickande och Maritas snabba snitt mot skärbrädan. När den var full stjälpte hon brädan över kanten på den stora grytan.

– Vad vill prästen?

– Det var Albert som bad mej ringa. Hon kom direkt.

– Det kanske har med graven att göra.

Edvard tog en äppelbit till.

– Vill du hämta några till så grytan blir full.

Marita stjälpte upp de sista äpplena på bordet och gav korgen till Edvard.

– Ta gärna Ribston och Maglemer, om du hittar nåra!

Graven, tänkte Edvard medan han med stor omsorg vände och vred på frukten för att finna de bästa, vad är det att säga om graven? Från gården hördes grävarens ojämna motorljud. Han trampade på ett äpple och en doft av förruttnelse steg upp. Han trampade på ytterligare ett. Den bruna fruktmassan trycktes ut likt var ur en böld. Med foten vände han försiktigt de frukter som han trodde skulle duga till säsongens sista moskok, böjde sig ovigt ned och lyckades till slut få ihop till en korg.

– Vi kanske ska ta vara på några bra Ribston och lagra, sa han när han kom tillbaka till köket.

Marita hörde knappt hans ord.

– Det är dom som är bäst. Vi kan slå in dom i tidningspapper. Så gjorde morsan.

Hon skar med frenesi de sista frukterna. Edvard satt helt stilla. När han hörde prästens steg i trappan reste han sig från köksbordet. Marita, som rörde i grytan, sneglade över axeln.

– Fråga om hon vill ha kaffe.

Anna Sildén såg normalt ut "som en glad skit", det var Ramnäsarns ord, höga betyg, men nu var hon blek. Hon gav Edvard en förskrämd blick när han steg fram ur köksregionen och han förstod att han överraskat henne. Prästen tog de sista trappstegen, ansträngde sig för att åstadkomma ett leende.

– Er farfar är en märklig man, sa hon.

– Vad pratade ni om?

Anna Sildén log.

– Tyvärr kan jag inte stanna på kaffe, sa hon och hakade ned kappan från galgen. Som du vet är ett samtal med en präst en affär mellan fyra ögon, ja, kanske sex. Jag ska in till stan, men jag kommer gärna tillbaks om det är något.

– Var det om graven? Han pratar en hel del om den.

– Det var inte om graven.

Hon fattade hans hand, liksom hämtade upp den från hans sida. Hennes beröring fick honom att minnas polisen, Lindell.

– Hur är det? Du gjorde ju ett otäckt fynd häromdan.

Edvard som mer kände än hörde hur Marita smugit upp bakom hans rygg, log plötsligt. Här står jag mellan två kvinnor och tänker på en tredje.

– Det var ju också ett fynd, sa han och gick mot ytterdörren.

I en rörelse satte han fötterna i träskorna och slog upp dörren.

– Jag kan följa dej ut.

De blev stående vid bilen.

– Du har väl äpplen vid prästgårn, sa Edvard och nickade åt fruktträden.

– Tack, jag har.

Prästen öppnade bildörren och gjorde en ansats att sätta sig i bilen.

– Du, sa Edvard snabbt, vet du vem jag hittade i skogen?

– Nej.

– Du kanske inte får säga det.

– Inget sådant. Nej, sa hon igen och skakade på huvudet. Kan du inte komma förbi? I morron till exempel, jag är på expeditionen hela eftermiddan.

Edvard kände Maritas blick i fönstret. Han tog några steg mot trappan.

– Du har inte hört nåt då?

– Nej, inte det heller. Nu måste jag åka, men kom ner i morron! Vi har säkert en del att prata om.

Han tittade efter henne när bilen försvann bakom gamla

stallet. Hon var pressad, som alla andra i byn också tycktes vara. Vad hade gubben sagt? En märklig man, javisst, det tyckte Edvard med. Bara att leva så förbannat länge, att vara så klar i skallen. Det var givet att Albert imponerade på prästen bara genom sin ålder. Hon hade väl aldrig träffat honom tidigare, bara hört talas om församlingens äldste. Men upprördheten, vad kom den sig av?

Schakten för belysningskabeln var i full gång. Han borde gå dit och hjälpa till. Att gå in igen var uteslutet. Han tittade mot sitt observatorium, men än var det långt till stjärnljus.

– Jaså, du flyter upp nu?

– Du fick meddelandet?

Schakten liknade ett sår i jordskorpan, en ränna ristat av en jättes finger. Det var ingen snygg grävning, krokig, med en schaktbotten som mest liknade en berg- och dalbana.

– Jag fundera mest när du skulle komma igen.

– Du fick igång den i alla fall. Ska du grusa?

Edvard sträckte sig efter en byggskyffel, slog dess blad mot traktorgrävarens skopa. Ett känt ljud. Klangen av metall, klangen av arbete. Han upprepade slaget, nu hårdare. Bonden kikade upp. Edvard slog ytterligare en gång, ringde in en arbetsdag som började sex timmar för sent.

– Slå inte sönder maskinen! Jag måste in, det har slage sig på arsle.

– Han läcker bra nog. Det luktar ända upp till mej.

Edvard synade hydraulslangarna, böjde sig ned och kikade, drog med fingret över de svartfeta fläckarna. Det droppade och spillde. Edvard hann inte mer än sätta sig i grävarhytten förrän han hörde Maritas rop. Ramnäsarn hörde det också och stannade till vid trappan, vred på huvudet, först mot Edvards och sedan mot lantarbetaren som redan var på väg hem.

– Han är från Peru, sa Edvard, när han lagt på luren. Peru i Sydamerika. Har vi nån kartbok?

Han visste var, men frågade ändå. Efter att länge ha studerat Perus platta uppenbarelse i Bra Böckers atlas utan att egentligen sett något, än mindre funnit den ort som främlingen stammade ifrån, reste sig Edvard sakta. Lindells röst hördes som en svag viskning i hans öra: främlingen kvävdes till döds. Nu hade han också ett namn, Enrico. Henrik betydde det.

– Vad sa hon mer, frågade Marita, som hittills hållit sig passiv.

Tanken på den döde, hans sorgsna, av rädsla deformerade ansikte, skavde likt grus på näthinnorna.

– Vad sa hon, upprepade Marita.

Hon stod lutad mot dörrposten med armarna i kors.

– Jag förstod det, sa Edvard.

– Vad?!

Irritationen höjde hennes röst.

– Han blev mördad.

Hon gick fram till Edvard, tryckte hans huvud mot sin kropp, smekte hans hår.

– Stackare, viskade hon.

Hon hade varit beredd, alltsedan fyndet i skogen, egentligen mycket längre och nu föll Edvard. Han föll, förtvivlans floder strömmade genom och ur honom. Han föll, reste sig och förbannade, skrek ut sin vrede, sköt Marita ifrån sig, stirrade på henne med raka armar och med sina händer på hennes axlar, som en främmande. Nattens ackumulerade plågor, hans vrede, sköt Marita mot väggen och han gick. Hon stannade. Vad annat skulle hon göra? Springa efter honom? Hans bana, som löpte likt en hares över fälten, gick inte att förutsäga. Hon skulle inte hinna ifatt, finna honom. Inte nu, men sedan, kanske sedan.

För första gången under alla dessa år blev Marita osäker. Förbannad, men osäker, en blandning av ilska, vanmakt och saknad. Det var som om hennes outtalade längtan, hennes sorg över stjärnornas grepp och Edvards trötta ögon drunknade i vrede. Hon skulle ställt honom mot väggen långt tidigare! Såg han inte vad som skedde? Varför försvann pojkarna alltmer? Steg det upp en osynlig gas från trossbottnen, någon slags radon som steg för steg bröt ned deras mjukhet och skapade detta omilda hån som lyste i sönernas ögon? Kylan, som rann genom springorna, var kom den ifrån? Varför gapa om storpolitiken när pojkarna försvann i kallstråket som sipprade in i deras liv. Han såg inte det, han kände inte det kallstråket och om han någon gång yrvaket upptäckte Jens eller Jerkers smala, spända läppar, reagerade han blint. Då byggde han skräck omkring sig. Inte för att de fruktade honom fysiskt, men väl att Edvard spädde på den osäkerhet och rädsla som Jens och Jerker nu trevande skulle vandra in i. Han sköt dem framför sig, rev ned, gjorde sakerna fulare, livet smutsigare. De ville upptäcka själva, i lugn takt, men Edvard läste sanningarna, tvingade dem att ta ställning när det enbart borde finnas nyfikenhet.

Edvards söner längtade efter mopederna, tre par smutsiga händer, doften av olja, den första provturen. De längtade efter händernas valna grepp om den varma saften på Studenternas idrottsplats. Nu gick de aldrig på bandy. Allt skall vara i högsta division. Nu när de ramlat ned så tyckte Edvard inte att det var någon idé. Det är bara skitlag, sa han.

– Om Sirius mötte EU, skulle du gå då, frågade Jens.

Marita föll i skratt, ett så hissnande skratt hade inte hörts på år i huset. Edvard satt först stilla. Osäkerheten for som en vinande insekt genom pojkens huvud, men Edvard föll in i skrattet.

– Jo, då skulle vi gå, allihopa. Då skulle vi spöa dom. Jävlar, vad vi skulle spöa dom!

Marita brukade säga: vi har i alla fall arbete, när de satt framför teven och Aktuellts bilder fångade Edvard. Hon ville säga: vi har det i alla fall rätt så bra.

Det senaste året hade kylan tilltagit. Protesttågen, skarpare ord än på länge, för första gången på mycket länge: arbetare på teven, kvinnor från Gästrikland, grupper från Borås och Sundsvall, byggnadsarbetare, sjukvårdsanställda, arbetslösa. Det talades om uppror och Edvard kände den ilskan. Han älskade dessa kvinnor och män, rördes vid deras hjärtlighet. För bakom de hårda orden, de bistra minerna och kantiga dragen, i en osminkad teveblåst, så fanns värmen. Kameran fångade ansikten och händer, spikandes plakat, samtal, skämt och skratt. Edvard kände de skratten.

De utsatta grupperna kallades de för, låginkomsttagarna, de svaga i samhället, vilka ord, Marita! Det är skillnad på svaghet och svaghet! Dom vill göra oss svaga, precis som om vi vore klena, oförmögna till krafttag. Särintressen, som om vi vore en liten grupp, när vi i själva verket är en majoritet!

– Tänk att vakna med värk, det vet dom inte vad det är, journalisterna, tyckarna. Dessa satans paneler! Att vakna med oro, tomma konton och ingenstans att gå.

– Ja, men då är man väl svag? Jag tror att alla har sina problem, sina hjärtesorger och tråkigheter, lade hon till. Ingen går fri.

Edvard tystnade, men bara korta stunder. Han läste över politikerna, ekonomerna och tjänstemännen i Bryssel.

– Vem ska dom kasta in? Marit Paulson går inte längre, hon är förbrukad. En gång, två gånger, kunde hon lura tillräckligt många, men inte nu längre. Vem tror på henne? Det ska vara någon idrottsman, typ Stenmark. Det kommer dit också! När hjältarna blåses upp, får legitimera makten.

Edvard ville resa till Stockholm, men lantarbetare är det få av, ingenstans fanns hans fana. Han kunde inte fara själv. Hur skulle det se ut, sa han till sig själv och blickade mot himmeln. Och de hade ju arbete, de klarade sig. Maritas deltidsjobb satt litet löst, men Edvard kunde jobba hur mycket som helst. Det kändes också jävligt, att inte komma ifrån för all övertid, om man nu skulle bestämma sig, Men nu var ju höstarbetena avverkade. Marita hade hört en del, förstått annat, men missat tillräckligt mycket för att Edvard skulle känna sig än mer isolerad på Ramnäs.

– Kan du säga en enda minister i vår arbetarregering som inger förtroende? Marita skakade på huvudet. Det var inte många hon kunde erinra sig överhuvudtaget. Hon Winberg och så han halvflintisen som hon sett på teve och sedan inne i stan.

– Förr var det väl alltid nån! Nu skiter dom i oss.

Edvard orerade, men det gick på tomgång. Analyserna blev allt grövre, liknade föraktfulla uppkastningar som gjorde det svårt att lyssna. Det går inte bara att vara arg. Han saknade värmen från de många, för vad han än hävdade så var han svag, så länge isoleringen bestod. Det förstod han själv, men hur skulle han bete sig? Det kunde han inte svara på. Gå till facket, föreslog hon. Gå?! Det är femton mil dit. Ursäkta då! Och så nu detta! Förbannelse att just Edvard skulle finna honom! De hade pratat om Bosnien i ett av de numera sällsynta samtalen de hade med varandra, att man borde göra något. Bosnien, Tjetjenien, Algeriet, Centralafrika. Edvard höll ut i dessa reportage och magasin, som ältade svälten, nöden, förtrycket, farsoterna, tortyren. Hon orkade inte. "Rederiet" gjorde honom ursinnig.

Över tiltorna, på åkern bortanför gården, gick Edvard. Hon såg honom i oktobers landskap, dåligt klädd, över de plöjda fälten, och blev plötsligt väldigt rädd. Han sneddade över plöjena, gick stundtals som en drucken. Så stannade han upp, stod alldeles stilla och trots det långa avståndet tyckte sig Marita urskilja hur Edvard pratade högt, gud vet med vem. Han vände sig till himlen, mot jorden och skogen, talade, gick ned på huk, tog en näve jord och kramade den till en boll.

Marita upplevde det som om hon betraktade en tavla, ett landskap: höst, åker, äng, lövdungar, faluröda ekonomibyggnader. I förgrunden syrener, trästaket med vita, spetsiga toppar. En liten värld, ett utsnitt, men det fanns en väg som bröt tavlans begränsning och ur dess ram lösgjorde sig en vit bil.

Edvard, ville hon skrika, öppna alla fönster, skrika ut: Edvard! Hon ville ta honom, släppa sina spända muskler och känna hans nakna armar kring sin rygg, skylas, värmas. Hon ville fångas av hans varma, kåta andedräkt som en gång var frisk, svinga sig över honom som ett vigt kattdjur. Inte läsa något i hans blick, bara åtrån. Förr gjorde det nästan ont, nu var det förstrött, likt löv som singlade, lade sig litet hur som helst. Höstlöv som släppt sina fästen och utan egen vilja förberedde sig på att bli mull.

Äppelmosen svartnade mot grytans botten, brändes till sträv aska.

11

Vad har vi?

Ann Lindell såg upp. Frågan hade ställts till alla och ingen.

– Vi har en ung latinamerikan, Enrico Mendoza. Han fyllde 24 år den 1 augusti. Då levde han. Det vet vi. Fem dagar senare får han besked att han och hans bror Ricardo inte får stanna i Sverige. Deras överklagan lämnas utan åtgärd. Beslutet om avvisning står fast. Då man gör bedömningen att de två kan tänkas gå under jorden beslutas att de ska tas i förvar, men när de ska hämtas upp från förläggningen, är de redan försvunna. Tisdagen den 6:e augusti ser förläggningens personal Enrico och Ricardo för sista gången. Nu dyker en av dom upp, mördad.

– Kan det vara Kain och Abel, sa Evert Lundkvist och lutade sig över bordet och tittade på Lindell som satt vid bordsändan.

– På förläggningen sa dom att bröderna stod varann mycket nära. Vi kan inte utesluta att Ricardo slog ihjäl sin bror, men jag tror inte det.

– Varför i Ramnäs? Av alla . . .

– Kan det vara så att även Ricardo är mördad, avbröt Lundkvist sin kollega Riis.

Det var en vanlig fördelning. Lundkvist frågade och spånade, spände ögonen i Lindell och granskade kritiskt hennes svar och kom med nya frågor och infall.

– Inte uteslutet heller.

– Vi har spanat av ett område, från landsvägen mot Ramnäs, det är cirka tre kilometer i östlig västlig riktning och ungefär lika mycket i nord sydlig, sa Lundin. Hundarna hittade ingenting utom ett par gymnastikskor, prydligt uppställda på en stubbe, cirka en kilometer från granen där Enrico hittades.

– Vilken storlek?

– 43. Enrico hade 40. De var så gott som nya, av märket Reabook.

– Kan det vara nåt?

Lindell såg ut över församlingen. Sju poliser, åtta med henne själv. Forsman sjukskriven.

– Jag tycker vi börjar med att knacka igenom hela byn, sa så Lundkvist till slut. Hur många sommarstugor är det? Hur många fast boende?

– Kan det vara ett rasistmord?

Svensson, som hittills suttit tyst, var den yngste i gruppen. Han hade gått ut Polishögskolan för ett par år sedan och betraktades av de övriga, men kanske framförallt av Lundin, som en plåga. Den nybakades entusiasm över polisyrket var

72

svår att uthärda. De flesta trivdes väl med jobbet, med någon måtta på "positivt tänkande" fick det vara. Men frågan var ställd och innan han hunnit svara på den själv så reste sig Lindell tvärt.

– Ja, självklart. Det kan vara en rasist. Kvällspressen kommer att förutsätta det. Expressen hakar säkert på brodermordet, att det är en intern uppgörelse mellan mordiska blattar.

Lundkvist kikade på Lindell. Det var hennes käpphäst, massmedia och deras roll. De hade åtskilliga gånger diskuterat det faktum att pressen alltmer kom att driva kampanjer. En vecka, kanske två, för att sedan haka på något nytt fenomen. Att Expressen kunde blåsa upp detta till ett terroristkrig på svensk mark, med en historik av kurder och araber, med ett framtidsscenario bestående av ryssar, ukrainare och azerbajaner i luven på varandra, var det ingen som fann osannolikt. Lindell förutsatte det.

– Enrico tillhörde, vad vi vet, en terrororganisation från Peru, fortsatte hon. Jag bad Allan att ta fram lite mer.

Allan Fredriksson såg besvärad ut, nöp sig i nässpetsen, bläddrade fram ett papper.

– Det var inte lätt. Säk, som jag pratade med, hade lite motstridiga uppgifter, men ungefär så här: Bröderna Mendoza tillhörde en organisation som heter Sendero Luminoso. I Peru. Det betyder "Den upplysta stigen", sa Fredriksson torrt.

– Den har funnits i kanske tjugo år och verkar vara rätt så blodtörstig. Dom finns framförallt på landsbygden. Det tycks som om dom slår ihjäl det mesta.

– Även sina egna, sköt Riis in.

Fredriksson tittade upp, såg på Riis med en viss förvåning, sedan på Lindell, som nickade.

– Dom är marxister, på den extrema vänsterkanten. Sen deras ledare fängslades för några år sen har det blivit lugnare. Det är vad jag vet.

Det var inte mycket, tänkte Lundin, men sa ingenting. Genomgångar hade han svårt för. Inte för att han ogillade kollegerna eller ansåg diskussionerna meningslösa, men att sitta still, med människor så nära inpå sig, känna dofter av rakvatten och svettutdunstningar, höra deras hostningar och snörvlingar, det var svårt. Med Lindell och Lundkvist gick det an, men många av de nya på roteln var så förbannat vänliga, så nära. Lundin hade funderat på om det ingick i utbildningen numera, att vara nära, lägga armen om axeln, puffa i magen, klappa på huvudet. Han gillade det inte, sjukdomar spreds på det viset.

– Det finns en hel del peruaner i Sverige, de flesta i Stockholmstrakten. En del är sympatisörer till dom här stigfinnarna, men inte alla. För några år sen fick de flesta asyl, nu är det betydligt tuffare. Fredriksson bläddrade fram ett nytt papper.

Sa han inte att han var klar, tänkte Lundin.

– Det var en sak till, återtog Fredriksson, bröderna Mendoza var väldigt aktiva här i Sverige, dels på förläggningen, men också i en slags solidaritetsorganisation i Rinkeby.

Vilken sörja! Ann Lindell kände hur huvudvärken kom krypande bakom pannbenet. Det måste vara något virus! Hon såg mot Lundkvist som lutat sig bakåt och slutit ögonen under Fredrikssons utläggning. För ett ögonblick fick hon för sig att han somnat.

– Vi finner ingenting i skogen, har inga vittnesmål som berättar någonting om vad han gjort mellan augusti till den dag han dog. Det finns ingen, så vitt vi vet, som sett honom i Ramnäs omgivningar. Vi vet inte var han dog, om han mördades i skogen eller fraktades dit efteråt. Det finns inga yttre skador. Det finns . . . ett par skor.

Hon slog sig ned, drog åt sig ett kollegieblock.

– Fredriksson, du fortsätter kartlägga peruflyktingarna. Hör med Stockholmskollegorna. Åk kanske dit. Den där Rinkebygruppen verkar spännande.

Lindell noterade i blocket samtidigt som hon pratade.

– Riis, du får ta förläggningen, prata med alla som träffat bröderna, vilka umgicks de med, prata med personalen.

Hon kände Lundkvists blick. Visst, Riis kanske inte var den mest lämplige att skicka till en flyktingförläggning, men varför inte?

– Det finns väl inga kvar sen augusti.

Riis lät missnöjd, näst intill grälsjuk.

– Dom sitter så länge på förläggning, så det går nog bra.

– Lundin, Svensson, Haver och du Evert, fortsätter med dörrknackningen. Varenda levande själ ska höras. Ta med

74

foton. Hur långt har ni kommit?

– Vi började från två håll. Jag och Ola har gått från affären och norrut. Evert och Svensson har inriktat sig på sommarstugorna ner mot gamla grustaget, sa Lundin. De sommarboende är mer besvärliga. Några har vi lyckats prata personligen med. Med hjälp av dom kan vi också kartlägga de övriga. Visste ni att det är många som bor där uppe i skogen permanent? Ombyggda sommarstugor och till och med en som bodde i en husvagn, ett sånt där gammalt ägg.

– Titta närmare på honom, flikade Riis in.

– Varför det?

– Det verkar lite . . . hur ska jag säga

Ja, hur ska du säga, tänkte Evert Lundkvist.

– Haver, du får kolla skorna, bröt Lindell in. Var säljs dom? Ta med dojorna och knalla runt. Går det att få fram vilket skonummer Ricardo har? Det är ett jobb för dej, Riis. Ni som knackar dörr, en given fråga är skorna, är det någon som saknar ett par 43:or?

– Jag ska ju knacka dörr med Lundin, sa Haver surt.

– Du kan ansluta senare.

– Vet du hur många skoaffärer det finns?

– Skit i det nu, utbrast Lindell.

En viss oro grep gruppen. Lundin hade redan rest sig.

– Sammy, du kommer med mej, vi ska prata med Risberg, som fann honom.

Samuel Nilsson, hade inte yttrat ett ord under samlingen. Det fanns de som sa att han hade litet besvär med hjärnkopplingarna, att snabbt sortera intryck och information, men när det väl var gjort kunde de mest häpnadsväckande slutsatser komma från denne unge polis, uttryckta på ett närmast förvånat sätt, som om han inte trott sig själv om att kunna formulera något tänkvärt.

– Det är en sak jag funderat på, sa Nilsson.

Alla stannade upp.

– Jag föreslår att vi kollar upp alla tjejer i Ramnäs med omnejd, alla mellan arton och trettio år. Det kanske fanns nån där som föll för en snygg svartskalle.

Lindell tittade på Lundkvist som ryckte på axlarna.

– Sammy, vi ses vid bilen om en kvart.

Han sa inte neger i alla fall, tänkte Lindell, som dröjde sig kvar i rummet sedan de övriga försvunnit ut i korridoren. Hon hörde Riis högljudda skratt och Svenssons fnitter. Hon gick fram och slog igen dörren.

Enrico, vilken vackert namn, det är klart att han måste ha bott någonstans, från augusti fram till döden kom. Var? Hon visste att det i Uppsala fanns en hel del latinos, men hur var det med peruaner? Vi kanske skulle kolla lite försiktigt bland Enricos landsmän, men nu sluts väl leden. Allrahelst när det blir känt att det var mord. Alsike Kloster, att vi inte har tänkt på det! Förträngning.

Fortfarande gav ortsnamnet Alsike och i än högre grad ordet kloster, en obehaglig förnimmelse för Uppsalapolisen. Kunde det vara så att någon där ute visste något? Hade Enrico, kanske också hans bror, bott där? Någon får åka ut. Diskret den här gången.

Kan det ha varit någon förälskad tjej med i spelet, som Nilsson kastade fram? Ja, det var inget tokigt infall, för vad kunde förmå en latino att bege sig till utmarkerna, om inte kärleken?

Samuel Nilsson körde. Lindell tyckte om hans sätt att köra. Det gav henne möjlighet att med slutna ögon slappna av. Huvudvärkstabletten började verka. Hon måste prata med Lundin. Hans fobier började nu bli besvärande. Hans ideliga handtvättande hade länge varit en visa på avdelningen. För ett par veckor sedan hade han stannat kvar på jobbet bara för att undervisa städerskan. Den polska kvinnan hade inte förstått mycket av hans utläggning, men härsknat till ordentligt när Lundin mer handgripligt skulle visa hur handfat och toalettstol bäst sanerades. Hon hade tagit det som ett angrep på hennes person och yrkeskunnande, lämnat Lundin med toalettborsten i handen och i vredesmod krängt på sig ytterkläderna. Dagen därpå hade Forss kommit ned, stängt in sig med Lundin på hans rum. Idag på morgonen hade hon sett honom torka av kranar och skåpknappar i fikarummet.

– Ska vi ta in här?

Hon väcktes i sin halvslummer. För ett ögonblick fick hon för sig att hon var ute med Rolf. Nilsson påminde om honom, hans sätt att hålla i ratten, att emellanåt låta högerhanden vila på växelspaken, trumma med fingrarna. Hon kikade försiktigt på sin kollega.

– Jag glömde säga en sak, sa Samuel Nilsson. Jag ringde till prästen i församlingen.

– Jaha.

Ivern har de också gemensamt, tänkte Lindell. En pojkaktig iver, Märkliniver hade hon kallat det när hon såg Rolf i aktion. Vad skulle hon kalla Nilssons iver?

– Här ligger kyrkan, sa han och pekade.

Ett onödigt påpekande, tyckte Lindell. Kyrkan låg alldeles nära, kyrkogårdsmuren löpte längs vägen. Vid kyrkgrinden stod en skylift parkerad och ett par arbetsklädda män stod i vägkanten, spanande upp i trädkronorna.

– Och vad sa han?

– Hon! Jag frågade om det fanns någon från Sydamerika i församlingen.

Lindell drog omärkligt på läpparna.

– Det var Lina, min tjej, som tyckte det.

– Och?

– Vadå?

– Finns det nån från Latinamerika!

– Nä, inte nu. De hade haft en från Chile och så en turk. Nilsson trummade med fingrarna på ratten.

– Turkiet ligger inte i Latinamerika, det vet du, va?

De passerade ICA-handeln.

– Stanna, sa Lindell helt plötsligt, när de första boningshusen syntes på vänster hand.

Hon steg ur bilen vecklade upp kartan över Ramnäs med omnejd.

– Kom och håll i, sa hon.

De lade kartbladet på biltaket, liksom den handritade skiss Lindell gjort tidigare.

– Här ser du området vi spanat igenom, det är utmärkt med rött. Krysset finns där vi fann honom.

Nilsson tog upp en nikotintablett.

– Eländig terräng, sa han.

– Just det! Därför tror jag att han befann sig på den här vägen, gick, cyklade, blev avsläppt från en bil, men här försvann han i skogen.

– Det går ingen buss?

– Jo, Haver har visat fotot på Enrico för de tre chaufförer

77

som kan tänkas ha kört honom hit, men ingen känner igen honom. Den förste var tvärsäker, de två andra till 99 procent. Det är inte många som åker bussen, chaufförerna känner alla väl, så jag tror dom minns rätt. Han tog inte bussen.

Lindell pekade ut Lindgrens gård och berättade om sitt besök.

– Dom verkar för knäppa för att slå ihjäl nån, sa Nilsson.

– Och tillräckligt knäppa för att göra det, utan att känna ånger, sa Lindell.

Det var något hon sett hos Lindgrens som inte stämde, något som avvek. När hon lämnade deras hus hade hon bråttom. Känslan av äckel hade tilltagit och hon skyndade sig ut ur köket, slet brådstörtat åt sig jackan från en spik i farstun. Det var när hon stod på gårdsplanen som känslan kom. Hon sniffade i jackärmen för att känna om Lindgrens odör satt sig i hennes kläder, då en låga fladdrade till i hennes medvetande. Det varade bara ett kort ögonblick, men tillräckligt för att skapa oro, den känslan hon ibland fick att någonting höll på att gå på tok, ovisst vad. Här fanns något! Men vad? Någonstans mellan köksbordet och ytterdörren fanns det ett föremål som skapade disharmoni. Eller vad det ett föremål? Det kunde vara en doftslinga, en mikrosekunds förnimmelse i luktorganen som satte igång någon process i hennes undermedvetna. Var det inte så det fungerade, minnet? "Perception" var ett ord som kom flygande från någon psykologilektion för länge sedan. Lundkvist skulle varit med. Det var fel att åka dit ensam. Visst kunde hon återvända, men då kanske känslan inte skulle infinna sig. Skulle hon ta med sig Lundkvist utan att säga något om hennes upplevelse, för att testa om han kände eller såg något uppseendeväckande?

Det här besöket borde jag gjort ensam, tänkte hon omedelbart när hon såg Edvard Risbergs ansiktsuttryck. Hon hade sett honom på långt håll, gående i vägkanten, halvvägs ner i diket. Han gick med tunga, men ändå snabba, steg, med armarna svängande längs den aggressivt framåtlutade kroppen. Lindell tyckte han påminde om en utvecklingsstörd man som levde på en granngård i hennes föräldrars hemby. Hon kunde inte låta bli att le, trots att lantarbetarens rygg-

78

tavla och rufsiga bakskalle utstrålade en obehaglig ovisshet, en oberäknelig människas gång över marker där fara hotar.

– Vet du vem det är?

Lindell nickade. Hon hade bett Nilsson stanna till.

– Det är Edvard Risberg, han som fann honom.

– Varför går han här?

– Vet ej.

– Han ser ut som en mördare.

Nilsson sa det på ett skämtsam sätt, men bakom den lätta tonen fanns ett allvar.

– Han är rädd för nånting, fortsatte polisassistenten. Han ser ut som om någon skrämt honom.

När de kom ifatt Edvard såg han ut som han inte kände igen henne.

– Vi tänkte prata lite med dej, om det går bra? Vill du åka med?

Edvard såg på henne, böjde sig ned och studerade Nilsson.

– Nä, sa han slutligen. Jag går över backen här, sa han och pekade på skogsdungen bakom honom.

Den korta tid de satt i bilen och väntade fick Lindell känslan att hon aldrig skulle få se honom mer, men så kom han gående, nu i ett makligt tempo, eftersinnande steg han i de höga gräset, rundade stenar och stubbar. Han hade gjort försök att snygga till sig. Håret låg tillplattat mot skallen och skjortan var nedstoppad i byxlinningen.

– Nilsson, kan du gå ner till gården och prata med Risbergs arbetsgivare? Jag har hört honom en gång. Han heter Bengt Ramnäs. Prata med honom du med, hör om han kommit på något nytt, sett eller hört något. Snacket har säkert gått i byn. Hittills har han inte sagt nåt av värde.

– Hur är han då?

– Medveten om sej själv, sa hon kort, för nu var Edvard helt nära.

– Du påminde mej om en kille i mina hemtrakter, som gick längs vägarna, sa Ann Lindell. Totto kallades han. "Totto går", upprepade han hela tiden. Han hade väldigt långa armar.

– En bydåre, med andra ord, sa Edvard.

De gick på en körväg mellan två fält. Tiltorna vände sina feta ansikten mot dem. Lindell tyckte det såg ut som om de bevakades av en publik med glansiga, välnärda kindpåsar. En lång stund gick de tysta. Edvard såg åt höger och hon åt vänster, ut över fälten. Om de fortsatte skulle de hamna på Turelundslyckan, numera ett bete för köttdjur. Här hade han kört med mopeden många gånger, ofta med Marita där bak.

Edvard satte tungt fötterna i den sliriga vägen. Han såg framför sig gamle skomakaren Alfredsson som bott i den lilla stugan i Turelund. Gubben var borta sedan trettio år och av stugan syntes bara grunden. Just här på vägen hade gubben mött Edvards mor och generad som han var inför kvinnor sökte han förtvivlat efter något att säga. När de var helt nära varandra hade skomakaren stannat till, trampat i det höst-kladddiga väglaget och fällt de nu klassiska orden: "Det är mjukt åt liktorna".

Edvard mindes inte mycket av gubben, mer än att han under soliga sommardagar brukade sitta med ryggen mot torpets södervägg, nicka så där förståndigt, som äldre brukade göra förr, när någon passerade. Gubben var religiös och gick varje söndag de två kilometrarna över skogen, till byns missionshus. Det var något smått över Alfredsson. Hans stuga var liten, han själv med åren allt mer förkrympt och hans steg så försiktigt trippande över skogen.

Skulle han berätta om gubben? Han hade Alfredssons ord på tungan, men de skulle för en utomstående som Lindell, kräva en förklaring, tappa sin dråplighet och klang, så han avstod. Kanske man måste ha sett gubben?

Han sneglade på kvinnan vid sin sida. Att gå den här vägen med en annan än Marita kändes märkligt, som klippt ur en film, en teveserie. Men han hade inte valt den här knaggliga vägen, det var Lindell som pekat och frågat vart den ledde och innan han hunnit svara så hade hon vikit in. Han hade inte bett om att få finna "Chicago", Enrico, under granen.

Snart var de framme vid lyckan och de var fortfarande tyst. Varför säger hon inget? Han huttrade till.

– Du skulle ha tagit på dej en jacka, sa hon och log, men leendet stelnade snabbt. Den känsla av obehag som hon förnummit, alltsedan besöket hos Lindgrens, återkom likt en sky över en klar himmel. Vad var det som inte stämde?

– Den där skadan, ärret ... började Edvard.

Hon stannade upp, lade sin hand på hans arm.

– Berätta om Lindgrens!

Beröringen fick honom att darra till. Ann Lindell tyckte sig se skräck i hans ögon, men också något annat som fick henne ur balans för något ögonblick. Hon lät handen falla och tog ett par steg bort, stannade, vände på huvudet, såg ut över fälten. Hon rös.

– Ska vi gå tillbaks?

Hon väntade inte på hans svar.

– Du, ropade han till, vänta!

Det här är inte slugt, tänkte hon. Du driver en utredning! Du ska lösa ett mord! Hon avvaktade med vinden i ansiktet.

Vad han önskade att de kunde stå så här, på körvägen mot Turelundslyckan, mellan de nyplöjda fälten och den styva nordostan i deras hår, länge, så länge att mardrömmarna vek undan och himlavalvet upplystes av stjärnor.

– Känner du hur det doftar höst, frågade han och han blev själv förvånad över den styrka och bärighet hans röst hade.

Hon nickade och började sakta gå mot gården.

– Det här är mina marker.

Han stannade.

– Jag brukar stanna upp ibland och kika på Bengt, han som äger gården, hur han sliter. Han är också tredje generation, arbetar som ett djur, men han har en drivkraft och det är pengar. Det är fjädern i hans kropp som får honom att strida. Jag avundas honom. Han driver inte jordbruk för att han ser det som en helig uppgift att kultivera landet, sällan. Jo, kanske. Visst har han en känsla för gården, jorden och hur det hela sköts. Edvard tystnade, osäker på hur han skulle fortsätta, rubbad av sina egna motsägelser.

– Är du från landet, frågade han.

– Ja, från Östergötland, Ödeshög.

– Vad gjorde dina föräldrar?

– Pappa körde ut dricka. Du vet en sån där öppen dricka-bil som fanns förr. Han åkte runt till lanthandlare och kiosker på småorterna. Han lärde känna varenda grusväg. Ibland fick jag följa med. Han var en sjungande pappa. Han sjöng i bilen. Mamma gick hemma och sjöng inte så mycket. Hon kom från Västergötland och jag tror hennes farfar var lant-arbetare. Pappan, min morfar, var i alla fall hovslagare.

– "Runt-runt", sa Edvard, så hette hovslagar'n här i trakten, när jag var barn. Då fanns det knappt några hästar kvar. Han sa så: "Det går runt-runt", och det stämmer, hästarna har ju kommit tillbaks.

I makligt tempo gick de mot gården. Från Risbergs kunde Marita se de två, i förtroligt samspråk. Hon kände hans steg, hur han liksom gungade fram, pojkarna gick likadant. Hon såg hur han förde högerarmen åt sidan, med öppen handflata, så hade Erik Risberg gjort när han diskuterade och blev angelägen.

Hon stod i fönstret, helt öppet, utan att dölja sig bakom gardinen, och hatade. Hade han inte lämnat henne för någon timme sedan, för att nu gå som en tonårspojke med den där polisapan? Hon kom att tänka på Britt, vars man hade lämnat henne efter nitton års äktenskap och som nu stram gick mellan grytorna i skolköket, med en tyngd i kroppen som inte setts där tidigare. Hon hade fördärvat hundra liter soppa. Hon hade helt enkelt tappat kärlet, rakt ut i avloppet. Varför? Ingen visste. Hon fick gå hem, men kom tillbaka, så klart, för vad fanns hemma? Inga barn hade de fått. Britt, som dansat squaredans, stelnade, det stod som is kring henne. På ett par veckor gjorde hon sig oåtkomlig. Nu skulle hennes före detta man bli far. Hans nya kärlek hade till och med övertagit Britts plats i danslaget. Nu senast hade de åkt till Kalmartrakten för uppvisning. Finns det ingen heder? Hur kunde de andra i laget acceptera det hela? Britts gamla vänner.

Marita gick från fönstret. Varför utgå från det svarta? Han går där nu, men han går hemåt. Så visst kan han skena i skogarna och på betena, bara han kommer igen. Om jag bara visste att han kom igen, som förr. Vart ska jag gå? Huset är tjänstebostad. Lägenhet i stan? Lägg av nu! Vi är inte skilda! Vi älskar varandra! Hon sprang fram till fönstret igen, men nu var de två försvunna ur hennes synfält. Den enda levande varelse hon såg var en skata som flaxade ovanför hasseln. Hon betraktade den länge, följde dess knixiga flykt genom luften. Hon hade alltid tyckt att skator var vackra fåglar. Som liten flicka hade hon funnit en död skata utanför affären. Den låg på mage, med vingarna utbredda på vägbanan, och med näbben riktad mot lanthandelns dörr. Det svarta och vita skildes åt, som en konstnär med sin pensel dragit de olika fälten, ja, än mer perfekt. Hon hade tagit sig tid att på nära håll studera skatan. Vad vacker den blev. Hon hade smekt dess blänkande fjäderdräkt. Bäst som hon satt där, öppnades affärsdörren och hon sprang, med skolväskan som slog henne på ryggen och skinkorna.

Är du släkt med den döda skatan, tänkte hon och såg hur den slog sig ned på jordkällarens ventilationsrör. Är jag släkt med den där flickan framför lanthandeln?

– Gav det något? Fick du någon kontakt med Ramnäs starke man?

– Han var undfallande. Du hade ju sagt att han var en dominant typ, men det visade han inget av, tvärtom.

Samuel Nilsson såg på Lindell. Normalt skulle hon följt upp med frågor. Nu satt hon tyst.

– Ett tag fick jag för mej att det var Edvard Risberg som kvävde Enrico. Han verkade så plågad, sa hon till slut.

– Så tänkte jag också när jag såg honom längs vägen, att han gått och tryckt på mordet och sen arrangerade det hela så att han hittade kroppen, som om han ville att det skulle få ett slut.

Samuel Nilsson ökade farten.

– Jag hade också en teori att det var Bengt Ramnäs som dödat honom och tagit Edvard till hjälp, för att forsla undan kroppen. Ta det lugnt här, det är femtio förbi kyrkan.

– Att han av lojalitet hållit tyst?

– Nånting sånt.

– Men nu har du avskrivit honom?

– Ja, jag tror det. Han har nog inget med mordet att göra. Men det är osäkrare med bonn-Bengt. Jag ska nog åka hit i morgon också, ta ett snack med Ramnäsarn. Det är så han kallas. Han kanske blir lite stirrig om vi kommer varje dag.

– Motivet då?

– Jag har funderat på det också. Vad skulle en 60-årig svensk bonde ha för motiv att slå ihjäl en 20-årig peruan? Svartsjuka, främlingshat, hämnd, i hastigt mod för att skydda någon eller något, ekonomiska motiv, ja, jag har tröskat igenom hela katalogen, försökt att finna en tänkbar förklaring.

– Och den är?

– Rasism, jag kan inte finna någon annan.

– Och det är någon från Ramnäs?

– Jag tror det. Så långt in i skogen.

– Jag skulle nog ha grävt ned kroppen.

De två försjönk i tankar. Det dröjde ända tills de befann sig i utkanten av staden, innan Samuel Nilsson tog till orda igen.

– De vore intressant att få veta var Enrico Mendoza höll till, från det att han försvann från förläggningen, tills han dog, sa han och tog Vaksalagatan in mot stan och polishuset.

– Han har hållit sig gömd. Kan du åka ut till Alsike kloster? Du är tillräckligt söt för att tanterna där ute ska berätta sina hemlisar.

– Nunnor har inga hemlisar.

– Inte för gud, men för polisen.

12

Vad ville hon?

Marita skrapade i botten av grytan med kraftiga rörelser, slog ut vattnet och fyllde på nytt. Det ångade från slasken och Maritas kinder var rödflammiga. Ett handfull burkar med äppelmos stod upp och ned på diskbänken. Edvard hade känt den vidbrända doften, men ville inte fråga. Burkarnas antal var nog. Maritas rörelser ebbade sakta ut, vattnet slutade att forsa ur kranen, ångan förflyktigades, skramlet avtog och tystnaden lade sig i köket. Marita stod med ryggen mot honom. Händerna hade hon tagit från grytan.

– Hörde du, sa hon och vände sig om. Vad ville hon?

Hon strök händerna mot förklädet, med en mekanisk rörelse förde hon det fuktiga håret bakåt, strök det över öronen, så där som hon gjorde förr. Kinderna hettade.

– Hon ville höra lite om Lindgrens, sa han.

– Vad är det med dom?

Edvard ryckte på axlarna.

– Är dom misstänkta?

– Det kan jag väl aldrig tro. "Bromsen" är visserligen dum i skallen, men inte slår han ihjäl nån.

Marita snörde av sig förklädet. Det hade en gång Edvards mor använt och kanske dessförinnan hans farmor. Hon slängde det över stolen. Jeansen under var fuktiga. Mitt på magen bredde en mörk fläck ut sig. Marita såg hans blick och drog med handen över t-shirten, drog upp den ur byxlinningen. Tick-tick-tick-tick hetsade klockan på väggen bakom Edvard.

– Man kanske ska göra nån nytta, sa han efter en ofantlig mängd tick, men förblev sittande.

Marita såg oavvänt på honom, som om hon väntade sig något avgörande. Fläcken på t-shirten kylde och hon stoppade in handen och lade sin handflata mot magen. Snart skulle pojkarna komma. Edvard lade upp sin högerhand på bordet, rörde den stela tummen fram och tillbaka. Vintern var i antågande.

– Vet du var salvan är, den där gröna tuben?

Marita gick tyst fram till ett av köksskåpen och där låg tuben.

– Här, sa hon och pekade, här har du dina salvor. Den gröna och den vita.

– Man kanske ska göra nån nytta, upprepade han.

Den gröna tuben tycktes han ha glömt. I ögonvrån såg Marita pojkarna komma nere på vägen.

– Varför gick ni så nära varandra på vägen mot Turelund?

Frågan kom oväntat och mycket hastigt. Edvard såg upp.

– Hon kråmade sig för dej, fortsatte Marita i ett forcerat tempo.

Edvard såg ned i bordet. Han rörde tummen allt hastigare.

– På våran väg, lade hon till och nu sprack hennes röst sönder, for likt krossat glas över köksgolvet, splittrades i tusen bitar. Ilskan övergick i ett snyftande.

Pojkarna slog i grinden. Jerkers röst lät nästan främmande, numera så mörk.

– Vi gick inte nära varandra, sa Edvard.

Han betraktade henne. Varifrån kom denna snyftning,

tänkte han. Han upprepade sina ord. Marita stod med ryggen mot dörren när barnen klev in i köket. Jens gick rakt fram till kylskåpet, medan Jerker slog sig ned vid bordet.

– Finns det nåt käk? Det var skitäckligt på matan.

Jens rotade bland burkar och förpackningar.

– Vad är det på golvet?

– Glas, sa Edvard. Ta en macka. Du då Jerker, är inte du sugen?

Han svarade inte.

– Vet ni att "Chicago" blev mördad?

Jens stelnade i en rörelse med margarinpaketet i handen. Jerker lyfte huvudet och såg nu, för första gången sedan han kom in i köket, upp.

– Sätt dej, Jens, så ska jag berätta.

Marita ställde ifrån sig sopskyffeln, lämnade köket, med blicken bortvänd. Edvard samlade ihop sitt liv, drog samman smulorna på bordets fläckade och nötta yta, kupade händerna och sköt smulorna till en liten hög på bordets mitt. Så kände han det när han såg sina halvvuxna söners förväntansfulla ögon. Vad väntade de på? Den här lilla smulhögen var inte nog. Inte nu, inte i deras ålder. De ville inte ha hans livs historia, som en ram till Enricos död. De ville ha en berättelse om blod, våld och mord, en historia som kunde berättas i bilder, som kunde förmedlas vidare på skolgården. Inte ens nu hade han något att komma med, men han gjorde ett försök. Edvard byggde en berättelse, utifrån Ann Lindells redogörelse, som var skäligen tunn, och hans egna tankar, som var förvirrade. Han försökte skapa dramatik, men också något slags djup i berättelsen som kunde attrahera pojkarna. Edvard såg deras skeptiska blickar och lade ut ett spår för dem att följa, likt dem i dataspelens värld, men här med en human komplikation.

– Hur kvävdes han, undrade Jens. Med en kudde eller nåt?

– Kanske med händerna eller en klätrasa, nåt som fanns till hands, sa Edvard.

Under samtalets gång hade Marita återkommit, nu klädd i en mönstrad flanellskjorta. Hon stod lutad mot dörrposten och Edvard kände hennes närvaro, men vände sig inte om, gjorde inga försök att få henne med. Hon stod stilla och tyst, iakttog Edvard och sönerna. Den svaga doften av tvättmedlet från skjortan och åsynen av de tre vid köksbordet gav henne en behaglig känsla, trots samtalsämnet. Hon borde sätta igång med middagen, men ville stå så här, så länge det överhuvudtaget var möjligt. Tanken att lägga sin hand på Edvards axel förlamade henne för ett ögonblick, gav henne en smärta som for genom hennes kropp. Kände Edvard av det? Han drog upp axlarna, knyckte till med huvudet. Var han kanske bara stel? Skulle hon hämta den vita tuben och som förr smörja hans nacke, följa kotpelarens knaggliga bana, trycka in tummarna, få honom varm och smidig som en panter, få smärtan att släppa.

– Fy fan, om nån skulle försöka trycka in nåt, typ raggsocka, i min mun, sa Jens och såg på Edvard med öppna ögon. Det fanns en fråga i hans blick, som Edvard fann näst intill outhärdlig. Vad skulle han säga? Här fanns en möjlighet att brygga över det svalg som öppnat sig det senaste året. Edvard försökte föreställa sig Jens och Jerkers tankar, att finna någon trådända för att knyta samman det liv som de tre, de fyra, i köket, levde.

Minns han greppet, när tummarna trevande sökte smärtpunkten? Så nära fick ingen annan komma! Hon övervann allt, tvang kylan bort, tvang smärtan bort. I hennes händer fanns kärleken, hur skulle han ha kunnat glömma det?

– Kan vi inte sätta upp en sten där han dog, sa Jens.

– Varför det?

– Det brukar man göra när nån dör.

Jerker såg överlägset på sin lillebror.

– På kyrkogårn, ja, sa han.

– Jag tänkte där han dog, som ett minne.

– Sten finns ju ändå i skogen. Det är korkat att släpa dit en till.

– Det är en bra idé, sa Edvard.

– Då kan vi ju ta en som finns där, sa Jens, nu ivrigare.

– Er farfar dog också i skogen, sa Marita.

– Det vet vi väl!

– Då blir det två stenar, sa hon och såg en svag rörelse hos Edvard, som hon inte kunde tolka.

– Vet du var farfar dog då?

Edvard nickade.

– Birger, han som var med farfar, visade mej.

Det var längesedan de pratat om Erik. Edvard brukade tänka på honom, mest i arbetet på gården där spåren av Eriks händer fortfarande syntes. Ibland kom han att prata med Ramnäsar'n om sin far. Det var en av de saker som förband honom med arbetsgivaren, han hade känt Erik, de hade växt upp som grannar, varit skolkamrater och de hade arbetat tillsammans. Eriks död hade förändrat Ramnäsarn också, inte i grunden, men visst kunde ett drag av ödmjukhet förmärkas när Bengt Ramnäs pratade om arbetet, meningen med råslitet, som han uttryckte det. Någon gång kunde Edvard få känslan av att Ramnäsar'n hade dåligt samvete för Eriks död. Han dog ju på gårdens mark, i gårdens tjänst. Erik Risberg hade säkert känt sig dålig redan på morgonen den där dagen, men inte sagt något. Inte till Aina, inte till Birger eller Bengt. Skulle han ha klarat sig om han inte varit så förbannat plikttrogen, var en fråga som Ramnäsar'n säkert ställt sig själv. Om han stannat hemma och tagit det lugnt.

– Kan vi inte gå dit, frågade Jens.

Jerker sa ingenting, men såg på Marita. Edvard svarade inte.

– Gör det, sa Marita. Gå dit och res en liten sten. Tänk vad glad Erik skulle vara för det. Och Aina också.

Edvard ruvade på sina tankar. Svara, tänkte Marita. Ge dig till känna! Dina pojkar väntar på dig. Säg inger mer, tänkte Edvard, då faller jag i gråt.

– Det kan vi göra, sa Edvard efter en betänketid som framstod som år av ovisshet.

Det lade sig ett lugn över Risbergs kök denna sena eftermiddag. Pojkarna drog sig undan utan buller och bång, gled in på sina rum och strax hördes musik, två olika stilarter som blandades till en märklig ljudridå. Om det berodde på att de dragit ned volymen på sina bergssprängare eller att ljudet välkomnades av både Edvard och Marita, var svårt att avgöra, men hårdrocken lät inte fullt så aggressiv och dominerande som den brukade göra.

Marita trampade takten, eller snarare det hon trodde var takten, till pojkarnas musik, medan hon skalade potatis. Edvard vände tidningens sidor med försiktiga, svepande rörelser, som om han bläddrade en jättelik foliant. Han fastnade för en artikel som handlade om kritiken mot Margareta Winberg. Marita höll utkik över axeln. Hon avvaktade tills en lämplig sida kom upp, för att inleda ett samtal, men arbetsmarknadsministern var ingen lämplig inledning.

Middagen avåts under en sällsam hänsynsfullhet. Edvard var uppmärksam, åt betydligt långsammare än han brukade, mest beroende på att han inte kände någon hunger men också för att han inte ville jäkta de övriga. Han ville liksom säga: Vi hör samman, vi äter vid ett gemensamt bord för att vi är en enhet, jag jagar inte iväg,

Efter middagen erbjöd sig Jens att hämta den bricka som Jerker tidigare burit upp till gammelfarfar. En slags instinkt styrde dem. De kände också lukten av bränd äppelmos och längst inne mot spisen blänkte fortfarande en skärva av glas.

Edvard hörde Jens komma nedför trappan och skramlande ställa ifrån sig brickan på köksbänken. Nu skulle Albert sova i fåtöljen en stund, det gjorde han alltid efter middan, men Edvard ville prata med honom innan han nickade till, och gick upp. Den gamle satt i fåtöljen. Han såg på Edvard. Det fanns ett drag av uppgivenhet i hans ögon, kanske tristess. "Kommer du nu", tycktes blicken säga, "för att prata bort en stund för gubben". Det var i alla fall vad Edvard fick för sig, men när han slagit sig ned på stolen vid fönstret så log Albert helt oväntat.

– Pojkarna ränner iväg, sa han, det var inte länge sen dom låg som knyten.

Edvard höll med, men ville inte tala om Jerker och Jens. Gubben fortsatte med en tirad om hur tiden sprang.

– Snart blir du själv farfar, skrockade han, och jag farfarsfarfar.

Hans nära förestående frånfälle, som brukade inleda samtalen, var tydligen inte aktuellt längre. Edvard tyckte farfadern var näst intill onaturligt uppsluppen, som om Sirius slagit VSK med 10-0. Hade det med prästbesöket att göra? Edvard såg sig förstulet omkring. Han fick för sig att gamlingen skrivit under något och den lättnad och uppsluppna glädje han visade var en reaktion på grubblerier, som nu fått sin lösning i och med prästens besök.

– Jag hörde att du pratat om graven, försökte Edvard

med.

Albert Risberg såg upp, först förvånat, men efter någon sekund med ett leende på de tunna läpparna.

– Skulle jag prata med en präst om graven? Nej du! Där hamnar man ändå.

– Men du funderade ju förr, invände Edvard. Gubbsate, for det genom hans huvud. Han sitter och driver med mig. Han vill få oss att spekulera.

– Jag kommer att ligga bredvid mamma, sa Albert stilla. Som jag gjorde förr. Det är väl knappt du kommer ihåg henne, men bredvid henne låg man gärna. Han tystnade.

– Vi fick för kort tid, återtog han. Var rädd om tiden, pojk! Han rätade upp sig och betraktade sin sonson med en allvarlig, sträng blick.

– Var rädd om Marita!

Han fick det att låta som att tiden och Marita var samma sak.

– Hon är en grann flicka, en bra kamrat.

Edvard nickade. Gubbens ord gjorde honom upprörd. "Kamrat" var det ord han använt. Livskamrat. Klasskamrat. Fackföreningskamrat. Orden kom likt pärlor på ett pärlband till Edvard. "Kamrater" och han såg Ludde som nu pensionerats svinga klubban. "Kamraterna" i den gamla 47-an som var självklara. De hade förenats kring en sak. "Saken", sa Ludde, som om det vore någonting man kunde ta på, skicka från hand till hand, låta gå runt i fackföreningens lokal vars mjölkvita armaturer skapade ett likblekt sken över de församlade.

Vari bestod "Saken" i detta hus? Här fanns ingen enhetlig vilja, det spretade i allehanda riktningar. Det kändes som om han varit på vandring i många år, tillryggalagt mil efter mil, men inte förflyttat sig en meter. Marita hade vandrat åt sitt håll, men när han vände sig om så stod hon där alldeles bakom hans rygg. Barnen vandrade också. Var skulle de hamna?

Vad visste gubben om vad som hände en trappa ned? Vad anade han? Hade Marita pratat med gubben, beklagat sig, sökt stöd? Konstigt vore det inte för här fanns inte många att prata med, än mindre söka stöd hos. Albert kunde verka gaggig emellanåt men var slug som en rävhona, det var Edvards

90

åsikt.

Han hade alltid funnits i huset, suttit som en slags överdomare. Edvard mindes honom från sin barndom, hur han kom över backen med den jättelika slokhatt han då bar, ett fornminne från seklets början, svängande, leende. En yrkesmans gång. Vid grinden brukade han ta av sig hatten, slå den mot benet så att dammet for.

Han hade som barn alltid haft stor respekt för farfadern. Den kunde han ha ärvt från Aina som nästan var rädd för sin svärfar, eller var det den pondus Albert hade i Ramnäs by som smittat av sig på Edvard. Respekten satt kvar. När Albert nu sa åt honom att vara rädd om tiden kunde han inte avfärda det som en gammal mans sladder. Var rädd om Marita! Javisst! Var du så rädd om Evelina? Var du en bra kamrat, utom i facket förstås? Visst var hon sjuklig, och du så förbannat stark, det sa ju alla, men ändå. Var rädd om Marita. Jag är rädd för Marita. Och hon är rädd för mig. Barnen likaså. Eller är det förakt? Jag vet vad mamma sa om dina fruntimmershistorier, inte direkt, men alla antydningar, hon var inte god mot dig. Hade du varit på henne också när ni gick här under samma tak? Nej, inte din sonhustru, men väl andra. Jag har varit trogen Marita i hela livet, Jällaskolan räknas inte. Jag minns inte ens vad hon hette. Men du Albert, var du rädd om farmor? Jag minns att du grät, när hon låg på köksgolvet, kall.

Edvards tankar avbröts av Albert som med hjälp av käppen segade sig upp ur fåtöljen.

– Kom, sa han, och hasade bort mot bokhyllan, en låg brun möbel som följt Albert i över femtio år. Fyra hyllplan och där fanns, förutom alla språkkurser, böcker om husdjursskötsel och andra som hade med lantbruk att göra, en inbunden årgång av Lantarbetaren, romaner tryckta på 30- och 40-talen, några fotoalbum. Där fanns också en historik över Upplands lantarbetareförbund där Albert varit medlem, alltsedan starten, till sammanslagningen 1930 med det nationella förbundet. Det förbundets historia kunde Albert. Han hade träffat Sjölander, bjudit honom handen 1925, den där sommaren då sonen Erik föddes och strejken drog som en brand över landskapet.

Albert hade varit en klippa i lantarbetarnas strävan, en

man som man lyssnat till. Hans skryt var självfallet många gånger självskryt, men det var som om en del av landets skönhet hade uppenbarats genom Albert Risbergs liv och arbete.

Det var en stolthet som Edvard kunde känna likt ett rus över spannmålsfälten, i kärnornas mättade smak, i djurens dofter och mjölkens sinnliga gång genom de transparenta rören, de kluckande ljuden, mjölkrummets kyla. Albert, Erik och nu han själv, kultiverade landet och kunde tala om sitt land.

Djävlar, tänkte Edvard, det slog honom som ett slag i Alberts rum, det är detta jag fruktar att mina barn inte ska få: arbetet, stoltheten att bära något, att leva med andra. Det tas ifrån oss och vi gör inget motstånd.

När nu den gamle tog fram boken med det lena linnebandet trodde Edvard att han skulle visa något foto, peka på någon text som han gjort så många gånger tidigare, men istället drog Albert fram ett kuvert.

– Här, sa han och vägde kuvertet i handen, här finns lite ...

Han hasade tillbaka till fåtöljen, innan han fortsatte.

– Här har jag skrivit.

Hans sätt att öppna samtalet kände Edvard igen, men inte Alberts eftertänksamma röst. Det var som om gamlingen prövade varje ord för sig. Han såg på Edvard med värme, en femtiotalsblick.

– Jag skrev på franska. Det var många år sedan. Jag tyckte det passade och så ville jag att inte någon skulle kunna läsa det.

Evelina, tänkte Edvard. Eller Erik och Aina. Du överlever alla, ruvande på dina hemligheter.

– Vi var fem barn hemma, alla pojkar. Edvin, Einar, Valdemar, Gustav och så jag. Inga flickor. Evelina och jag fick bara ett barn, en pojke. Erik fick bara dej och du har två barn, båda pojkar. Flickor tycks bannlysta. Vi tar oss kvinnor och dom föder pojkar.

"Tar oss kvinnor", tänkte Edvard. Jag ger mig fan på att han har skaffat barn på byn!

– Som du kanske vet kunde inte Evelina få fler barn efter Erik. Hon höll ju på att dö ifrån oss då. Hade det inte varit för Ramnäsarns farmor så hade hon gått då. Hon ville nog, men tappade lusten. Hon gick till och med till doktorn, men det blev inte bättre. Det talte hon inte om för mej, förrän långt senare. Det var inte lätt, må du tro.

Det bruna kuvertet skakade lätt i gamlingens hand.

– Jag ser vad du tänker, sa han. Du tror jag gick till andra kvinnor med glädje, men så var det inte. Jag älskade Evelina! Jag har mest talat om hur vi kämpade. Jag var med och byggde upp lantarbetarrörelsen här i trakten. Vi kom från lössen, råttorna bet oss barn! Vi levde sämre än kräken, det vet du! Min far agades av sin husbonn, en bonnjävel utåt Hagunda. Det har jag talat om. Men vad jag inte har talat om, är . . .

Här förmådde inte Albert hålla stämman klar. Han tappade kuvertet som med en smäll for i golvet. Sakta böjde sig Edvard ned och tog upp det, lade det på fåtöljens armstöd medan han granskade farfadern. Han ville ta hans hand, trösta honom, men förvånansvärt snabbt ordnade Albert sina drag.

– Häri finns allt, sa han och lade handen på kuvertet. Allt som jag fann viktigt. Det är möjligt att min franska inte är så bra och det finns säkert frågor.

– Jag kan inte ett ord franska.

– Det är synd, sa Albert. Du får lära. Innehållet är sånt att du säkert inte vill gå till nån annan. Allt du behöver står i den där hyllan.

Edvard såg mot bokhyllan med nya ögon.

– Och vad det gäller frågorna, får du brottas med dom, precis som jag.

– Vad handlar det om?

– Kuvertet får du öppna när jag är borta. Du hittar det i boken om Upplands lantarbetare. Sämre sällskap finns.

Kvällen blev klar. De gnistrande punkterna på himlen flämtade. Edvard spanade från fönstret i trappan. Hur skulle vintern bli, den finaste tiden för en stjärnskådare?

13

Den natten i slutet av oktober drömde Ann Lindell om Edvard Risberg, eller snarare om män, ett till synes oräkneligt antal män, upphetsade, med händer och tungor som sökte henne. Hon ville och vred sig i sängen, hon fasade och vred sig. Hon var fuktig, ja, näst intill sjöblöt, men korsade sina händer som ett skydd, ett lås som bröts upp, gång på gång. Våldtäkt, skrek hon i sömnen, jag vill anmäla en gruppvåldtäkt! Kollegerna, församlade till morgonbön, skrattade. Mest Riis, men även Lundin och Lundkvist. Samuel Nilsson, som varit en i gruppen, log. Bredvid honom satt Rolf, hennes förra man. Vi har fått in en anmälan om våldtäkt, sa Nilsson. Rolf Gösta Sigvard Andersson, gift Lindell, har anmält dig för grovt sexuellt utnyttjande, alternativt våldtäkt. Det är lögn! Det är jag som är Andersson! Eller Lindell! Det är jag som är tagen med våld! Riis skrattade än mer.

Edvard Risberg kom in i rummet som inte var den vanliga mötesplatsen för morgonsamlingarna, utan mer liknande en kyrksal. Han höll fram något. En litet föremål som vilade i hans hand. Är det någon som fryser, frågade han. Över hans arm låg ett tygstycke som han med en sirlig gest erbjöd henne så att hon skulle kunna skyla sig.

Ann Lindell vaknade. Täcket låg på golvet. Underlakanet, genomvått av svett, låg hopkorvat i sängen. Mardrömmens obehag sköt illamåendets vågor genom henne. Hon såg mot klockan – 4:25. I samma ögonblick hörde hon hur trappljuset tändes, den där knäppningen. Hon for upp ur sängen, slet åt sig täcket och höll det mot sin kropp, tryckte de knutna händerna mot sina bröst. Ventilationssystemet susade i köket. Hon stod blickstilla. Nu frös hon verkligen. Då förstod hon: tidningsbudet. I samma ögonblick hördes den dova dunsen mot hallgolvet. Lättnaden fick henne att släppa täcket och sätta sig på sängkanten, men hon förstod att det inte var någon idé att försöka somna om. Drömmen låg kvar i henne, satt som en smärta i hennes underliv, som ett dis i huvudet. Hon förnam en svag doft av svett och kön. Hon tippade bakåt i sängen, lät vänsterhanden vila på bröstet medan den högra prövande nöp i lårets utsida. Utmattning. Det fanns en tid då morgonknull under ägglossningen var obligatoriskt. Någon hade sagt att då var kvinnan mest mottaglig, mannens spermier mest livaktiga. Säkert lögn!

Hon lät handen gå över magen, nöp i huden, i underhudsfettet över höger höftben. Hastigt drog hon kudden till sig, pressade den hårt i famnen, låg så ända till klockans gröna siffror visade 5:30. När hon reste sig kändes nattens utdunstningar som ett pansar över hennes kropp. Rullgardinen åkte upp med en smäll och hon ville att världen skulle se henne där i fönstret, naken, vacker, klok, kåt och beslutsam. En kvinna, trettiosex år gammal, Ung! Vacker, men framförallt skarp som en kniv. Röda läppar, men framförallt vita, skarpa tänder, blixtrande snabb, smidighet i alla lemmar, beslutsam. Skarp, världens bästa polis!

Hon drog eftertänksamt borsten genom det fuktiga håret och skrattade plötsligt till. Edvard. Han oroade henne. Så olik Rolf. Denna förbannade Rolf! Som om hon vore en halv människa, utan den där Rolf som hon hade älskat i tretton år, levt samman med i tolv. Nu fick det vara nog med grubbel! Beslutsam var det. Han skulle inte återvända! Hon ville inte ha honom tillbaka!

Edvard gick med tunga steg i hennes kök, drog koncentrationen från morgontidningen till fönstret. Fortfarande dunkelt där mörka moln seglade fram i den styva ostliga vinden. Tidningen skrev om EMU, nya kontokortsrätttegångar, ständigt nya! Dagis stängt på grund av mögel, brand i Sigtuna, katastroflarm, hunger. Flyktingar.

Vad hade han sagt? Vi är skyldiga till hans död, allesammans är vi skyldiga. Ramnäs egen byfilosof. Hur var hans fru? Hon hade bara sett henne flyktigt i fönstret. Ann Lindell bestämde sig för att Edvards fru var vacker, ett hav av klokskap och sinnlighet och att hon måste prata med henne.

Huset började vakna. Levin en trappa upp morgonhostade som vanligt. Snart skulle han tassa nedför trappan med sin collie. En bil startade på parkeringsplatsen. 6:10. Ann gick fram till fönstret och såg en röd Volvo svänga ut på gatan. Han gjorde henne upprörd. Hans breda händer fick henne

95

okoncentrerad. Hans cockerspanielögon gjorde henne förbannad. Sluta stirra på mig, hade hon på tungan den gången han besökte henne på polishuset. Vad var det som påverkade henne? Att han var en man? Nej, män såg hon dagligen, fula, snygga, snälla, dryga, trevliga, alla sorter. Det var hans allvar, trodde hon. Ett allvar hon saknat alltmer vartefter åren gick med Rolf. Var det avsaknaden av barn, kanske insikten att de aldrig skulle få några tillsammans som skapade hennes behov av allvar? Det kom en tyngd över henne. Edvard hade sagt något om att han inte orkade med skrattet längre, att det inte ens fastnade i halsen, det uppkom överhuvudtaget inte längre. Det lät som en skrämmande vision, skrattets avveckling, men hon hade känt igen sig. Ibland skrattar jag, hade han sagt, men haft svårt att redogöra för när dessa tillfällen inträffade. Drogs hon till en träbock oförmögen till skratt? Rolf hade nära till skrattet. Gapskrattet, det hördes långt, var inte särskilt hjärtligt, men det hördes. Det kunde många gånger förväxlas med glädje. Rolf var en så kallad sällskapsmänniska, han älskade att synas, höras. Tvärt slut.

Hon tyckte sig en gång ha hört skrattet, just när sommaren tagit slut, vid den tiden då folk började tjata om oxveckorna. Men det var falskt alarm. Denna märkliga känsla: att ha sett en människa i princip varje dag i ett dussintal år, för att sedan aldrig se honom mer. Det liknade döden, som om Rolf kilat runt hörnet, med ett skratt. Skulle han ringa nu, så ... Ditt djävla mähä! Han ringer inte, jag vill inte att han ringer. Stå här som en tonårsflamsa.

Fler människor syntes på parkeringen, gav knappt varandra någon notis. Utom Sund som lyfter på hatten åt alla. Det måste vara en av de sista som hälsar på det viset. Rart. Han kör också den raraste bilen: en svart Ford Anglia, 1957 års modell. Tre växlar. En ägare. Sund. Nu gjorde han något oväntat. Fällde upp en liten trappstege under ett träd, klättrade försiktigt upp och började plocka av rönnbären som han stoppade i en vit hink. Han kom bara åt de klasar som satt längst ned och fick därför förflytta sig från träd till träd. En samlare. Ingenting får förfaras. Vem ska äta all denna gelé? Har han barn och barnbarn? Nu lyfter han på hatten med hinken i den andra handen. Säg något vänligt till herr Sund. Det ska jag göra nästa gång jag ser honom. Måtte han inte

96

ramla ned! Han är en rar människa. Om alla vore som Sund så skulle hon bli arbetslös. En hisnande tanke! Han parkerar väl inte fel ens en gång. Och gör han det så är bilen så söt att man gärna glömmer boten. Varför är han så tidigt ute, han som har all tid i världen? Han skulle ju kunna vänta till solen värmer. Nu får han lyfta på hatten igen. Det drar ned effektiviteten. Han vill lyfta på hatten, så enkelt är det. Det är därför han har hatt till och med när han plockar rönnbär. Går han ut på morgonen får han lyfta på hatten ett maximalt antal gånger. Han är rar, Sund.

Edvard är inte speciellt attraktiv, tänkte hon. Han lever mycket på sina ögon. Så har han ett ärr på hakan, som drar ögonen till sig. Men visst hade han något.

Hennes tankar avbröts av telefonens signal. Edvard, slog det henne, men det orealistiska i tanken fick henne att le. Det måste ha hörts på henne för Lundkvist frågade om allt stod rätt till. Vilken fråga! För att hon låter glad! Jävla surgubbe!

Det finns ett vittne. Var det så alarmerande viktigt att han måste ringa hem? Hon kommer ju till jobbet om en halvtimme. Någon, en dam i sina bästa år som Lundkvist uttryckte det, hade sett "två svarthyade män" i skogarna vid Ramnäs.

Jaha. Lindell lade på luren. Hon kände för första gången sedan utredningen startade att det nu fanns något att utgå ifrån, att ta på.

Morgonens melankoli var som bortblåst. I rask takt stuvade hon sin väska, tvekade en stund framför badrumsspegeln, drog på litet rött på läpparna, krokade ned vinterjackan. Folk skrapade rutorna!

Herr Sund stod kvar på sin stege. Den var av trä, originalfärg grön, nu brun, säkert äldre än bilen. Han lyfte på hatten! En hink och två bärkassar stod på marken, fyllda med bär. Han sa någonting om "surt sa räven", men Ann hade för bråttom för att stanna men hon log och herr Sund log tillbaka, eller snarare, han log med ett än bredare leende. Ramla inte ned!

Två män, två svarthyade män. Så svart hade inte Enrico varit. Två män, antingen kunde det vara bröderna Morales eller Enrico och en annan, mördaren? Eller två mördare, som just lämnat Enrico död under granen. Eller två invandrade män som var ute på en skogspromenad i sitt nya hemland.

Lundkvist satt på sitt rum, framåtlutad över ett kollegieblock. Han drog tankfullt pennan fram och tillbaka över blockets spiral. De få anteckningarna tycktes förvirra honom, men det var skenbart, det visste Lindell. Han hade samma uppställning som Lindell i tankarna gjort i bilen.

– Vad gör man i skogen?

– Plockar svamp, sa Lindell bestämt.

Lundkvist hummade, som om det aldrig föresvävat honom.

– Hur fick ni uppgiften?

– Hon ringde faktiskt i går kväll, hit. Heter Viveka nånting, har en sommarstuga i Ramnäs, sa Lundkvist, medan han reste sig och gick fram till kartan på väggen. Här bor familjen Lith och sommarstugan ligger längst bort på en liten stickväg som går in bakom Liths verkstad, omkring fyrahundra meter från stora vägen. Hon hade hört, via en granne i området, att vi var intresserade av att komma i kontakt med alla sommargäster. Hon ringde i går kväll, för att i dag, just nu, sitter hon på flyget till Thailand.

– Vaken dam, sa Lindell. Vad gjorde hon i skogen?

– Plockade svamp, sa Lundkvist torrt. Ja, hon har faktiskt faxat över en redogörelse.

Med sänkt huvud och med blicken på sitt block sträckte han henne ett antal lösa faxpapper.

– Du får läsa själv, sa han.

Viveka Rimberg hade för drygt fyra veckor sedan, söndag den 28 september, plockat svamp i skogen öster om vägen, ungefär i höjd med hembygdsgården. Hon hade gått fram till Liths, fortsatt ytterligare kanske hundra meter och sedan gått rakt in i skogen. Lindell försökte se det hela framför sig. Hon ville minnas att det var en rätt så besvärlig terräng på den sidan, sank, med områden med dvärgväxt björk och al. Hur gammal är hon, Rimberg? Det framgår inte. Det är möjligt att det var torrare då, i slutet av september. Hon tycktes ha några ställen i den lite högre terrängen som hon varje höst besökte och skattade på svamp. Plockar alla svamp i Ramnäs? Den här söndagen hade hon strövat en bit längre än vanligt, tillgången på svamp var dålig. Hon virrar bort sig, blir osäker på riktningen. Så kommer hon fram till en smal väg där hon stöter på två män. När hon ska gå ut på vägen, för att som hon hoppas följa den mot byn, ser hon männen på andra sidan vägen. De pratar relativt högt, men tvärstannar när de får syn på henne. "Jag blev aldrig rädd", stod det i faxmeddelandet. Rädd för vad? Männen tystnade, vände snabbt och mer eller mindre sprang in i skogen igen. Hur de var klädda uppmärksammade hon aldrig. De var mörkhåriga. Viveka Rimberg kunde med bestämdhet säga att de var utlänningar. Hon hade aldrig sett dem tidigare.

Det var ett redigt vittnesmål, även om det inte gav så mycket som hon hade hoppats. Vilka var de? Vad gjorde de i skogen? Plockade svamp? Troligtvis inte. Varför inte? De tycktes stå på god fot med varandra, men det uteslöt inte att de senare skulle kunna ha grälat. Hur tog de sig dit? Rimberg hade följt skogsvägen ned mot stora vägen och hade inte sett någon parkerad bil. Skulle jag bli jagad så ville jag hålla mig på vägen, inte snubbla i skogen, skrev hon i faxet. Det var på vägen rädslan kom. Hon var absolut säker på att det inte fanns någon bil längs skogsvägen. "Det var på vägen rädslan kom". När kom Enricos rädsla? På vilken väg? Tillförsikten växte. Dels hade de något att gå på och dels började hon känna byn och dess omgivningar. Hon hade orienterat som tonåring och den kunskapen och känslan för landskapet hade hon stor nytta av. Att känna terrängen var halva jobbet. Nu var inte Ramnäs bara ett namn, utan också vägar, skogspartier, lövdungar, åkrar och betesmarker, hus och människor. Nu gällde det flåset och envisheten, om hon skulle få fram en mördare. Hon önskade att Viveka Rimberg inte åkt till Thailand. Ann Lindell trodde att hon hade mer att berätta.

14

När Edvard tog en fridag till protesterade inte Bengt Ramnäs. Den mest hektiska tiden var över och han insåg att Edvard inte var till stor nytta på gården. På ett vis tyckte han att det var skönt att lantarbetaren var frånvarande. Det var som om han drog ledsamheterna i en säck bak ryggen. Säcken hoppade och for, gjorde sig påmind. Ramnäsar'n ville arbeta, inte grubbla så mycket, resonera gick an, men inte prata på Edvards vis. Ständigt plockade han upp nya ledsamheter ur sin säck. Det gick inte att arbeta på det viset.

Edvard hade redan på natten bestämt sig för att åka upp till Rosander igen. Han kände obehag när han erinrade sig det senaste besöket men han var tvungen att fara upp till "nätvingen", som Marita kallade Rosander, för att kunna gå vidare.

Luften var hög och det syntes som om Getberget höstpyntat sig en sista gång, innan kylan skulle förändra allt. Edvard körde mycket sakta. Han tyckte det var evigheter sedan han senast for här. Han stannade på samma ställe som förra gången, men steg inte ur bilen.

Du har ingen sjukdomsinsikt, hade Marita sagt kvällen innan. Hon pratade om sjukdom, som om hans plågor enbart var hans egna, bundna till hans kropp och själ. Men Enrico då? Sluta tjata om denna peruan! Det är väl inte ditt fel att han dör i skogen! Hon hade en sådan ilska.

Efteråt hade de älskat. Sanslöst. Hade han varit ett djur så skulle han ha skyddat strupen. Hon hade tvingat honom ned på golvet, grenslat honom. Efter orgasmen, som fått henne att skrika, hade hon smekt honom över ansiktet, hårt och häftigt, dunkat sina händer mot hans bröstkorg. På morgonen hade hon knappt sett honom. Var det skam? Nej, hon var utan skuld och skam. Edvard fick ändå för sig att hon skämdes, att hon använt honom som ett redskap, ridit honom, låtit honom se hennes plåga och uppdämda vrede, inte vågat lita på sin kärlek, än mindre på hans kärleks förmåga, rädd för lögnen. Hon hade ridit honom i ilska, som när pålar ska slås, betong ska spräckas, och tröttheten, den enahanda, får en att slå i ett ursinne som gränsar till förbittring. Man våldför sig, på sig själv, på redskapen. Så arbetar man aldrig i lag med någon, alltid ensam. Det är en utmattning och vrede man aldrig visar sin arbetskamrat, dels av hänsyn, men också för att inte blotta sig.

Nu hade hon blottat sig. Hennes kropp hade varit som en glänsande rådjursget, som med ett språng hade försvunnit in i snårskogen, en spänd båge där den lena huden blänkte av smidighet och sinnlighet, men också flykt. Så hade hon kastat sig fram, med håret mot hans panna. För något ögonblick hade deras blickar mötts och i det mörka hade han sett hennes ögonvitor.

Över Ramnäs låg fortfarande morgonvilan. Skorstenarnas fina rökslingor steg försiktigt, förenade sig med morgonens slöjor, löstes upp av den stigande solens värme. Brittsommar. Edvard vevade ned bilrutan och andades djupt in den svala höstluften. Några små insekter surrade beskäftigt i luften, tycktes lurpassa på varandra i en ryckig dans. Snart skulle de dö. Rosander visste säkert vad arten hette. Höstmott, kanske. Dansvingar. Var det av glädje de for omkring eller var de neurotiker? Edvard putade med munnen och blåste en koncentrerad luftstråle mot krypen. Med otrolig skicklighet parerade de orkanvinden, stod för några ögonblick stilla och for sedan blixtsnabbt iväg.

På den sista biten upp mot Rosanders torp tycktes luften bli allt tunnare. Edvard drog några djupa andetag. Höll han på att bli sjuk? Varifrån kom trycket över bröstet?

– Jag är glad att du kom, sa Rosander.

Han stod tätt inpå Edvard som önskade att insektsforskaren backade något. Mest för att han kände sin egen svettlukt, men också för en hotande närhet som om Rosander när som helst skulle ta i honom, lägga sin arm runt hans axlar och ge sken av en förtrolighet som inte fanns.

– Vill du ha kaffe?

Edvard kom sig inte för att svara, nickade bara. Hans blick vandrade runt i köket som nu var städat, nästan skinande rent. En svag doft av citron kunde förnimmas. Rosander pladdrade på. Det var något om fåglar. Edvard tänkte för ett ögonblick fråga om de dansande insekterna han sett i backen, men fick aldrig tillfälle, eller snarare tvekade, mest för att slippa förklara varför han stannat på halva vägen. Varför måste han förklara det?

De slog sig ned under tystnad. Rosander hällde upp kaffet, lyfte på ett plastlock som dolde några bullar. Nu! Spänningen i Edvards kropp gjorde honom oförmögen att slita blicken från kanelsnäckorna som såg ut att ha legat där mycket länge, än mindre lyfta handen för att greppa kaffekoppen, än mindre formulera någon väsentlig fråga. Rosander gjorde en inbjudande gest mot bullarna.

– Hur är det?

Edvard gjorde en ansats att svara, men Rosander förekom honom.

– Du behöver inte fråga. Eva-Lena och jag har pratat, senast nu i morse. Vi kände Enrico Mendoza. Han bodde här. Vi gömde honom. Han var vår vän.

Edvard lyfte blicken. Rosander såg helt lugn ut.

– Har du sagt det till polisen?

Edvard såg Ann Lindell framför sig promenerande på Turelundsvägen. Rosander skakade på huvudet. Såg Edvard ett leende?

– Jag har inte sett någon polis.

Ann kommer snart. Henne undgår du inte! Ingen av oss.

– Vad hände?

– Vi vet inte.

– Inga fler undanflykter!

– Ärligt talat, jag vet inte.

Rosander reste sig, tog några steg mot spisen. Det fanns tvekan i Rosanders rörelser, ryggen tycktes krympa samman. De clownlika byxorna, nedhasade till ett försvarligt gällivarehäng, håret som stod åt alla håll, de dröjande stegen, alltsammans som normalt roade Edvard gjorde nu ett beklämmande intryck. Men Edvard trodde honom på hans ord.

– Han har en bror, Ricardo. Du ska få träffa honom. Inte nu men sen. Han vill träffa dej.

Det var som om Getberget förvandlats till en topp i den andinska bergskedjan. Så sa Rosander, så inledde han sin berättelse. Han tecknade bilden av två unga män, märkta av terror, som kommit vandrande mot Ramnäs´ eget berg.

– Det var Enrico som kallade Getberget Anderna. Han var

102

poeten, medan Ricardo är realisten som sällan låter sig ryckas med, bedåras. Det finns något mycket strängt över honom. Jag tycker mig känna igen den hårda ytan, slipad. Du kommer att se när ni träffas.

Rosanders ord hade en märklig inverkan på Edvard som om han nu ingått i en förening, vigts in till ett nytt liv. Tagits upp. Det var orden "när ni träffas" som tilltalade honom, att det fanns en fortsättning! Detta samtal var startskottet till något nytt. Edvard kände det med visshet.

– Enrico, lillebror, hade mer av glädje i sig. Han hade nära till glädjen.

– Typiskt att han dör, sköt Edvard in.

Rosander såg på Edvard med en förundrad blick.

– Dom kom i augusti, bodde här båda två. Först nu har jag förstått hur det är att vara jagad.

Edvard såg att Rosander kände en lättnad att få prata och han beslöt sig för att i fortsättningen hålla mun.

– Ni är säkra här, sa jag gång på gång, men ändå gick de som på ägg. När sedan Enrico försvann, vad skulle jag då säga?

Rosander tystnade. Edvard försökte föreställa sig Enrico levande, sittande vid detta bord. Han strök bordsskivan med handen som om något av peruanens väsen och egenart skulle finnas kvar, lagrat som ett skimmer över bordets skiva.

– Ricardo anklagade aldrig mej. Vi vet inte varför han lämnade huset. Vi hade bestämt att dom inte fick gå ut, utan sällskap och tillstånd. Vi rörde oss självfallet ute men jag fanns alltid med.

Edvard försökte se honom skratta, men det var omöjligt. Skrattet blev en grimas, de plågade dragen Edvard sett i flyktingens ansikte.

– Den där dagen var jag inne på institutionen i Uppsala. Jag brukar sitta där på helgerna också. Det är lugnare då. När jag kom hem hade Enrico varit borta i ett par timmar. Klokt nog hade inte Ricardo gett sig iväg ut för att leta. I början, de första timmarna, fanns det bara hårdhet hos honom. Han satt som fastklistrad vid bordet, just där du sitter, med armarna utsträckta framför sej, tyst väntande. Han såg ut som en bronsskulptur. Jag undrar vad han tänkte. Jag ringde Eva-Lena och hon stack ut på cykeln. Själv gick jag i skogen, härifrån ner mot byn, i zig-zag, i cirklar, fram till byn, följde vägen en bit, upp i skogen igen. Så där höll jag på tills det blev becksvart.

Rosander höll upp. Edvard såg Vitrosen farande på byvägen med alla skynken till kläder, slängande efter sig. Och håret som en brand. Kunde hon cykla fort? Om det gällde livet kanske, men annars höll hon knappt styrfart på sin gamla svarta Hermes. Det fanns något avväpnande barnsligt i hennes sätt att cykla, som själva resan eller målet inte betydde något utan det var glädjen att röra fötterna som styrde hennes cyklande. Hon log ofta när hon cyklade. I cykelkorgen på styret brukade hennes katt sticka upp. Katten var visst död nu.

– Ricardo satt kvar vid bordet när jag kom hem. Jag tror inte att han hade rört sig på hela tiden. Ett tag var jag orolig. Det var först när Eva-Lena kom hit som han började prata. Först på knagglig svenska, men sen på spanska. Jag fick översätta.

Genom Rosander gick en skälvning. De var de spanska orden, men också fraserna av quechua, där kastilianskan inte räckte till, som brann i Rosander. Det var det vackraste språket av alla. Revolutionens språk, hoppets språk. Det sjöng. I Ricardos mun vilade orden likt fåglar och när de lyfte, lyftes också den medelålders insektsforskaren på Getbergets topp, belägen etthundratvå meter ovan havets yta. Han hade lyssnat så nogsamt att han trodde sig ett med de fattiga i Peru. En illusion, bland många.

SUTEP-organisatörens blanka panna, svettdropparna, de smala, nästan frökenliknande händerna, de glödande talen. I Cajamarca, i bergen ovanför Huaraz, i Puno, i Apurimac. Kvinnan, vars hetta fick blodet att koka. Hennes mor, urstark! Männen döda. Han hade älskat dem båda. Nina hade han åtrått. Var finns de nu? Döda, så klart!

Framför sig hade han en lantarbetare, sprungen ur statarklassen, den mest föraktade. I Edvards ansikte hade han ibland sett den glöden, den oron som i Peru blev blod på väggen, men i Sverige försvann i dunkel, svåråtkomlig, gäckande. En oro att bära, men inget att utgå ifrån. Vad han hade drömt! Att bli kallad! Drömmerier! Idealistiska drömmerier!

– Sätt dej ned!

Edvard hade rest sig och förblivit stående under de sekunder det rasade inom Rosander. Nu slog han sig återigen ned, mitt emot insektsforskaren. Sakta, med blicken fäst på honom, drog han ut stolen, iakttog honom som om han väntade ett utfall. Tala nu, tänkte Edvard. Strunta i mej, tala fritt.

– Jag föddes 1947, började Rosander. Inget kalas, fortsatte han med ett skevt leende, som om han läst Edvards tankar. Min far var metallarbetaré och hans far likaså, gjutare. Jag är forskare, entomolog. Före mej hundra år av järn och stål, ämnen. Jag rör vid det finaste som naturen skapat, sköra vingar, transparenta mikrogram. Min far frågade sej ofta: Vad ska det bli av pojken? Själv var han verktygsmakare. Han sa det till mej också: Vad ska det bli av dej, egentligen? Han frågade det ända till sin död, då hade jag pluggat, undervisat i tio år och börjat publicera mej. Vad ska det bli av dej, egentligen? Morsan hon bara lullade i bakgrunden, jamsade med. Höjde farsan rösten, steg hon undan, föste sej själv bort, försvann.

Rosander satt sedan tyst länge. Edvard kände värken. Nu ville han inte höra mer.

– Varför berättar jag det här? Det är jävligt ovidkommande! Det är väl åldern. Det sägs att småbröder är disponerade för socialismen, för upproret. Jag har tre storebröder, så jag borde vara revolutionär. Så bor jag isolerat, det är också en faktor som påverkar, som radikaliserar eller snarare spär på främlingsskapet gentemot samhället. Dom som bott i utkanten, känt sej bortanför gemenskapen har ofta sökt sig till det extrema. Sveriges rödaste kommuner låg i Värmlands finnskogar, kring Nyskoga och Vitsand. Där röstade 30, 40, ibland upp emot 50 procent av befolkningen på kommunisterna.

– Jag trodde det var i Norrbotten.

– Valdistrikt, ja, men hela kommuner.

Edvard hade många gånger förundrat sig över Rosanders kunskaper på de mest skilda områden, sällsamma kunskapsfickor hämtade från samhällsliv, naturvetenskap eller historia. Insektsforskaren kunde ibland påminna om farfadern, men Alberts kunskaper var mer samlade, mer ordnade. Han kände landsbygdens yttringar, jordbruket, den fackliga rörelsen och språk. Den gamle lantarbetarens vetande var insatta i ett system, medan Rosanders flammade upp likt bloss, spred för några ögonblick ljus över ett skymsle, för att sedan slockna.

Hur mycket kom farfadern idag ihåg av ryskan, engelskan eller franskan? Han hade skrivit på franska, sa han, för att ingen annan skulle kunna läsa. Vad var det för historia? Någon slags slutsats om livet, en familjekrönika, ett arv?

– Jag har pratat med dej om Peru. Minns du det?

Edvard nickade och tänkte att: Hur skulle jag kunna glömma det? Som han har tuggat om.

– Jag blev revolutionär där. Jag kanske var det innan också, jag minns faktiskt inte hur jag tänkte före resan, men efter den andra resan till Sydamerika bestämdes min världsbild och den har jag blivit trogen.

– Men nätvingarna då?

Rosander såg förvånat på Edvard.

– Vadå? Du menar att nätvingar inte går ihop med revolutionen?

– Ungefär så.

– Helt fel! Genom att studera nätvingarna så fördjupar du kunskapen om människans villkor.

Skitsnack, tänkte Edvard, men sa ingenting. Han var arg på sig själv att han inte snabbare sammanbundit peruanen Enrico med Rosander som Edvard så ofta hört tala om Sydamerika.

– Så när jag fick frågan om jag kunde ta emot ett par bröder från Peru så var det ingen tvekan. Eva-Lena var också med på det.

– Vem fick du frågan av?

Rosander ignorerade Edvards inpass.

– Första tiden bodde dom i lidret. Jag har ju gjort i ordning en liten lya där uppe, men i höstas blev det för kallt, då fick dom bo på övervåningen. Jag kunde höra dom tassa omkring på nätterna. Ibland satt dom och pratade hela natten, viskande.

Kring Rosanders ögon var nyansen violett. I det nakna ljuset från fönstret såg hans hy sjuk ut, rynkorna som löpte över hakan och i pannan liknade mer fåror. Kinderna hade våråkrarnas ljusbrungula ton, men den brodd som stod upp

106

var inte saftigt grön, utan grå. Vad kan Eva-Lena se hos honom, tänkte Edvard.

– Sen Eva-Lena blev mer här uppe kom bröderna ner från övervåningen, allt mer. Först Enrico, sen Ricardo.

– Hur länge har du hängt ihop med Vitrosen?

– Hängt ihop ... Vi umgås. Det började i somras, eller kanske tidigare ... Hon är som flyktig ... Hon ...

Här tappade Rosander tråden och tystnade definitivt. Edvard kände spänningen som tycktes lägras över den slitne flyktinggömmaren.

– Berätta om Enrico!

Rosander skakade på huvudet.

– När ska jag få träffa Ricardo? Var är han nånstans?

Rosander gjorde en gest med huvudet.

– På övervåningen?

Edvard sköt tillbaka stolen för att resa sig men i samma stund la insektsforskaren sin hand på Edvards arm.

– Han vill inte träffa nån, just nu i alla fall.

Rosanders trötta stämma hade nu skärpts.

– Han sover.

– Hur känns det då? Du tog hit två flyktingar för att ge dom ett säkert gömställe och så dör den ena.

Edvards ord var obarmhärtiga. Han gjorde sig loss från Rosanders hand. I Rosanders ögon syntes för ett ögonblick förvåning, sedan förvirring.

– Och vad säger Ricardo? Vill han bo kvar här?

– Han är van med döden, sa Rosander. Flera av hans nära har dött. Enrico blev ytterligare en i raden.

– Så man kan vänja sej vid döden? Sin broders död.

– Jag menar inte så.

– Hur menar du då? Säg det nu! Säg något! Försäg dig!

Rosander drog in ett djupt andetag som för att ta sats, men ångrade sig, luften pyste ur, mellan putande läppar. Ögonen var slutna. När han återigen såg upp var det med en något skarpare blick.

– Vad vill du egentligen? sa han. Jag har försökt att följa min övertygelse, ge skinnskallarna och Invandrarverket en match. Det gick snett. Jag har inte sovit på flera dygn känns det som. Ge fan i mej! Hacka inte så förbannat! Jag går här som en jävla hösäck!

– Du sa ju att du skrev så pennan glödde.
– Lögn. Jag har inte skrivit en rad sen i somras. Så är det. Är du nöjd?

Rosander reste sig och ställde sig mitt i köket, satte händerna i sidorna och såg på Edvard. Det var en uppfordrande gest, som för att säga: Nå! Hur blir det! Reser jag mig, så blir det som om vi skulle slåss, tänkte Edvard. Göra upp om saken, mäta ut reviren. Två handjur. Vilken sak? Vad skulle jag vara nöjd med? Att han inte skriver på sin avhandling? Det bekommer mig inte! Och han sa det. Stilla. Nästan viskande.

– Jag skiter i dina flugvingar.

Han använde Maritas ord. Det fick honom nästan att le. Istället var det forskaren som log.

– Det gör jag med, sa han. Jag skiter i nätvingarna.

När orden lämnat hans mun insåg han vad de betydde, att många års arbete förnekades, bara lämnades åt sidan, för att raderas. Han hade tryckt på deleteknappen och nu frågade hans hjärna: Är du säker?

– Jag ger fullständigt fan i institutionen. Så blir det!

– Du är trött nu. Säg inte för mycket.

– Jag har varit trött länge. Det var först med Eva-Lena som jag fick lite krafter igen. Om du visste vad den tjejen har betytt! Hon är så olik alla andra kvinnor jag levt tillsammans med.

– Du har väl alltid bott här själv?

– Men förr menar jag.

– Hur blir det nu då?

– Jag vet inte. Ärligt talat så ... Jag vet inte. Hon tar Enricos död otroligt hårt. Hon kunde ju nästan vara morsa åt honom.

Över gårdsplanen låg en kylig stillhet. Bara helt lätt kunde svaga vindfläktar förnimmas. Några enstaka löv kom singlande. Rosander drog händerna genom håret, vände sig mot solen och lät den värma sitt ansikte. Edvard tyckte det liknade en religiös ceremoni, en reningsprocess. Han stod så en kort stund innan han sänkte armarna och hastigt vände sig om. Det var som om han blivit stungen. Han stirrade upp mot huset och de både kunde se hur gardinen i ett av övervåningens fönster darrade till.

– Jag ska väl fara, sa lantarbetaren.

Det prasslade till i vinbärsbuskarna. En björktrast kom hoppande.

– Det blir snö, sa han.

– Jag undrar hur det går för Ricardo? Han och Enrico var som Castor och Pollux.

– Det är stjärnor, utbrast Edvard.

– Så du vet det? Visste du att det finns en spännande myt om dom?

Edvard skakade på huvudet.

– Grekisk mytologi, sa Rosander.

– Jag har mina egna berättelser, sa Edvard.

– Den ena, Pollux, var Zeus son och därför odödlig. Han är Ricardo, medan Enrico var Castor, den dödlige.

Edvard såg något mer intresserad ut.

– Och i myten dör Castor?

– Ja, i strid med Afariderna.

– Varför skulle Enrico och Ricardo vara så lika dom där bröderna?

– Ofta handlar ju brödramyter om avund och död, men Castor och Pollux visade en enorm brödrakärlek. Det är därför dom blev stjärnor, så tätt intill varandra. Det var Zeus som fixade det.

15

Lindell satt försjunken i obduktionsprotokollet när Allan Fredriksson stack in sitt långsmala ansikte genom dörrspringan.

– Stör jag?

– Nänä, kom in!

– Det är en sak, sa han.

Lindell såg upp. Hon räknade tyst för sig själv. Hur länge dröjer det innan Fredriksson nyper sig i nässpetsen? Fyra sekunder!

– Ja?

– Det är ju mycket resonemang om SÄPO och sånt nu, inledde han försiktigt. I handen höll han en grön mapp där några papper spretade ut.

– Du menar registreringen av vänsternissarna?

Fredriksson nickade.

– Det finns två ingångar här. Kollegerna i Stockholm hade en hel del på bröderna Mendoza. 46 sidor närmare bestämt, plus fotodokumentation.

Lindell log. Fotodokumentation. Det lät som om Säk ägnade sig åt fornminnesvård eller landskapsplanering. Hon kunde föreställa sig Säk:s fantastiska snap-shots, med träffande kommentarer: "Blåneger 1 samt. med Blåneger 2, trol. rör. plan. akt."

– Det var väl inte annat att vänta. Finns det överhuvudtaget något intressant?

– Tveksamt, sa Fredriksson.

Nu var han ute på hal is, kände han. Lindell nickade.

– Det är mycket information, fortsatte han, men kanske inte så väsentlig för oss.

– För någon?

– Svårt för mej att avgöra.

Lindell var övertygad att Allan Fredriksson var kapabel att avgöra substansen i Säk:s mödosamt insamlade "dokumentation".

– Det som framgår är väntat. Bröderna håller kontakten med sina landsmän. Det finns en lokal i Stockholm som Säk tycker är intressant. Några demonstrationer utanför Perus ambassad, där Ricardo och Enrico deltar vid två tillfällen. Flygbladsutdelning . . . Det finns uppgift om en våldsaktion, troligen en intern uppgörelse. Här är kollegernas uppgifter väldigt knapphändiga egentligen. Det framgår inte vad som hände, men om jag fattar rätt så fick en peruan, bosatt i Flemingsberg, besök av några andra peruaner, som gav honom stryk. Det anmäldes tydligen aldrig men finns registrerat hos Säk, men på ett sätt som gör mej lite fundersam.

Nu hade Fredriksson blivit varm i kläderna och slagit sig ned i Lindells besöksstol. Han öppnade mappen och visade fram ett foto på en misshandlad man.

– Han liknar Enrico, sa Lindell.

– Ja, det tyckte jag med först, men jag tror att man blir lu-

110

rad av det indianska utseendet.

– Det blev ingen anmälan, men Säk sitter på foton och annat, stämmer det?

Fredriksson nickade.

– Jag tror det är Säk:s man, helt enkelt, sa han tyst.

Lindell såg upp från fotot.

– En informatör?

Fredriksson nöp sig i näsan och nickade.

– Sen är det en sak till. Det finns en kille som Säk har uppgifter på. Erik Waldemar Rosander, som bor i Ramnäs. Han fyller snart femtio och det lustiga är att den första noteringen görs på hans 20-årsdag, den 21:a december 1967.

– Berätta! Jag tror vi hinner innan morronsamlingen.

– Han heter, som sagt, Erik Waldemar Rosander, född i Lindesberg, studerande i Stockholm. Deltog i en olaglig demonstration i december 1967, togs in för motstånd. Det är första noteringen och sen fick han tydligen Säk på sej. Rejält.

– Vad var det för demonstration?

– Det handlade om Vietnamkriget. Du är för ung för att minnas, sa Fredriksson och log.

– Men Säk kommer ihåg, minsann.

– Sedan återkommer Erik Waldemar flitigt. Han demonstrerar vidare genom 70-talet, är med i Sveriges Kommunistiska Parti, Nej till EEC-gruppen, Folket i Bild, Naturskyddsföreningen . . .

– Naturskyddsföreningen!

– Ja, det står så.

– Han åker till Paris i maj 1968 och rapporterar från strejker och studentprotester. Säk har till och med klipp. Han är aktiv inom Clarté. Han prenumererar fortfarande på tidskriften, plus ett halvdussin till.

– Vad fan säger du?!

– Han åker till Sydamerika och håller sedan föredrag, skriver artiklar och är medförfattare i en bok om Latinamerika. Han reser till Peru tre gånger, avslutar Fredriksson och ser upp från sina anteckningar.

Ann Lindell erfor en märklig fysisk reaktion. Det påminde om känslan när hon efter sin 30-årsdag tänkte på det kommande bungyjumphopp hon fått i present, en blandning av spänning, skräck och förväntan, som tog fart långt nere i

111

magtrakten och blommade ut till en rysning. Hon reste sig snabbt och for runt skrivbordet.

– Vi går till dom övriga, sa hon och snappade åt sig pärmen.

I trappan tvärstannade hon.

– Har du foto på karln?

Nu ville Ann Lindell vara i fred ett tag. Under slutet av morgonsamlingen blev behovet av enskildhet så stort att hon fick tvinga sig att lugnt fördela dagens uppgifter. När Fredriksson i en mycket bantad version drog sina uppgifter från Stockholmskollegerna kändes det som om temperaturen i rummet steg någon grad. Att hon och Lundkvist skulle åka ut till Ramnäs var givet men hon ville inte kasta sig iväg. Vid samlingens upplösning trampade Lundkvist vid dörren, som vanligt buttert, han tycktes inte livas av uppgifterna men blev inte förvånad när Lindell helt kort flyttade fram avfärden någon halvtimme.

– Bra, sa han bara.

Väl tillbaka på sitt rum ställde sig Lindell vid fönstret. Det var en delvis ny utsikt då hennes vanliga arbetsrum renoverades och hon nu inkvarterats en trappa ned. Som så ofta tänkte hon på Rolf. Han kom och gick i hennes tankar mest varje dag. Det som var nytt var känslan av bitterhet som växte sig starkare vartefter månaderna gick. Han kunde väl slå en signal, visa att han ändå brydde sig litet. Var finns du? Hon visste att de aldrig skulle kunna fortsätta. Det var förbi. Kanske inte ens träffas, det skulle ta för mycket. Men han kunde väl ringa och säga hej.

– Må fan ta dej! Må du träffa en riktig kärring som tystar ditt flabb!

I bilen ut mot Ramnäs berättade Lindell för Evert Lundkvist om det fullständiga innehållet i mappen från Säpo. Hur trettio års kartläggning och spaning fanns arkiverat, med pressklipp, foton och allt.

– Hur många akter finns det? Totalt, menar jag.

Lundkvist gjorde en knixande rörelse med huvudet. Bryr du dig, tänkte Lindell.

– Att vi fick ut allt fattar jag inte. Det skulle ju räckt med uppgifterna om anknytningen till Peru. Vad är vi betjänta av noteringar från en EEC-demonstration 1971.

– Fanns det med?

– Rubbet.

Hon svängde in mot Ramnäs. Hon visste precis var Erik Waldemar höll till. Ibland var Posten bra att ha. Getberget, fult namn. Låter gnetigt.

– Det är inte enligt bestämmelserna, sa Lundkvist. Vi skulle inte fått ut alltsammans.

Han sa det med en sådan skärpa i rösten att Lindell vred på huvudet och kikade på sin kollega. Sakta vred även Lundkvist på huvudet och deras blickar möttes. Att få ögonkontakt med Lundkvist tillhörde inte det vanliga. Oftast muttrade han något med huvudet sänkt eller ilsket gloende någon annanstans, levererande sina sura, avvisande kommentarer. Nu såg han rakt in i Lindells ögon.

– Antingen vill dom visa sig märkvärdiga, titta vad duktiga vi är, här håller vi koll på blatteterroristerna och deras svenska kontakter eller så är dom mer än vanligt amatörer. Ett tredje alternativ är att nån på Säk vill läcka.

– Vadå läcka?

– Du har väl läst tidningen? Nån som vill att en sån så pass omfattande personakt, uppenbart olaglig, ska komma ut i cirkulation, att uppgifter, rykten, sipprar ut.

– Vad skulle de vara bra för?

– Egenintresse. Gud vet vilket!

– Jag tror dom vill visa sig duktiga. Att bättra på sitt rykte, medverka i att klara upp ett mord, sa Lindell när de passerade Ramnäs kyrka.

Ilsket röda koner och snöskyltar med texten "Trädbeskärning" kantade kyrkmuren. En man med en röd varningsväst tittade nyfiket på poliserna. I en skyliftkorg stod hans arbetskamrat, avvaktande. Hon bromsade in ytterligare.

– Ska vi kika litet, sa hon ovanligt lätt.

Till hennes förvåning nickade Lundkvist utan att muttra något eller göra en min.

Kyrkogårdsgrinden gnisslade när Lindell sköt upp den. Lundkvist dröjde och när hon vände sig om såg hon att han stannat vid trädbeskäraren. Den noggrant kanthuggna grusgången låg nykrattad med parallella streck som löpte från grind till kyrkport. Med försiktighet satte hon ned fötterna, mån om att inte röra till gruset i onödan. Hon kände doften av sågspån. En jättelik stubbe vittnade om ålder och förgäng-lighet, men också kraft, för trots att stora delar av innan-mätet var brunt och uppruttet utstrålade stubben energi.

Vad skulle hon tro om denne Rosander. Var han sig lik från det senaste fotot taget någon gång i mitten av 80-talet? Hon böjde sig ned och bröt med handen i stubbens gistna ved. I centrum var ett nästan meterdjupt hål och därifrån luktade det råjord, kompost och jordkällare. Hur skulle han te sig? Lindell hade bara diffusa bilder av hur en vänster-människa såg ut. På utbildningen hade det skojats friskt om näbbdojor och runda glasögon, men hon förstod att Rosan-der inte var någon dagslända, uppfödd på rödvin. Son till en metallarbetare från Lindesberg, själv hade han arbetat tre år på Alfa-Laval i Stockholm, för att sedan återuppta studierna. Från Paris 1968 till Getberget 30 år senare. Noteringarna om Rosanders aktiviteter var lång. Det som förvånade mest var att han skrivit om så skiftande ämnen som försurningen av norrländska fjällsjöar, sydamerikansk litteratur och sjö-mansstrejker på 30-talet. Vad var man då för en människa? En tidskriftstitel som gjorde henne nyfiken var "Vi måste lära oss spela piano!". Var han musiker också? Men hon kunde inte gärna fråga. Eller skulle hon det? Han borde förs-tå att han varit övervakad, inte minst med tanke på det som skrivits i tidningarna om snickaren som fått avsked för att han parkerat bilen utanför en vänsterkongress. Det var ab-surt, men Lindell kunde nu bättre förstå Lundkvists sar-kastiska kommentarer över kollegerna på Säk.

Hon hörde Lundkvists steg och reste sig upp. Han såg fak-tiskt upplivad ut.

– Nu har jag fått tag i en kille som kan klippa min lönn vid garaget, sa han.

Det var nog första gången Lundkvist frivilligt, under alla de år de arbetat tillsammans, nämnde något som berörde hans privata sfär. Lindell hade överhuvudtaget inte reflekte-rat över att man beskar träd och kunde omöjligt komma på någon intelligent kommentar. Istället fortsatte hon prome-naden in på kyrkogården. Hon läste på stenarna, men tan-karna gick till Enrico. Var skulle han begravas? Vem skulle följa honom till graven och vem skulle gå till hans grav? Om nu Enricos bror lever, vilken maktlöshet måste han inte känna. Kommer han att ge sig tillkänna och riskera att bli utvisad. Lundkvist hade nu slutit upp vid hennes sida.

– Han kommer nog att skickas tillbaks till Peru och begravas där, sa han.

– Så han blir ändå utvisad till slut.

– Ja, död eller levande.

– Brodern då? Ricardo. Vad ska hända med honom?

– Dödsfallet påverkar ju inte hans sak.

– Det är grymt, suckade Lindell, som nu insåg att ett besök på en kyrkogård kanske inte var den bästa mentala förberedelse inför en träff med den som med stor sannolikhet hade något att säga, kanske dölja, om Enrico och hans död.

– Säg inte det, sa Lundkvist snustorrt. Det måste finnas ett engagemang. Då finns skärpan där också.

Lindell berättade om besöket hos Lindgrens och hur hon genast fick känslan av att hon missat något viktigt.

– Hade jag inte varit så uppretad på pappan och hans söner skulle jag ha satt fingret på det.

– Eller tvärtom, på grund av att du blev förbannad var du mottaglig för något subtilt missljud, någon dissonans i deras hus. Så nu gäller det bara att lista ut vad det var.

– Ska vi åka dit gemensamt?

– Det kan vi göra.

Det var på vippen att hon grep tag i Lundkvist arm för att bekräfta deras oväntade samförstånd, men hon hejdade sig och kunde maskera rörelsen med att låtsas en danstur. Hon kände mer än hon såg Lundkvists blick.

Trädbeskärarna var nu i full gång. Över grindstolparna spreds ett fint regn av sågspån. Mannen i trädet höll upp för några sekunder så att de två kunde passera. Han satte upp handen till en hälsning och Lindell vinkade tillbaks. Hon gjorde en rivstart och körde ryckigt och oinspirerat. Hon visste att hon måste ta initiativet hos Rosander. Lundkvist skulle inte säga många ord, det var hon övertygad om. Hon skulle granskas, inte bara av Rosander utan också av sin kollega.

– Det är märkligt, sa Lundkvist. Minns du Henning Berger, killen som sköt skarpt för att stoppa golfbanan?

– Javisst.

– Det var den förste lantarbetare jag träffade på som polis, efter trettio år i tjänst. Och så nu denne Edvard Risberg. Det börjar bli litet väl tätt.

– Det är en viss skillnad. Berger fick vi gripa. Hur gick det för honom?

Lundkvist hade för sig att den gamle lantarbetaren fick böter.

– Jag tyckte synd om gubben, han påminde om några gamlingar hemifrån. Oftast är dom offer, nu var han gärningsman, sa Lindell.

– Han var offer också.

Oron släppte alltmer. Det var sällskapet, närheten till en annan människa som berörde henne så väl. Så var det! Hennes egen värme räckte inte, hon måste känna strålningen från en annan kropp. Hon fick inte vara ensam! Då blev hon en sämre polis. Hon måste arbeta i lag. Hon kom att tänka på herr Sund. Nästa gång de träffades skulle hon ställa sig nära honom, fatta hans hand, säga rara saker. Hon skulle ta i honom. Hur gammal är han? Sextiofem? Han kanske får leva tjugo, trettio år till, ensam. Hur länge orkar han lyfta på hatten? Hon skulle fråga honom om rönnbären. Om allt blev gelé. Kanske skulle hon kunna få köpa en liten burk? Det är ju så gott! Ja, skulle herr Sund säga, framförallt till vilt. Den tame herr Vilt-Sund.

De avverkade de sista kilometrarna fram till Getberget i hög hastighet. När Lindell hade studerat kartan på morgonen var det som om den lilla förhöjningen i landskapet, med nivåkurvorna som löpte tätt, drog ögonen till sig, skapade en visuell effekt där Getberget tycktes höja sig från det i övrigt flacka landskapet. Det påminde om en tryckknapp. Hon hade känt med pekfingret över nivåkurvorna och nästan blivit förvånad när kartbladet förblev platt. Hon hade känt spänningen stiga i kroppen, att de var något på spåret. Det var bara att trycka in Getbergsknappen så skulle många av frågorna få ett svar.

Berget var till största delen skogsbevuxet, med två vägar, med en gemensam infart från den stora byvägen. I vardera änden av vägarna låg ett hus. Lundin och Svensson skulle se till att det nedre huset och området runt den nedre vägen skulle kollas.

– Kan vi inte försöka få kontakt med hon som reste till

116

Thailand?

– Haver kollar det, sa Lundkvist. Hon reser med Fritidsresor, så mycket vet vi.

När de svängt in på den övre vägen som ledde till Erik Waldemar Rosanders hus körde Lindell mycket sakta och höll ögonen på omgivningen. Svampmarker, trodde hon. I gläntan, där Edvard Risberg klivit ur, stannade hon bilen för att bättre kunna studera omgivningen nedanför.

– Kan vi säga att vi vet att han varit i Peru?

Lundkvist tittade in mot skogen.

– Vad Säk har gjort är olagligt.

Lundkvist sa fortfarande ingenting, men vred på huvudet och iakttog henne med ett svårtytt leende på läpparna. Hon väntade ett svar, men efter några sekunder la hon i ettans växel och de rullade den sista biten upp till torpet under tystnad.

16

EDVARD ÅNGRADE SIG när det var några hundra meter kvar till gården. Vad skulle han hem att göra? Han stannade, backade in på en skogsväg, vände och passerade infarten till Getberget några minuter efter det att de två poliserna svängt in. Han åkte utan egentligt mål, men vid kyrkan bromsade han in, mindes prästens inbjudan och tog upp mot prästgården. Det var en 1700-talsbyggnad i två plan, rödmålad med gröna fönsterluckor. Han parkerade på vägen, gick sakta in genom grinden. Gårdsgruset krasade under hans fötter. Pionlisterna på båda sidor av gången var täckta med granris. Han kände sig iakttagen. Han tog sikte på huvudentrén, en vackert formad dubbelport. På den breda trappan stod ett par gjutjärnsurnor med röd ljung. Portkläppen liknade en hästsko, med ett kerubansikte i mitten.

En näst intill onaturlig stillhet behärskade prästgården. Han såg inte Volvon, men förutsatte att prästen var hemma.

Gick hon själv omkring i denna jättebyggnad? Efter ha dröjt en stund på trappan slog han några kraftiga slag med kläppen och nästan genast sköts dörren upp. Anna Sildén var ljus i hyn, men med kraftigt mörkt hår och kraftiga ögonbryn. Det gav henne ett sydländskt aristokratiskt utseende, som en spansk ung dam av familj. Intrycket förstärktes av den hellånga svarta klänning hon bar. De små brösten stod ut som fågelnäbbar. Hon sträckte fram en sval hand och sa välkommen, lågmält och nästan lika svalt. Edvard såg sig omkring i den jättelika entrén. Där fanns, förutom klädhängaren, en soffa i mycket ljus björk, ett par karmstolar i samma stil och en tavla, föreställande en skogsbacke med svartvita björkstammar. På golvet låg nya trasmattor, vävda i dova färger. Det doftade även här nyskurat, citron. En doft som blandades med prästens parfym.

– Kom in, sa hon.

Han drog snabbt av sig skorna och tassade efter.

– Jag trodde nog att du skulle komma. Vill du ha kaffe?

Det stod termos och koppar på ett litet serveringsbord.

– Jag gör alltid en kanna när det är besökstid, men det är så sällan den tar slut.

Hon hällde upp två koppar, gav honom den ena och slog sig ned mittemot honom. Han läppjade försiktigt. Det var kokkaffe. Han kände hennes blick.

– Jag heter Anna, sa hon och log.

– Edvard, sa han och nickade på huvudet.

Golvuret slog ett slag.

– Jag trodde nog att du skulle komma, upprepade hon.

– Jaså, varför det?

– Nyfikenheten kan förmå folk till det mesta, till och med att besöka prästen!

Hur skulle han slänga käft med en präst? Han mumlade något och drack en mun kaffe. Vad skulle han här att göra? Det var inte så mycket nyfikenheten, hade det varit den som drivit honom till prästgården så skulle han givit svar på tal. Nu kände han sig bara billig.

– Förlåt mej, det var inte meningen att såra dej.

Anna Saldén lutade sig fram och la sin hand på hans knä.

– Det var dumt sagt. Jag borde ha förstått bättre.

– Det är ingen fara, sa han.

De småpratade i tio minuter om byn, gårdarna och hösten. Liksom häromdagen när han pratade med Ann Lindell tyckte Edvard att det var behagligt. Han värmdes av talet, av hennes närvaro.

– Berätta för mej vem du är, sa prästen oväntat efter en lång paus i deras samtal.

Frågan var alldaglig och anspråkslös, men på det sätt prästen ställde den fick den Edvard att nästan rycka till, en slags fysisk reaktion. Det var som om han befann sig i gränsmarkerna till något stort, som han förflyttats till en vid slätt där han stod i brynet och spanade ut över ett okänt territorium. Det var en inre syn som allt emellanåt återkom. Hur den uppkommit, varifrån han kom och vad han förväntade sig av, eller förväntades göra på denna savannliknande grässlätt, hade aldrig stått klart för honom. Fanns det något religiöst, för honom fördolt, ursprung till denna syn som nu omedvetet sköt fram? Att det var något okänt nytt som skulle beträdas det hade han förstått, men hittills hade han alltid blivit stående i skogsbrynet, oförmögen till att ta de avgörande stegen ut. Var det barndomens dröm om havet? Var det dödens fält som låg framför honom? Prästens fråga förde honom till randen av savannen: Vem är du? Han blev gripen av sitt eget allvar, hennes allvar.

Det hade hänt att han gråtit av trötthet när han efter ett hundpass på åkrarna satte sig i kökssoffan och vilade huvudet i händerna. Marita sov oftast, men ibland hade hon varit vaken, kanske väntat på honom eller så hade hon vaknat, kommit upp, hällt upp en öl, satt sig i köket och betraktat, frågat: Gick det bra, är du klar? Hennes röst, efter så många timmar i ensamhet, det intima i det bara sparsamt upplysta köket, den nyuppslagna ölen och musklernas och ledernas stelhet fick honom att stilla gråta, hulka några gånger, stryka sig med baksidan av handen över ansiktet, där några enstaka tårar gnagde ränder i det grå dammet. En gång hade han inte orkat duscha utan tippat i kull på kökssoffan där Marita hade stoppat om honom, som ett barn.

Prästens fråga kanske återförde honom till de ögonblick av samförstånd och innerlighet som hade legat i Maritas fråga: Gick det bra, är du klar? Hon visste. Är du klar? Hon kände fältens villkor, lantarbetarens muskler, anspänning-

ens darrningar, kylan som kom krypande utanför den upp-
värmda hytten, djuren som steg fram och vaksamt höjde sina
huvuden spanande i dimslöjorna.

– Vem jag är . . .

Han såg på henne med en ny blick. De svala, mörka dra-
gen, som han först uppfattat som kyliga, röjde en förtrolighet
som hade sitt ursprung i ögonen, men det tycktes också som
om hennes andedräkt bar en värma.

– Om du bryter din tystnad, så bryter jag min, sa han och
log. Nä, jag skojade! Vem jag är? Jag är son och sonson till en
lantarbetare, uppvuxen här i Ramnäs som jag aldrig lämnat,
förutom för lantbruksskolan ett år och två veckor på Lanza-
rote. En bonddräng på gödselstacken med andra ord. Jag ja-
gar, tittar på stjärnor. Är gift och har två barn, pojkar. Går väl
i pension på gården, bor väl kvar tills du får skotta ner mej.

Under det han pratat hade hans blick flackat från prästen
ögon, som hela tiden vilade på honom, till golvet framför
hennes fötter och till hennes bröst. Händerna hade hon
knäppta i knät. Det sprakade till i kakelugnen.

– Jag tänder en brasa varje dag, sa hon, reste sig och gick
fram till kakelugnen, sköt upp luckorna. Jag tycker det
knastrar så fint. Nu när vi sitter här kan vi låta luckorna vara
öppna.

Prästen la in ett vedträ och återvände till soffan. Hon hade
ett sätt att släta ut klänningens veck som gjorde Edvard upp-
märksam på att det mesta i prästgården såg utslätat ut, på
plats. Inga kringslängda kläder, skor som tornade upp sig vid
ytterdörren, tidningar som låg slängda hur som helst.

– Du bor här själv?

– Ja.

Edvard läppjade på kaffet.

– Du såg upprörd ut när du pratat med farfar.

– Tycker du? Det var första gången jag träffade församling-
ens äldste. En fin man.

Det här går inte!

– Vad skulle du säga om jag talar om att jag har slagit ihjäl
en människa?

Det släta brast. Prästen öppnade munnen, eller snarare så
föll hakan, och ögonen vidgades till ett fånigt stirrande. Hon
skakade på huvudet.

– Det är inte sant, sa hon knappt hörbart.

Han gav ovissheten några ögonblick.

– Nej, det är inte sant. Men vad skulle du säga?

Han såg på henne. Hennes bröstkorg hävdes i ilska och hon knöt högerhanden.

– Det var inte roligt!

– När du var hemma i går så sa du att vi hade en del att prata om. Vad skulle det vara? Du kanske trodde att jag var Enricos mördare.

– Jag visste inte att han var mördad då. Jag tänkte mej synen i skogen. Att finna en död människa måste vara svårt. Jag såg på dej att du inte mådde bra. Och om jag trott att du var en mördare så skulle jag inte bjudit hem dej.

– Så en mördare är inte välkommen till prästen?

Edvard förbannade sig själv. Hade det varit den gamla prästen så skulle han inte suttit i prästgården och svamlat! Molander hade varit allt annat än sällskaplig. Nu satt han i lilla fåtöljen och stirrade på en slät präst med vackra bröst. Vad trodde han!? Vad ville han? Gå runt som en tiggare!

– Jag vet inte vad jag vill, sa han högt. Jag vill få reda på vem, eller vilka, som mördade Enrico. Jag vill få ordning på mitt eget liv! Jag vill ha nån tro på framtiden!

– Då vet du vad du vill. Ta en sak i taget, eller allt tillsammans. Det hänger kanske ihop, sa hon och tystnade just när han trodde att hon skulle börja tala, ge honom en vink, en prioriteringsordning, en tråd att följa.

– Är det tråkigheter hemma, sa hon plötsligt.

Han skakade på huvudet. Han såg Marita framför sig. Sedan kom tankarna, droppade ned framför honom och la sig likt mörka fläckar på ögonhinnan.

– Varför frågar du det?

Prästen lutade sig fram och Edvard kände hennes varma andedräkt.

– Det börjar ofta där, med ekonomiska bekymmer, ohälsa, slitningar . . .

Edvard nickade. Han ville sträcka ut handen, in i hennes hårsvall, gömma sig bakom hennes öra som han bara kunde skymta som en upphöjning under det mörka, kraftiga håret. Han ville kupa sin hand över hennes öra. Hon skulle låta det ske, det visste han.

Hon sträckte fram sin vänstra hand och la den stilla på hans axel. Hon svalde och såg på honom med en blick som han omöjligt kunde tolka. Det var inte skräck, inte avståndstagande, men inte heller någon värme. De liknade ett par människor inbegripna i en stillsam kulthandling, en slags handpåläggning eller en tur i en långsam dans. Det var prästen som bröt stillheten och Edvards första känsla var både lättnad och besvikelse. Hon vred litet på huvudet, frigjorde sig från hans blick och reste sig upp, men behöll sin hand på hans axel.

– Jag ska se till kakelugnen, sa hon och kramade till med sin hand.

Edvard studerade hennes ryggtavla när hon sittande på huk häftigt stötte med eldgaffeln i den röda branden. Han hörde de dova, litet ihåliga ljuden när de halvt förbrända vedstyckena träffades av järnet. Över hennes axel skymtade han gnistor som for upp i rökgången. När hon vände sig om var ansiktets blekhet ersatt av flammande kinder. De såg på varandra under tystnad. Uret slog tolv, med en gammal moraklockas tveksamhet, som om varje slag vore det sista, och för varje slag tycktes deras ömsesidiga förvirring tillta. Han väntade ut tolvslaget, som i prästgårdens salong fick en särskild vacker efterklang.

– Förlåt mej, sa han, men hans ansikte röjde någonting annat.

Hon log. Också hon var nöjd. Nu var det värsta över, trodde hon.

– "Ring ut det gamla – ring in det nya", reciterade hon med en teatralisk stämma, skrattade och såg bort mot klockan, som om hon väntade en kommentar därifrån.

Edvard tyckte inte om det. Han ville så långt det var möjligt bibehålla stämningen, även om det hela var en illusorisk lek mellan människor i beråd. Om jag kunde köpa hennes värme och kärlek, för några minuter eller en timme, så skulle jag göra det! Han hade känt kåtheten spira i sin kropp, men nu föll bygget samman likt ett korthus.

Han sköt in kaffekoppen på det lilla sidobordet, reste sig och tog några steg mot henne.

– Jag måste iväg, sa han. Tack för kaffet!

Anna Sildén backade. Det var som om luften sugits ut ur

122

prästgården och att hon kippade efter luft, längtade till frisk-
heten utanför. Hon förmådde inte säga något utan nickade
bara. Borta var hennes leende, både det varma och det pro-
fessionella. Nu fanns bara en fadd böjning av mungipan, en
karikatyr. Han såg att hon var skrämd eller kanske bara så
illa berörd att hon inte förmådde hålla masken. Hade det bli-
vit så vämjeligt? Han ville ta fatt henne igen, men förstod att
då skulle allt gå snett, tippa över. Nu kunde det skylas över,
situationen räddas, visserligen bristfälligt, men ändock utan
allt för många pinsamheter, ord. Ändå kunde han inte låta
bli att fråga. Jodå, han kunde komma igen. Vad annat skulle
hon säga? De rörde sig mot dörren med distansen intakt,
som två väldresserade cirkusdjur. Hon iakttog honom när
han snörade på sig kängorna, utan ett endaste ord av artighet
eller konvention. Han satte upp handen när han gick och
hon slöt dörren bakom honom med en suck.

Med ryggen mot den svala dörren blev hon stående, be-
traktande den vackraste tavla hon kände, en björkbacke av
Oskar Bergman. Om hon skulle gå in i den, förlora sig mel-
lan de vitsvarta stammarna och sjunka ned i gräset, oåtkom-
lig för världen, bara sedd av Gud?

Edvard satte sig i bilen. Det var som om hans liv blivit till
ett teaterstycke där han kastades från scen till scen. Han
borde nu låta ridån gå, avsluta sin vandring runt i byn och
fara hem. Än hade väl inte Marita kommit hem, så han
skulle hinna in i vardagen innan hon skulle dyka upp. Skulle
hon inte handla i dag också? Jag minns inte längre vad hon
säger till mig. Om hon tyckte jag gick nära Ann Lindell, vad
skulle hon då säga om prästen? "Tänk om jag gifter mig med
prästen?" Det var väl en 30-talsfilm? Nu är jag gift redan, det
är det Marita försöker påminna mig om. Han beslöt sig för
att åka hem, ställa sig på vedbacken och hugga och klyva tills
tröttheten kom. Ramnäsarn fick säga vad han ville!

När Edvard startade bilen och rullade ut på vägen mot
gården vaknade Anna Sildén till, tog blicken från Bergmans
björkstammar och gick tillbaka in i salongen. Hans kaffe-
kopp var fortfarande varm.

17

LINDELL TYCKTE SIG ha sett Rosanders hus tidigare men visste att det var felaktigt. Här hade hon aldrig varit men däremot vid andra hus, faluröda och till synes ett med kulturlandskapet. En liten ladugård eller vad det nu kunde vara, kullen som markerade jordkällaren, vedbodar och ett minimalt lider, allt låg inbäddat i lövvegetationen med den mörka granskogen som fond. Hon förstod att här måste det vara sällsamt vackert under vår och sommar när de två lönnarna, säkert sekelgamla, lövades och syrenhäckarna blommade. Stod man vid grinden och tittade upp mot huset fanns det inget i bilden som störde. Så här kunde det ha sett ut för hundra år sedan, undantaget luftledningen som löpte från en stolpe till den ena gaveln.

Medan hon betraktade omgivningen försvann all den oro hon känt hela morgonen. Oron hade släppt, men spänningen fanns där. Det var som om syret i den kyliga höstluften var extra berikad, rusade mot hjärnan och skärpte alla sinnen. Hon kände sig stark, vass. Den tidiga morgonens kvalmiga sängvärme, som hängt med i näsborrarna hela förmiddagen, var nu ersatt med en vittring av, ja vadå, tänkte hon och log.

Lundkvist traskade några steg bakom. När hon vände sig om gick han och synade de jättelika lönnkronorna.

– Är din lönn lika stor, frågade hon.

– Hälften, sa Lundkvist, men jag är fädd för att min också vill bli fullvuxen.

– Tänk vad gott det luktar i en gammal trädgård så här på hösten, sa hon.

– Förruttnelse och död, sa Lundkvist.

– Jag undrar om man blir en annan människa när man bor så här.

Lundkvist sa inget.

– Det känns så i alla fall, la hon till.

– Jag tror, sa Lundkvist, att man blir en mer harmonisk människa.

Lindell trodde inte sina öron. Att Lundkvist "trodde" någonting var nytt, han hade för vana att slå fast, att han dessutom pratade om harmoniska människor var snudd på sensation.

En katt kom glidande från ingenstans och gned sig mot Lundkvists byxben. Lindell knackade på dörren, först litet försiktigt, sedan allt hårdare. Efter en väntan som kändes mycket lång hördes ett svagt buller innifrån huset och en röst som skrek något ohörbart. Lindell sköt upp dörren och steg in i förstugan. Ett svagt surrande hördes från en frysbox omedelbart innanför dörren. Katten smet förbi och slank in i huset. Lindell vände sig om och Lundkvist nickade. De två poliserna följde katten och kom in i köket.

– Välkomna, sa Rosander, sittande vid bordet.

– Tack, vi kommer från polisen som du kanske förstår, sa Lindell.

– Borde jag förstå det?

– Jag heter Ann Lindell och min kollega Evert Lundkvist.

– Angenämt, sa Rosander. Vem jag är vet ni. Slå er ner!

Erik Rosander var sig lik från säkerhetspolisens foto. En aning gråare, lite rundare, men det som skilde var uttrycket i ansiktet. Polisens foto måste ha tagits på håll och i en situation där Rosander ansträngde sig. Det var omöjligt att avgöra i vilket sammanhang och i vilken miljö kortet var taget men Lindell gissade utomhus, kanske i en demonstration, men det kunde också vara i en debatt inomhus. Hon skulle så gärna vilja fråga. Nu såg han betydligt mer avslappnad ut. Han satt litet framåtlutad med båda armarna på bordet, såg litet spefull ut och det retade henne.

– Vi utreder ett mord, sa hon. Du har väl hört om det hela?

– Jag läser tidningarna och så är jag bekant med Edvard Risberg, så visst har jag hört.

– Bra, då har du haft tid att fundera. Vad tror du hände?

Det var en originell inledning för att komma från Lundkvist.

– Jag vet inte vad som hände.

– Vi har uppgifter att Enrico Mendoza hälsade på här i torpet, sa Lindell i en lätt ton.

Hon kände Lundkvists blick.

– Jaså, varifrån kommer dom uppgifterna?

– Det kan jag inte säga, men dom verkar trovärdiga.

– Det stämmer inte, sa Rosander. Vill ni ha kaffe?

– Nej tack, sa de båda poliserna samtidigt.

– Så Enrico satte aldrig sin fot här, fortsatte Lindell.

– Inte så vitt jag vet.

– Är det nån annan som har tillgång till huset?

Rosander skakade på huvudet.

– Jag ska i alla fall ta mej en kopp, sa han och reste sig, öppnade ett köksskåp och tog fram en kastrull. Lundkvist nickade nästan omärkligt och Lindell tog det som en uppmuntran att gå på.

– Du har ju varit i Peru, flera gånger till och med, så det låter väl inte helt tokigt att en peruan på flykt söker sig till en vän av Peru.

– Så jag är en vän av Peru?

– Ja?

– Det var ett lustigt sätt att uttrycka det, men okej.

Rosander hade inte förändrat en min under samtalet. Han förstod att vi visste, tänkte Lindell. Han har förberett sig.

– Med Sendero Luminoso kanske man hellre skulle säga.

Nu vände sig Rosander om med burken med snabbkaffe i handen och tittade något mer uppmärksamt på Lindell. Dittills hade han betett sig litet lojt men nu kom en annan skärpa i hans blick.

– Ni är pålästa hör jag, sa han. Det uppskattar jag. Det visar att ni tar allvarligt på uppgiften.

– Du kanske kan hjälpa oss? Jag är säker på att du har kunskaper som kan se till att vi får vissa pusselbitar på plats.

– Ärligt talat så tror jag inte det.

– Kan inte vi få avgöra det.

Rosander fnös medan han hällde varmvattnet i koppen. När han slog sig ned vid bordet fanns inget av det slappa kvar.

– Jag förstår att ni har en rejäl akt om mej. Jag läser ju tidningarna. Och för övrigt visste vi det redan då, för tjugofem, trettio år sedan. Hur tror ni det känns att vara övervakad?

Han rörde intensivt i koppen och såg först på Lindell, sedan på Lundkvist.

– Det känns smutsigt, som om ni eller era så kallade kolleger, skitade ned oss. Jag läste en gång om en kvinna som råkat ut för inbrott, hur hon kände sig nedsmutsad. Till slut var hon tvungen att flytta. Det var inte framförallt stölden som sådan som upprörde henne utan att någon lusat ned hennes kläder, rört vid hennes käraste ting, snokat i hennes badrumsskåp. Inget vatten i världen kan rena det, liksom ingen tid, inga utredningar och utfästelser från ämbetsmän eller ministrar, kan rena byken från ert snokeri.

– I en del fall kanske det var motiverat, sköt Lundkvist in.

– Du tror det, sa Rosander och granskade Lundkvist lite närmare, men vad fan hade ni med att göra om en tjugoårig student eller sjukvårdsbiträde klistrade upp affischer om Vietnamkriget eller besökte ett möte med Folket i Bild / Kulturfront? Var det ett hot? Sällan, det var ett led i en medveten kampanj från snut och sossar tillsammans, för att bekämpa vänstern, allt som luktade radikalt. Dom bröt mot lagen, ljög, gjorde inbrott och ljög igen. Och ämbetsmännen ljög sig karriärer. Ta juristerna, dom värsta lagvrängarna och lögnarna. Dom som var satta att övervaka att samhällets lagar efterlevdes och att makten inte missbrukades. Ta han juristen som förde statens talan när Leanders fall var uppe i Europadomstolen. Han ämbetsmannaljög så det stod härliga till! Medvetet och med bifall från makten. Han har gjort internationell karriär och det kan han väl få göra, men lögnen vidlåder honom för alltid.

– Nu var det inte det vi kom för att diskutera, sa Lindell.

– Nej, det förstår jag. Men denna röta. Det var ni som undergrävde demokratin, inte vi som var aktiva!

– Röda Brigaderna, sa Lundkvist torrt.

– Röda Brigaderna! Är det din analys? Om en skogsarbetare strejkade 1975 och var sympatisör till SKP så var han en samhällsfara, eller många gånger räckte det nog om han var fackligt aktiv och satt i samma fackföreningsstyrelse som en skp:are. Visst vi var romantiker, vi trodde att det skulle gå att förändra världen snabbt. När jag var tjugo år och såg framåt, låt säga till tusenårsskiftet, så var jag övertygad om att vi då

127

skulle ha en värld av rättvisa och solidaritet. Inte att alla problem var ur världen, vi hade ingen frälsningslära med paradiset på programmet, men att folken skulle styra sina egna öden. Vår teori byggde på materialismen, men vi var idealister, med en idealistisk världsuppfattning. Vi pratade mycket om analys, men missade grovt ändå, men det gjorde oss inte till några virrpannor á la Meinhof. Vi gjorde faktiskt nytta! Vi ägnade frågan om salt största uppmärksamhet, sa Rosander med ett snett leende.

Men sedan var det som om luften gick ur honom. Han tystnade tvärt, reste sig och gick fram till fönstret. Han vände sig mot de två poliserna, betraktade dem för ett kort ögonblick. Lindell mötte hans blick och registrerade hans fundersamma uttryck. Hon fick för sig att han värderade henne och Lundkvist. Han lyfte ena handen i en gest som för att fortsätta sitt resonemang, men handen föll och hon såg hur hans blick försvann.

Mesar, trastar, tättingar och ni alla, tänkte han, samlas nu, till och med ni skator och kråkor, knixa och kraxa hit, gör mig sällskap, nu när vintern kommer, när vägen driver igen och mörkret tar mej. De knutna händerna vilade på fönsterbrädan, han gungade lätt med fötterna, drog samman ögonen som om han bländats.

Lindell såg honom i profil och slogs av att han såg gammal ut för att vara femtio. Kanske var det för hans sätt att klä sig, kroppshållningen eller den anspänning som han uppenbarligen levde i. Genom fönsterrutan skymtade småfåglarnas flykt och hon såg att Rosander följde dem med blicken.

– Är det inte ensamt här uppe?

– Det går an, sa han tyst.

– Du har ingenting att berätta då, sa Lindell och plötsligt kände hon sig väldigt trött.

Rosander skakade på huvudet. Lindell undrade vad Lundkvist såg, om hans berömda förmåga att se om folk ljög eller inte fungerade även på denne man. Själv var hon övertygad om att Edvard visste något om de peruanska bröderna.

– Umgås du med några i byn?

Rosander såg nu nästan road ut.

– Skulle det här ha varit i Peru så skulle ni kommit i ett

pansrat fordon. Tio, femton man. Med vapen. Ni är snällare på det viset.

– Sluta dumma dej nu, fräste Lundkvist till. Enrico är död, så honom kan du inte hjälpa längre, däremot att få fast mördaren.

– Jag kan inte hjälpa er, slog Rosander fast.

– Vill inte, sa Lundkvist. Du vill inte!

Han såg med avsmak på Rosander som verkade road över att ha lyckats provocera Lundkvist. Lindell iakttog meningsbytet med allt större oro. Hon ville få en dialog tillstånd även om hon insåg att förutsättningarna inte var de bästa.

– Du nämnde ju att du träffat Edvard Risberg och . . .

– Ni gör vad ni ska, avbröt Rosander. Om det vore så enkelt att ni enbart ville få fast en mördare så skulle jag med glädje hjälpa er. Men det stannar inte där. Ni vill slänga ut folk ur landet, till terror, tortyr och död.

– Det är ju patetiskt! Vad vet du om oss?

Ann Lindell lutade sig över bordet, slog ut med handen.

– Ingenting, men jag vet vad er uppgift är och jag har aldrig hört talas om en polis som vägrar utföra sin order att gripa och förpassa en flykting. Tvärtom, intensifierar ni sökandet, uppmuntrar till tjallning. Det är hos alla dessa som lever underjordiskt som mina sympatier finns. Begär inte att jag ska hjälpa er med det smutsiga hantverket.

– Och själv är du ren som en ängel?

Rosander gungade till, som om han fått en stöt, och slöt ögonen.

– Vet du var Ricardo är?

– Ni ger er inte! Nej, jag vet inte var Ricardo är! Och om jag visste. . .

– Så skulle du inte tala om det, fyllde Lindell i.

– Vi har ingen lycka med våra små efterforskningar, sa Lindell, när de skumpade nedför Getberget. Först Lindgrenarna, som håller tyst för att de är rasister och så den här nissen som ser allt och alla genom sina röda glasögon. Vad tror du?

– Han ruvar på något, det är jag övertygad om, sa Lundkvist.

– Det verkade som om han hade dåligt samvete. Han såg så jäkla lidande ut, precis som om hela världens plågor låg på hans axlar.

Lundkvist hummade men sa inget mer. Lindell blev också allt mer eftertänksam vartefter de rullade nedför berget. Hon körde sakta mellan ridåerna av granar, vevade ned bilrutan och drog in skogsdoften. Tröttheten som kommit smygande hos Rosander vek undan för några ögonblick. I natt måste jag få sova, tänkte hon och Edvard Risbergs svartkantade ögon dök upp i hennes medvetande. Hon hade nog inte varit tillräckligt uppmärksam vid hans första besök. Nu när hon kommit in i fallet Enrico Mendoza och byn Ramnäs såg hon hans besök på stationen i ett annat ljus. Han hade frågat om Enrico bar en ring på fingret, visst var det så. Det var också en fråga att ställa. En ring, vad betydde det? Varför såg Edvard det som så betydelsefullt?

När de kom ner till huvudvägen stannade hon till, såg på Lundkvist. I samma ögonblick ringde mobiltelefonen. Hon svarade, sa inte många ord, men lyssnade med stigande intresse. Hon kikade på sin kollega och höjde vartefter ögonbrynen och nickade. Det här behövs, tänkte hon, när samtalet var slut.

– Det var Haver. En av byborna hade ringt, en kvinna, Alice Andersson. Hon berättade om ett förmodat inbrott i hembygdsgården.

– När?

– För drygt en månad sen. Ska vi rulla dit? Det är kanske en kilometer.

Alice Andersson hade sett den vita bilen redan på förmiddagen, då de möttes mitt för affären. Hon hade förstått att det var poliser. Kvinnan som körde såg spänd ut, det var det hastiga intryck hon fick.

Sedan mordet hade uppdagats hade trafiken på den smala byvägen ökat ordentligt. Förutom polisens och massmedias bilar, själv hade hon intervjuats av lokalradion, så rullade nu de nyfiknas karavan genom bygden. Några parkerade längs vägkanterna, en hade till och med kört upp på Liths gårdsplan och ställt sin bil där. Sören Lith hade trott det var en kund och inte reagerat nämnvärt, men när ingen dök upp i verkstan så började Litharna fundera. Två timmar senare hade ett medelålders par kommit gående från bakvägen, som den grusade slingan upp mot sommarstugorna kallades, hoppat in i bilen och kört iväg. Vad väntade de sig att finna?

När så Einar lutade sig fram i fönstret och sa att en vit bil körde in på gården så visste Alice vilka det var. De hade just dukat fram kaffet och slagit sig ned vid köksbordet. Alice dukade snabbt fram två koppar till och fyllde på mer kaffe och vatten i pannan. Sockerkakan åkte fram igen och fler bitar skars upp. Plastformen med chokladsnittar likaså, så när Ann Lindell och Evert Lundkvist steg in i farstun möttes de av den djupa kaffedoften, den omisskännliga doften av kokkaffe som hon så starkt förknippade med hennes föräldrars kök. Och faktum var att Alice Andersson påminde något om hennes mamma. Det kanske var det självklara sätt på vilket hon bjöd in de två poliserna i sitt hem, så avvikande från deras tidigare erfarenheter från Ramnäs.

Alice var i sjuttioårsåldern, en kraftig kvinna utan att för den skull vara fet. Hennes röst överraskade Lindell. Den var gäll på ett tråkigt sätt. Hennes man, Einar, satt kvar vid köksbordet, mot vilket en käpp var lutad. Han sträckte sig fram och handhälsade. Det otvungna i deras sätt, kaffet och den värme som strålade ut från de två pensionärerna fick Lindell på bra humör. Så här skulle Sund ha det, tänkte hon, i stället för att gå och plocka rönnbär.

Hon glömde till synes anledningen till deras besök och pratade på om allt möjligt. Einar sa just inget alls. Inte heller Lundkvist som dock såg ut att trivas. Han tog sin andra sockerkaksskiva.

När påtåren var urdrucken såg Ann Lindell upp.

– Du ringde till oss i morse och rapporterade ett inbrott.

– Inbrott och inbrott, sa Alice Andersson. Jag tror inget blev stulet, möjligen en tepåse.

– Det var inte mycket till tjyv, sa Einar.

– Det var söndagen för en månad sen, det måste det vara, för dan därpå skulle gymnastiken vara där. Det är alltså tisdagar det. På måndag gick jag dit för barngruppen var där på söndagen och jag ville se efter att det såg skapligt ut. Det gjorde det, men i köket stod en kopp och tepåsen var slängd i slasken. Koppen stod på bordet, bara halvt urdrucken. Jag tänkte att Lena, hon som har barngruppen, hade fikat, men hon dricker ju aldrig te. Jag tyckte det verkade underligt så jag gick runt och kikade och då såg jag att ett fönster stod på glänt, alldeles vid hörnet nere vid gamla kapprummet.

– Inte är det så viktigt var gamla kapprummet låg, avbröt hennes man.

Hon bevärdigade inte honom med en blick, utan fortsatte oförtrutet.

– Där stod fönstret öppet, bara litet, och när jag tittade ut såg jag att någon hade dragit fram vattunnan. Den stod under fönstret. Vi har såna där blå plasttunnor.

– Det är snyggt till en hembygdsgård, fyllde Einar i.

– Du tror att någon hade klättrat in?

Alice Andersson såg på Lindell med en stadig blick.

– Inte bara tror, sa hon, utan vet!

– Det var märken efter skor, på fönsterkarmen, sa Einar.

För första gången såg Alice Andersson irriterad ut.

– Du var väl inte där!

– Förutom koppen och tepåsen var det inget som avvek från det gängse, sköt Lundkvist in. Det var det första han yttrade, förutom standardfraserna kring ett kaffebord. Alice vände sig mot honom och svarade.

– Jag har skött gården i tjugoett år och vet var saker och ting hör hemma.

– Så du menar att nån klättrat in, kokat sig en kopp te och sedan klättrat ut?

– Ja, det ser inte ut på annat vis. Jag skämtade med Einar när jag kom hem och sa att inbrottarn borde ha diskat efter sej.

– Har ni någon aning vem det kunde ha varit?

– Inte den blekaste, sa Alice Andersson och hennes man skakade på huvudet. Jag tror att det var pojken som blev mördad, la hon till efter några sekunder.

Det blev tyst i köket. Einar vred på huvudet och lät blicken vila på en punkt långt borta. Den gamla skolans trädgård såg ogästvänlig ut med de yviga trädkronorna som vajade i den alltmer tilltagande vinden. Liksom i hela byn hade äppelträden givit rikt och Eva-Lena Vitros hade inte haft någon chans att ta rätt på frukten som låg i ringar runt träden. "Det är dina flitiga bin som skapar detta fruktelände", brukade hon skämta med Einar när hon samlade äpplen för mos, men denna höst hade hon knappt syns till.

Träden började bli gamla och ingen hade planterat några nya så inom några få år skulle det förnämliga draget för hans bin vara slut. Redan hade ett halvdussin träd sågats ned eller helt enkelt rasat omkull. Han mindes inte, men säkert hade han själv varit med och planterat något träd i skolträdgården. Skolfröken under de första tre åren, innan hon gifte sig och försvann från trakten, hade varit väldigt trädgårdsintresserad. Einar mindes grönsakslanden, vinbärsbuskarna och potatisskörden sista veckan i september. De hade till och med haft en liten bänkgård med ångande stallgödsel som levererades med släde i mars och skottades in under bänkarna av fröken och hennes elever. Där såddes rädisor och spenat. Till nätterna fick de täcka med vassmattor.

Vad skulle han säga? Han tyckte om Eva-Lena. Hon hade alltid varit glad och hejig. Att någon tog sig an den gamla skolan var också bra. Han hade ju inte snokat, det kan man inte säga, men när värken satt åt så brukade han gå några vändor, det lättade. Första gången trodde han det var en tjuv, men så hade han sett Eva-Lena i fönstret. De stora brösten lyste. Han hade lockats av synen. Han hade sett henne förut, på sommaren, en gång helt naken, barbröstad rätt ofta, då hon solade på baksidan. Nästan naken, trosorna syntes knappt. Det var en grann kvinna. En ung Alice. Så drog hon ned rullgardinen och ljuset släcktes. Några nätter senare hade det upprepats. Först nu hade han förstått varför han smugit, kommit som en tjuv om natten.

Skulle han berätta för poliserna. Hon verkade bra och skulle säkert förstå, tänkte han och såg på Ann Lindell, som undrade om Alice ville visa bygdegården. Det är klart hon vill det! Jag blir kvar. Vitrosen hade alltid varit trevlig, bemött dem med värme. Lakanen i trädgården, som så många i byn retat upp sig på, hade han tyckt varit vackra. När vinden gick genom trädgården påminde det om ett färgat hav där vågor pulserade mellan träden. Det skapade litet spänning, hade han tyckt. Han och Alice, om några, som bodde grannar, borde väl veta att Vitrosen var en bra människa.

– Einar är ofärdig, hörde han Alice säga i farstun.

Lindell tittade intensivt på fönsterbrädan men kunde inte upptäckta ett endaste spår av något fotavtryck. Alice hade

133

torkat av, så klart. Inte meddetsamma, men väl efter någon vecka då hon definitivt hade konstaterat att ingenting saknades i bygdegården. Utsikten från fönstret var skogskanten, ett femtontal meter bort, som omgav en gårdsplan med grovt gårdsgrus. Om hon tryckte sig mot fönstret kunde hon också skymta den blå vattentunnan vid hushörnet. Baksidan var också utrustad med en dörr till vilken en handikappramp löpte. Det såg trist ut, tyckte hon, så naket, men det är klart, här var lokalen det väsentliga, inte tomten. Hade Enrico smugit fram här, sett det öppna fönstret och klättrat in? Varför? Söka skydd? Var han jagad och såg en chans att komma undan? Men kokar man då en kopp te? Han kanske blev mördad här och fraktad ut i skogen? Men skulle inte paret Andersson, som bodde rakt över vägen, uppmärksamma det? Det kanske var mördaren som drack te?

Hon hörde Alice samtala med Lundkvist i köket. Koppen var förstås diskad. Tepåsen kom från knivslöjdarna som hade en egen hylla i köket. Earl Grey. Det visste Alice. Juha hette han som drack te. Han var den ende i knivkursen som kom utsocknes ifrån, Alunda. Finland kanske, från början. Det passade ju bra med knivslöjd, tänkte Lindell. Kanske någon i studiecirkeln hade varit här och tagit sig en kopp? Koppen kanske inte hade något samband med det förmodade inbrottet. Vi får be om en lista på deltagarna. Var det Vuxenskolan? Den här utredningen bestod mest av frågor hittills. Hon skulle ha önskat att några av frågorna skulle ha fått ett svar. Hon var övertygad om att Erik Waldemar Rosander var nyckeln till gåtans lösning, i alla fall för att kartlägga Enricos tid från början av augusti, då han försvann från flyktingförläggningen, tills han mördades. Vi måste få reda på hans rörelser, vilka han träffade. Det slog henne att Säk kanske avlyssnade Rosanders telefon! Varför inte? Ingenting skulle förvåna henne. De kunde göra det förr och hon hade blivit klar över, utifrån Fredrikssons föredragning och innehållet i Rosanders akt, säkerhetspolisens minst sagt nojiga inställning till de peruanska flyktingarna som sympatiserade med "Sendero Luminoso". Om de ansåg Rosander vara en svensk terroristkontakt så var övervakningen given. Men så långt som till telefonavlyssning?

Alice Andersson låste bygdegården och Lindell och

Lundkvist kom att gå något före över vägen.

– Det hon inte vet om byns innevånare är inte värt att veta, sa Lundkvist.

– Vad vet hon om Rosander?

– Inte mycket, sa Lundkvist och log. Han hade faktiskt hållit ett föredrag i bygdegården för en fem, sex år sedan. Det var den enda kontakt de haft.

– Om vad?

– Om fjärilar, tror jag. Däremot tror jag gubben därinne har något på hjärtat.

De fortsatte upp mot den Anderssonska gården och hörde hur Alice kom flämtande.

– Jag tänkte köpa litet honung om det går bra, sa Lundkvist, när hon kommit ifatt.

Lindell hade också registrerat kuporna och den lilla skylten ute vid vägen.

– Det är äppelblom och oljeväxter. Jag har små burkar, mellanburkar och stora burkar, sa Einar och knackade demonstrativt på locken.

Lundkvist lyfte på en stor burk, vägde den i handen och nickade.

– Jag tar tre stora.

Einar Andersson såg upp.

– Varje burk kostar 110 kronor.

– Det blir bra. Jag ska ha till julklappar.

Poliserna och biodlaren stod i det lilla förråd där Einar förvarade sin utrustning och där burkar var staplade i prydliga rader. Vägg i vägg med det gamla uthuset låg vedboden och Lindell återfördes till sin barndoms vedbacke. Det doftade löv och barr och hon drog ett djupt andetag.

– Vi säger 250, när du köper så mycket.

– Det är en sak jag funderat på, inledde Lundkvist. Har du sett Rosander nånting?

Biodlaren, som stod med tre hundralappar i handen och just skulle till att berätta om hur säsongen varit, förändrade snabbt ansiktsuttryck.

– Eller rentav den där pojken som dog?

Einar Andersson trampade till, tog stöd med handen mot en hylla och flyttade sig ovigt ett stycke, som för att komma bort från Lundkvist.

– Rosander har man väl sett. Han brukar hälsa på hos Vitrosen ibland. Så klart man ser folk som bor i byn.

Han tog upp plånboken, bläddrade i de olika facken, stoppade ned pengarna.

– Kanske Alice har växel, sa han.

– Såg du Enrico också?

Den gamle grep käppen och påbörjade reträtten ut ur förrådet. Här behövdes inte Lundkvists känsliga sinne för att konstatera Einar Anderssons klenmod och oro. Borta var den litet pojkaktiga blicken. Ofrid, tänkte Lindell, så ser ofriden ut. Det var ett uttryck som hennes mor brukade använda och som allt oftare kom till henne, både på arbetet och hemma. Lundkvist hade rätt.

– Jag får väl säga som det är, sa han till slut. Jag ville inte pladdra så mycket i köket. Hon bor ju rätt så nära, sa han och nickade mot den gamla skolan. Man kan inte undvika att se. Det är en hjärtegod människa, inte tu tal om det.

– Du menar grannen.

– Just det. Eva-Lena Vitros heter hon, men Vitrosen kallas hon här.

Han trampade till igen för att omfördela tyngden på benen.

– Jag är uppe ibland, sena kvällar och nätter. Förut byggde jag nyckelharpor och blev sittande. Nu är det värken. Jag har sett pojken ett par, kanske tre gånger. Han brukade komma till Vitrosen sent. Han tog alltid bakdörren. Han hade ett sätt att gå som gjorde mej fundersam först. Han smög fram. Jag var beredd att ringa polisen men så såg jag Vitrosen och då förstod jag att han var välkommen.

– Du såg henne genom fönstret?

Einar Andersson nickade.

– Vad gjorde hon?

– Skrattade. Och Vitrosen kan skratta.

– Han kom fler gånger?

– Tre gånger, som jag såg.

– Kan du minnas när, sköt Lindell in.

– I september var det. Jag minns att första gången så hängde Oranieäpplena kvar. Det trädet står alldeles vid Vitrosens sovrumsfönster. Jag tyckte det var så vackert, det upplysta fönstret där hon stod och äpplena som hängde som små lyktor.

Ann Lindell log inombords när hon hörde hans ord. Hon kunde se synen framför sig. Det var en rörande bild, men så mycket vemod låg inte i denna nattliga ensamhet, den snedryggiga värken, frukten som dignade i de båda trädgårdarna, den unge peruanen, på flykt, smygande i höstmörkret. Kanske Rosander talade sanning när han påstod sig aldrig ha sett Enrico. Var det hos Eva-Lena Vitros han gömt sig?

– Du är säker på att det var den mördade?

– Jag kände igen honom i tidningen.

– Du såg honom enbart vid tre tillfällen? Inte fler gånger?

Einar skakade på huvudet. Lindell tittade på Lundkvist som hostade och såg mot bostadshuset. Hon vände sig om. Alice Andersson kom gående.

– Han kom alltid på natten, smygande, som du sa?

– Ja, jag såg honom aldrig annars.

– Är hon hemma nu, tror du?

– Ja, sa Einar kort och sköt igen dörren till honungsförrådet. Du vill inte ha nån honung?

– Om jag sköter mej kanske jag får en burk i julklapp, sa Ann Lindell.

Lindell och Lundkvist lämnade makarna Andersson bara för att svänga in vid nästa infart. De kände blickarna och Lindell tänkte att så mycket trevligare det vore att åka hit enbart för honungens skull eller för en kopp kaffe. Nu skulle de rota vidare i den byk som var Ramnäs. De hade helt snabbt bestämt att de skulle höra Eva-Lena Vitros omedelbart. Det skulle onekligen te sig naturligare att de till synes tog gård för gård. Einar Andersson, vars beklämning varit så uppenbar, kanske skulle lindras något. Han skulle inte i förstone framstå som en fönstertittare och tjallare.

Om det Anderssonska köket var trångt, varmt och ombonat, fyllt med detaljer, små väggbonader, ljusstakar med sidenmanschetter och kopparkärl, så framstod skolans kök som hämtat ur en artikel om allmogehem. Köket var ett ombyggt klassrum där ytterst litet, om ens något, av originalinredningen lämnats kvar. Det domineras av det jättelika bordet med en tvåtumstjock furuskiva, med en imponerande ljuskrona, hängande från taket i en grov kedja. Runt väggarna fanns skänkar och väggfasta bänkar, dekorerade med textilier, som fick Lindells tankar att gå till hemslöjds-butikens dyra sortiment. Men här var allt gammalt. Alla möbler, vävar, träföremål och tenntallrikarna i sina ställ, såg ut att vara hämtade från en utställning. Antingen har hon ärvt eller så köpte hon långt innan alla andra insåg värdet av allmoge eller så har hon blivit halvt förmögen på sina tyg-affärer.

Alice hade stått för upplysningar som rörde grannens affärsverksamhet, hur det börjat i liten skala, för att sedan utvecklas till en förhållandevis stor rörelse. Vitrosens tyger hade till och med sålts på mässor i Italien och Frankrike. Hon omsatte över tre miljoner, kanske ännu mer och hade flera väninnor som hjälpte henne. Det visste Alice besked om. Einar hade suttit tyst, tankfull, blickande ut genom fönstret.

Vitrosens kök var för genomtänkt och för musealt, tyckte Lindell. Det var svårt att känna sig hemma, kanske mest på grund av Vitrosens sätt att vara. Hon tycktes näst intill från-varande, gav de två poliserna knappt någon uppmärksamhet. Samtalet trevade sig fram. Lindell ställde några rutinmässi-ga frågor. Vitrosen blev allt mer förströdd. Den värme som Einar Andersson talat om såg de inte mycket av.

– Jag umgås inte mycket med byborna, sa Vitrosen. Det tar ett tag innan man kommer in i bygden.

– Hur länge har du bott här?

– Länge.

– Har du något umgänge i byn, förutom grannarna?

Nu log Vitrosen för första gången, ett svalt leende med en, vad Lindell tyckte, förlåtande min.

– Jag förstår att det pratas, sa hon, så ni vet nog mer än jag.

– Det kanske är bättre att det kommer från din mun, sa Lundkvist ampert.

– Jo, jag har träffat Erik Rosander en del. Vi umgås.

– Är det han som besöker dej på nätterna.

Lundkvist ton var nu mjuk. Lindell fick för sig att Vit-rosen väntat just den frågan, för hon såg inte märkbart förvå-nad eller tagen ut. Tvärtom fick hon ett överseende drag över munnen, drog med handen över den grova bordsytan och svarade nekande.

– Jag besöker honom. På nätterna. Är det straffbart?

Lindell suckade. Hon hade hoppats på en resonerande kvinna i hennes egen ålder.

– Vi behöver inte be om ursäkt för att vi utreder ett mord, sa hon.

– Har du två karlar?

Lindell häpnade över Lundkvists fråga. Dels näsvisheten, dels den moraliserande tonen, men kanske framförallt ilskan som stänkte ut. Han dolde inte sin aversion, snarare utnyttjade han den för att öka spänningen i samtalet. Vitrosen såg fortfarande lugn ut men leendet hade försvunnit.

– Har du träffat Enrico? Var det han som kom hit på nattbesök?

Vitrosen satt tyst.

– Vi vet att han har varit här, sa Lindell. Vi tror inte att du har slagit ihjäl honom men vi måste kartlägga hans vägar. Hjälp oss!

Poliserna såg hur Vitrosen tvekade och de väntade att hon skulle säga något. Det dröjde några sekunder.

– Vad säger du?

– Ni har pratat med Einar och Alice förstår jag.

– Inte bara med dom, utan med hela byn snart.

– Och vilket intryck får ni?

Vitrosen behöll sitt lugn, granskade Lindell och Lundkvist. Hennes läppar pressades samman som om hon ville förhindra något att lämna hennes mun.

– Är det här en by för en människa på flykt, sa hon till slut. Jag har bott här i fjorton år och kommer nog aldrig in i byn, betraktas fortfarande som en utböling. Ramnäs egen rödskallade svartskalle.

– Och du lever ensam?

– Ensam kvinna, som byhoran levde förr. Skillnaden är att hon hade oftast ett koppel med barn.

– Då borde det väl komma friare.

Vitrosen ignorerade Lundkvists kommentar, reste sig från bordet.

– Ni får ursäkta men jag ska iväg. Tandläkaren.

– I stan?

– Vad trodde du? Bysmeden?

– Kan du komma ner till polisstationen efter tandläkarbesöket? Har du möjlighet till det? Vet du var den ligger?

– Varför det?
– Vi måste resonera lite mer. Fråga efter mej, Ann Lindell.

18

Edvard Risberg fyllde ständigt på sitt vedförråd. Två bodar var fulla, staplade upp till taket. Ändå fortsatte han: såga, klyva, stapla. Nu mot bodväggarna. Jens hade räknat ut att det var minst fyrtiofem kubikmeter. Det mesta björk men även al, alm och gran. Uppmätningen av bodarnas rymd och uträkningen hade tagit ett par timmar i anspråk. Då hade Edvard och Jens också fikat på vedbacken. Det var i september. Förr hade det varit pojkens givna uppgift att stapla men nu blev det alltmer sällan.

De hade suttit tillsammans en lång stund och resonerat, mitt i en bröte med björkstammar som Edvard släpat fram. Mest om veden, men även om skolan, framtiden.

Ingen av pojkarna ville fortsätta som en fjärde generations lantarbetare på gården. Det hade stått klart tidigt. Edvard visste inte vad han skulle tänka. Visst vore det på ett sätt roligt om någon av dem skulle fortsätta. Han hade trott mest på Jerker men när han var fjorton, femton år och de hade pratat om fortsättningen efter grundskolan hade Jerker sagt ifrån. Aldrig jordbruk! Aldrig Ramnäs gård! Edvard kände sig sårad att pojken så kapitalt och med en sådan emfas avvisade jordbruksarbetet, men han förstod och innerst inne var han nöjd att pojken ville något annat.

Med Jens var det annorlunda. Han hade aldrig visat något intresse för gården och dess sysslor. Visst hade han varit med i lagården och på fälten, men tröttnat snabbt. Så Edvard blev inte förvånad när pojken, med ryggen mot en bastant, knotig björkstock, försiktigt förklarade att han helst av allt skulle vilja arbeta som elektriker. Edvard log, han kom omedelbart att tänka på El-Gurra.

– Det är ett bra jobb, sa han uppmuntrande.
– Men om jag inte får någe jobb? Det är så många arbets-

140

lösa. Dannes pappa blev av med jobbet. Han är skitsur nu.

– Det är långt tills du är klar, mycket hinner ändra sej.

Edvards mindes sin egen stolthet, sin iver att så snabbt som möjligt lämna skolan, att arbeta i lag med fadern. Jag måste fråga Albert hur han kände det som ung. I pappas fall får jag aldrig veta. Han kanske ville härifrån. Albert var nog sådan att han kunde tvinga sin son att gå kvar på gården.

Pojken bröt stora näverstycken från stammen, försökte pricka huggkubben. Det var en sådan där höstdag då man gärna blir sittande.

– Behöver vi hugga mer?

– Inte i dag.

Edvard ville fråga om så mycket men tvekade. Han ville tala om Jens, om sig själv, om gården. Edvard ville resonera, efterhöra pojkens mening men drog sig för att inleda, också osäker om hur han skulle ta upp tråden. Förlägenheten kom sig av att han egentligen ville få en kvittens på sonens lojalitet, att växa upp i Ramnäs, som son till Edvard och Marita, att det inte var så tokigt.

– Hur trivs du i skolan då?

Omedelbart när Edvard ställt frågan så ångrade han sig. Några frågor till av den kalibern och Jens skulle resa sig och gå.

– Skapligt. Matten är värst.

– Det var det för mej med, sa Edvard.

Det har Jens hört förut. Han bröt loss en stor barkbit. Edvard såg på hans smala pojkhänder. Jens synade biten, knäppte iväg en larv, slog barkstycket mot stammen så den splittras.

Det var molnigt, skyar som drog förbi på himlen, men allt emellanåt bröt solen fram och smala stråk av ljus gick över tomten. Jens kände faderns blick, tittade upp och just i det ögonblicket spelade en strimma solljus över pojkens ansikte. Han kanske inte blev bländad men skillnaden blev så påtaglig att han vänder ansiktet med himlen, kisar med ögonen. Edvard la sin hand på hans knä.

– Jag ville bli sjöman, sa han. När jag var grabb drömde jag om havet, att komma iväg långt, men det enda jag gjort är bökat i jorden som en mullvad. En blind mullvad.

– Alla mullvadar är väl blinda.

141

– Alla mullvadar är blinda, det är så sant. Då har jag varit en typisk mullvad!

– Varför blev du inte sjöman?

– Det blev inte så. Sen blev ju farfar, alltså din farfar, död, och jag blev kvar.

– Mamma bodde väl här också.

– Ja, nere på gården. Hon jobbade där. Sen flyttade hon upp hit. Det förstås, jag tyckte det var roligt att jobba på gården. Det har jag alltid tyckt.

– Nu med?

– Inte lika kul som förr.

– Sjön då?

– Den torkade. Och sen vet jag ju inte om det var sjöman jag ville bli.

– Du sa ju sjöman.

– Ja, jag sa det, men det var väl mer sjön som sådan som lockade. Jag hade dåliga begrepp om vad sjömansyrket innebar. Jag läste mest äventyrsböcker om sjörövare, långseglare, ensamseglare, upptäcktsresanden.

– Du skulle blivit sjörövare!

De log mot varandra.

– Jag tror inte Marita hängt med på det.

Jo, kanske, tänkte han. Om jag kört upp med moppen framför ICA och erbjudit henne en plats som kaparhustru så skulle hon säkert hoppat på. Men han sa ingenting. Varken Jens eller Jerker kände till omständigheterna kring Maritas uppbrott från faderns affär. De tyckte det var larvigt att inte handla hos sin egen pappa. De trodde att det var någon gammal träta mellan Edvard och morfadern som var bakgrunden, att Edvard förbjudit Marita att handla i affären. Men pojkarna förstod att detta inte var något ämne man tog upp vid matbordet. De hade frågat morfar men han hade svarat undvikande. Själva var de ofta in i butiken. Morfadern var frikostig med läsk och godis.

Han skulle ha valt sjörövare! Den plötsliga insikten på vedbacken gjorde honom upprörd. Han hade gång efter annan funderat i dessa banor, men nu formade hans djupa ånger ett skred i hans inre. Det lättvindiga, till synes naturliga i hans ungdomliga beslut, att gå på lantbruksskolan och sedan börja på gården, framstod nu som det definitiva beslut det var, livsavgörande. Det kom att bestämma hans liv, Maritas liv. Diffust hade han tidigare intalat sig att möjligheterna ändå fanns, han behövde inte vara fast. Han var fortfarande ung, attraktiv på arbetsmarknaden. Så var det inte längre. Det fanns en tid då lantarbetare var efterfrågade. De sågs som pålitliga, mångkunniga och inte bortskämda lönemässigt. Hur många av hans yrkesbröder hade inte slutat de senaste tjugo åren och omedelbart fått jobb inom industri, bygg och anläggning? Flera av de drivande i den lilla fackliga avdelningen hade gått den vägen. Leden hade tunnats ut. Det blev glesare mellan anställda på gårdarna.

Så gick hans tankar på vedbacken medan Jens pratade på. Edvard hade all möda i världen att dölja sin plötsliga upprördhet. Han försökte hänga med, han kände att han var tvungen att haka på sonens resonemang, nu när tillfälle gavs, men tanken på att han skulle ha lämnat Ramnäs i unga år blockerade allt annat. Han såg på pojken som nu pratade om en innebandyturnering och det slog honom att han valde bort även Jens.

– Det var synd att du missade finalen, sa Jens. Danne gjorde ett mål och jag tre.

– Det var synd, höll Edvard med om.

– Men jag hade inte tid, la han till.

Hur många matcher hade han missat? Hur många turneringar? Ofta var det Marita som fick skjutsa.

– När går nästa match?

– Om två veckor startar cupen.

– Då kan jag skjutsa er.

– Dannes pappa har redan lovat.

– Men då hänger jag på!

– Det är fullt i bilen, tror jag.

Nu stod han återigen på vedbacken. Ytterligare några kubik var staplade. De hann inte elda i den takt han klöv och staplade. Skulle han fortsätta i den här stilen så skulle, om tjugo år, hela tomten var belamrad med en två meter tjock vedtrave. Det hade Jens räknat ut. Det lät mycket, men Edvard hade inte kontrollräknat.

Håglöst la han upp ett vresigt granstycke på huggkubben, måttade ett slag med släggyxan och slog till. Eggen satt sig fast, men biten sprack inte det minsta. Varför ska jag hålla på med kvistiga granar när björkveden räcker flera år?

Han släppte yxskaftet och i samma stund rullade Maritas bil in på gårdsplanen. Han iakttog hur hon kånkade ur flera kassar med mat. Hon tittade neråt gården där Bengt Ramnäs just slog igen dörren till verkstaden. Marita satte upp handen till en hälsning fast Ramnäsarn inte gjorde någon min av att ha sett henne.

Han borde ge sig till känna, gå fram och hjälpa henne med kassarna. Istället hukade han sig ned och grep efter skaftet igen. När hon vände sig om, kanske kände hon hans närvaro, lyfte han yxan med den kvistiga grankubben, svängde den runt i en cirkel över huvudet och lät yxnacken träffa huggkubben med en fruktansvärd kraft. Han kände i ryggen, i armarna och i händernas tag om hickoryskaftet, hur det tog, hur det vresiga granstycket splittrades, hur de ljusa fibrerna spjälkades sönder. Han drog efter andan och lät höra en djup suck, blev stående framåtlutad med händerna runt skaftet. När han vände på huvudet stod Marita kvar vid bilen och trots att det var tjugofem meter bort såg han hur hennes kropp spändes, hur hon tog in blicken, han såg förvandlingen, från den vanliga hej-minen, till något annat, hon slöt blicken, gjorde sig främmande, eller snarare, gjorde honom främmande, så främmande han kände sig, hemma, på vedbacken. Det kom stor sorg över honom. Han satte tafatt upp ena handen. Det kom stor skam över honom.

Edvard såg i ögonvrån hur hon samlade ihop plastkassarna i händerna, gjorde som ett tyngdlyftsryck och gick knäande mot huset. Han förmådde inte springa ifatt henne och erbjuda sin hjälp, inte heller gripa efter ett nytt vedstycke för att låtsas göra nytta, utan backade några steg och sjönk kraftlöst ned på några stockar. Han förmådde inte.

Edvard högg i ytterligare en timmes tid. Systematiskt högg han tio knubbar, alla gran, för att sedan stapla upp pinnarna mot den närmaste väggen. Han kände sig iakttagen. Tio knubbar till. Stapla. Tio knubbar till. Han var ett under av precision. Ett verk som gick. Tio knubbar till. Nu fick han sträcka sig för att stapla. Nu behövdes snart en ny vägg. Han skymtade henne i fönstret. Tio knubbar till. Det började ta slut på den här satsen. Svettdroppar föll på yxskaftet.

De sista tio.

I en del av en av vedbodarna förvarade Edvard sågarna, yxorna och kilarna. Där rådde minutiös ordning. Han satte en ära i att verktygen skulle skötas, filas, slipas, oljas och hängas upp på sina bestämda platser. Yxsamlingen omfattade sex yxor.

Han hängde upp yxan efter att ha dragit av eggen med fingrarna. Det slog honom att han skapat sig olika rum, små hålor, där han kunde dra sig tillbaka. Vedboden, som var originalboden, den som alltid funnits, var en. Det gamla dasset, numera observatorium, en annan. Gårdsverkstaden, en tredje håla, som han visserligen fick dela med Bengt Ramnäs men ändå fungerade som en reträttplats, dit han flydde.

Vart gick Marita? Hon bar in mat. Kasse efter kasse, som sedan blev sopkassar, som hon gick ut med. I den processen var Edvard knappt med, bara svagt medveten om tyngden i mjöl, gryn, cornflakes, socker, pasta, nötfärs och tvättmedel. Hon hade inte tid att sticka sig undan. Pojkarnas tyngd, de många skorna i farstun, skateboardbrädorna, dammet, gruset, leran, symaskinens eviga surrande, tvättarnas mängd och tyngd. Det rann ut arbete, som en lavaström över Ramnäs. I den floden stod Marita. Det visste han.

Själv högg han ved, kubik på kubik. På nätterna kom stjärnorna vandrande och kometerna ristade linjer på himlen. In i dessa liv kom Enrico Mendoza gående. På flykt. Edvard slog sig ned i vedboden. Han kunde inte lämna den nu. Han kände sig som en liten mus i ett av pojkarnas dataspel, jagad av katter. Tillfälligt kunde musen skjuta för hinder, små klossar, som stoppade katternas framfart, men bara för några ögonblick, strax var de igång igen. Och de blev fler och fler vartefter spelet framskred. Hungrigare och mer aggressiva. Musen var dömd, men skenade i mardrömssprång. Vedboden var ett sådant där gömsle, ett tillfälligt bygge av klossar. Snart måste han lämna det.

Djävlars djävlar, mumlade han, varför skulle du komma hit? Dö i vår skog? Nej! Lägg av! Pojken hade jagats och dött, mördats!

Var det hans egen skräck för att dö som nu flöt upp som ett surt uppkok? Kunde det vara så trivialt? Att bli utsatt för påverkan och inte kunna förstå, tyda de tecken han såg, skapade en vacklan hos honom om vilka värden han skulle vårda. Hans liv låg oskyddat, utsatt för angrepp från makter han bara anade. Han var obefäst, utan position svävade hans tankar, oroliga minnen och ovissa önskningar.

Det tycktes som om upptäckten av Enrico även satt igång en fysisk process. Han tyckte att han svettades oftare än förr, ymnigare dessutom. En hinna av fett hade dragits över hans svalg och munhåla så varje gång han öppnade munnen var det som en orenlig stank stod ut från hans gap. Han svalde allt oftare. Det hjälpte inte att borsta tänderna mer noga. Hinnan fanns där. I vedboden kunde han andas fritt. En stund.

Mellan bodens brädor sken eftermiddagens sol in. De grå brädorna, där handsmidda spikar var indragna, var som en tavla från ett tidigare liv. På en nagel hängde en rulle rostig tråd, på en annan fårsaxen som Jens hittade för några år sedan. Ljuset som silade in på bodgolvet och i vars strålar dammet spelade värmde honom. För några ögonblick trängdes allt murket bort. Han sträckte fram sin högra hand och lät en stråle falla över fingrarna. Han vände på handen och ljuset samlades i hans handflata. Likt en guldpeng i en saga. Trots dammet kunde han andas litet lättare. Han slogs av den absurda tanken att flytta in i vedboden.

Var fanns Ricardo, brodern, nu? Skulle han inte flyttas till en säkrare plats, var det inte så? Du ska få träffa honom, hade Rosander sagt. När och var? Han skulle få berätta, inte bara om ärret på Enricos rygg utan om brödernas liv, landet de kom ifrån och flykten. Allt ville Edvard veta för att sedan kunna berätta, tänkte han, för Jerker och Jens och andra som ville och måste lyssna.

Han måste prata med Jerker på allvar. Mordet på Enrico borde kunna vara en bra utgångspunkt. För Jerker var flyktingar, invandrare, svartskallar, ett pack. Han sa det inte öppet men Edvard kunde ana djupet i sonens rasism, i minerna, kommentarerna och vad Jens berättade. Jens var mjukare, han trodde de flesta om gott och hade svårt att vara så där tuff, hård och fördömande, den attityd som Jerker satte upp. Edvard trodde inte heller Jens var fullt ut ärlig, han vågade inte berätta för honom och Marita hur pass allvarlig Jerkers hat mot främlingar var. Den där musikgalan som han var på i Tuna, då han kommit hem med en tröja med texten "Vit makt", var ingen oskyldig tillställning hade Edvard förstått efteråt. Vad han funderade på var hur Jerker fått reda på evenemanget. Han hade frågat men fått undvikande svar. Vad kostade den, hade Marita frågat. Tröjan hade han förklarat var en "rolig grej för att reta blattarna i plugget". Marita och Edvard hade varit överens: tröjan fick inte användas. Men hur de än reagerade på hans arroganta kommentarer kring köksbordet, det enda ställe de numera möttes, kunde de inte förbjuda honom att tala. Han talade fritt, smet förbi deras kritik och fördömanden, satte upp en oskyldig min om det passade, blev hätsk eller tyst alltefter situationen. Edvard fick inget grepp på honom, han gled undan. Hur skulle greppet tas? Han skulle aldrig sitta still på vedbacken och resonera som Jens fortfarande kunde förmås till.

Inte ens när en överlevande från förintelselägren i Polen var i skolan och talade tog Jerker några synbara intryck. Den gamla mannen gick på heltid från klass till klass. Hur orkade han? Edvard hade sett hans bild i tidningen, mycket mager och sliten, med svarta, buskiga ögonbryn över stora ögon. Han var polsk jude och Jerker hade härmat hans brytning, gjort sig lustig över hans brutna svenska. Femtio år i Sverige och kan inte tala rent, hade han sagt föraktfullt. Jens hade för en gång skull reagerat, satt sig upp mot sin bror. Även hans klass hade fått besök av mannen.

Edvard beslöt sig för att försöka tala med Jerker, sticka iväg tillsammans, kanske en helg, hyra en stuga, fiska. Då kunde de återknyta den brustna kontakten, befria sig själva från prestige och markeringar. Det gäller att kunna mötas, som prästen hade uttryckt det, tänkte han med ett ironiskt leende.

Det skulle inte bli av, det visste han i samma stund han bestämde sig, men ändå, idén fanns där, självbedrägeriet lurade bakom varje tanke. Det var så han levde, så van vid sin egen lögn att han inte längre skämdes, än mindre upprördes. Jo, skammen kom ibland, men till och med då bröt han udden av den genom att vända den från sig, ersätta den med självömkan. Efter någon halvtimme i vedboden sköt han upp dörren, gick ut på backen. Han frös. Han visste var Marita skulle vara någonstans och vad hon skulle syssla med när han steg in genom dörren. Han visste att hennes rygg skulle vara vänd mot honom. Om ändå en blixt slog ned, tänkte han, något som fick oss att förundras, villas bort för någon tid.

Enrico, vad löjeväckande jag är, mumlade han i farstun.

19

LINDELL OCH LUNDKVIST hade stannat till vid en servering strax utanför stan. Det började regna när de lämnade bilen. De satt tysta vid bordet och stirrade ut på en så gott som öde parkering. Först nu kände Lindell hur hungrig hon var och de sa ingenting till varandra förrän maten halvvägs var uppäten. Hon åt med god aptit, hastigt, Lundkvist lite mer försiktigt, metodiskt.

– Vad tror du, sa slutligen Lindell.

Lundkvist såg inte road ut.

– Alla ljuger i den satans byn!

– Även paret Andersson?

– Nä, kanske inte dom, men definitivt Rosander och Vitros. Det är uppenbart att de gömt bröderna Mendoza.

Lindell uppskattade att Lundkvist nämnde peruanerna vid deras namn. De övriga kollegerna sa peruanerna, sydamerikanerna, svartingarna eller något annat som föll dem in.

– Var är Ricardo, det är frågan.

– Han är med stor sannolikhet flyttad. Jag måste beundra deras förmåga till organisation.

– Läser man Rosanders akt så förstår man varför. Han har varit med i mängder av organisationer.

– Jag har varit på Säk, sa Lundkvist plötsligt. Det visste du inte.

Lindell skakade på huvudet.

– Tio år nästan.

– Hoppsan.

Hon tyckte det var märkligt att ingen av kollegerna sagt något. Hon ville inte fråga, inte verka näsvis och Lundkvist sa inget mer, men hon anade att han värderade materialet om Rosander på ett annat sätt än vad hon gjorde. Han borde göra det, men hon beslöt sig för att inte fråga utan ligga lågt, vårda den så oväntade öppenhet Lundkvist visade. Hon skulle inte pladdra så mycket.

– Tror du Vitrosen dyker upp i eftermiddag?
– Det tror jag, sa Lundkvist. Vill du ha kaffe?

Hon såg med en oseende blick efter honom när han knallade iväg till bordet med kaffe. Hon skulle inte bara behöva kaffe, kände hon. Så dåligt hade hon väl inte sovit? Hon hade varit med om betydligt värre scheman än så här, korta nätter, många dagar i följd och övertid. Det var som om Lundkvist läste hennes tankar.

– Mord är besvärliga, sa han. Det tar på krafterna. Jag tror hon kommer, dels så är svensken väluppfostrad, säger polisen till henne att komma så kommer hon, dels så vill Vitros gärna prata om det. Det vill alla som varit i närheten av mord. Rosander vill också prata, men inte med oss, framförallt inte med oss.

– Jag förstår honom, sköt Lindell in.

Lundkvist log pliktskyldigast och fortsatte.

– Det kan vara svartsjuka.
– Hur menar du?
– Uppenbart är att Rosander och Vitros haft ihop det. Om nu inte Enrico bodde hos Vitros, vilket jag inte tror, så vad gjorde han där mitt i natten?

Han lät frågan sjunka in medan han smakade på kaffet.

– Så Rosander skulle ha slagit ihjäl Enrico?
– Inte slagit, kvävt.
– Han kanske hade helt oskyldiga ärenden hos Vitros och att han kom nattetid är inte så underligt.
– Förvisso, sa Lundkvist och Lindell fick en känsla av att hon satt på en lektion på Polishögskolan, men jag tror Einar Andersson såg mer än vad han berättade.

– Att dom var intima, så att säga.

Lindell kände hur det hettade i kinderna och hon blev ännu mer generad för att hon valt en så löjlig omskrivning. Hon såg den frodiga, ljushylta Vitrosen famna den späde, kopparbrune Enrico, stående i fönstret, upplysta, med äpplena hängande utanför, som en ram, den gamle biodlaren, stödjande sig på en käpp, i fönstret. Det var en vacker bild. Hon förstod att Einar Andersson hade tvekat att lämna ut den. Det var hans minnen. Hans nattliga syner. Han gillade sin granne, det var uppenbart, han gillade att se på henne och visst var hon vacker, det måste Lindell tillstå. Einar förfördes av hennes mogna men ändå ungdomliga kropp. Han var gubbsjuk skulle man elakt kunna säga, men Lindell hade inga svårigheter att se det sinnliga i biodlarens gestalt trots att han reducerats till voyeurens roll.

Lundkvist log igen, men nu blev Lindell mest irriterad.

– Ska jag konfrontera henne med fakta? Det känns lite visset, hon måste ju förstå att det är Alice och Einar som är informatörerna.

– Ta det fint, låtsas lite. Jag tror inte hon blir förbannad på Anderssons. Det är inte hos dom tankarna finns.

20

Sätt dej ner.

Marita drog ut köksstolen, som om han kommit in på en mottagning. Edvard drog av sig Helly-Hansentröjan och blev stående med den i handen. Han ryste till, mest av kylan som krupit in i hans kropp. I köket var det däremot varmt. Marita bakade. Ett par limpor låg på jäsning och en plåt var på väg ut ur ugnen. Hon var blossande varm.

– Det luktar gott, sa Edvard.

– Sätt dej.

– Har du handlat? Kom du ihåg säkringar?

– Vi måste prata lite. Sätt dej.

Det fanns en skärpa i hennes ton som gjorde att Edvard lydigt slog sig ned på stolen. Han luktade svett. I håret satt spån från vedboden. En lukt av kedjeolja blandade sig med doften av brödet.

– Kom du ihåg säkringarna?

Marita pekade snabbt på köksbänken. Där låg propparna. Hon öppnade ugnsluckan och en pust av värmen slog ut. En plåt åkte in. Marita slängde grytlapparna på bordet, slog sig ned mitt emot Edvard och såg på honom.

– Ska vi åka till Helsingfors?

– Varför det?

– Det är billigt nu. Kristina kan se efter ungarna.

– Äh, sa Edvard, tagen på sängen.

– Jag har pratat med henne. Hon kan.

De hade pratat om det förut, att lämna ungarna hemma och åka till Finland. Han strök sig över håret. Händerna luktade vedbod. Han ville inte! Han ville inte ta ställning. Han ville inte fara till Helsingfors. Inte ens diskutera det, inte ens överväga. Om han ändå kunde få leva i vedbodens dofter så länge, tills allt var överståndet. Om det vore möjligt att trycka ut verkligheten genom bodens springor, hålla den borta, trava upp sig själv i den gamla boden, bara vila, likt en kluven granstock.

En klick av kåda kletade sig fast på köksbordet. Han såg upp och mötte hennes blick.

– Jag tror inte det, sa han med stor ansträngning, för att behålla sitt yttre lugn.

– Det vore skönt att komma bort lite.

Edvard sänkte blicken.

– Det känns lite visset att åka nu.

Han försökte vinna hennes sympati.

– Vi behöver det.

Du vet inte vad jag behöver, tänkte han, men försökte upprätthålla den ömkansvärda uppsynen.

– Jag vill nog inte, det ... det ...

– Annars åker jag med Britt på jobbet. Hon hänger säkert med.

Hon reste sig snabbt, vände honom ryggen, grep äggvret, kastade ett öga på väggklockan, drog upp uret, ställde det på diskbänken och lämnade köket. Det gick på några sekunder. Han såg efter henne. Än sen då! Åk du till Helsingfors med blötrusk, stormvindar och supglada vikingar. Dansa tango med nån satans lastbilschaufför! Britten kan gråta en skvätt i baren. Jag klarar ...

Han hann inte fullfölja sin inre harang, inte ens inför sig själv. Ilskan ville inte komma, det blev bara teater. Han kunde inte vara arg, så varför skulle han låtsas i en tvekamp där han ensam stod på arenan. Tröttheten och ledan sänkte sig över honom.

Äggklockans envetna tickande var det enda som hördes. Vart Marita tagit vägen visste han inte. Kroppen blev allt tyngre. Huvudet ville bara sjunka ned mot bordet. Han kikade på uret. Knappt tjugo minuter, sedan skulle Marita komma tillbaka. Hon räknade säkert inte med att Edvard skulle ta ut plåten. Han lekte med tanken att dra fram uret en kvart. Det skulle räcka med tio minuter. Brödet skulle bli stenhårt. Han skulle sitta kvar och se på, se hennes ryggtavla när hon upptäckte att brödet var fördärvat. Men hon hade väl någon inbyggd klocka som sa ifrån när det var dags. Och varför skulle han förstöra hennes limpor? Du är en idiot!

Var är pojkarna då? Borde dom inte ha kommit hem nu? Vi kanske skulle åka till Finland allesammans? Han skulle inte klara Marita ensam. Resan skulle bli en katastrof. Han skulle aldrig klara att hålla masken, att stå i tax-free-butiken, att hugga in på smörgåsbordet, att klämma sig ned i en trång säng i en trång hytt. Såg hon inte det?

Han var en tyngd över hennes bröst, det förstod han. Bära bördorna, var ord som kom för honom. De gemensamma bördorna. Nu bar hon allt. Vad var det prästen hade sagt: kämpa för rättfärdighet. Han var orättfärdig, visst var han.

Om han kunde resa sig, slita av sig det ok som låg över honom, de tankar som fick honom att stanna upp, stelna i livet, i rörelsen. Varje ny kraftansträngning för att bryta stelheten över hans leder, vinna tillbaks världen, bli varse ljuden, rösterna omkring honom, var en smärtsam kamp. Den skulle vinnas varje gång. Dom måste väl se den kampen? Den hade pågått så länge nu. Visst, ge mig ett erkännande. Klappa mig inte på axeln, men ge mig några ord. Jag kunde vara ett kräk, men även i kräken sipprade livet. Så ömka mig något. Om jag vintrar över detta mörker, kommer ut någorlunda helskinnad, så måste det finnas någon som tar emot för jag kommer att vara svag! Jag måste ledas, hållas under armarna, vänjas vid ljuset, vid de mänskliga ljuden, likt en isolerad från de undre källarvalven utan fönster och mänsklighet.

Det kanske inte var det rätta att ömka honom, men han orkade eller tordes inte tänka ut vad som vore bäst, vad som kunde krävas av omgivningen och av honom själv. Han var rädd för svaren.

Han hade pratat med Lundin, den gamle ordföranden för den nu nedlagda lokala fackföreningen. Han var en klok man, som sällan tog till överord, generationskamrat till Edvards far och skolad i fackliga frågor av Albert Risberg.

Han hade sett på Edvard när han antytt sina plågor, sin oförmåga att leva "som alla andra". Ingen är som alla andra, hade Lundin sagt. Alla är olika, det gäller bara att ta fasta på likheterna om man har tanke på att uträtta något. Titta på vår förening, Edvard, vi är alla stöpta i olika formar, men vi pratar ett gemensamt språk, åtbörderna är desamma. Tro inte du kan finna din glädje enbart i dig själv. Du måste söka fränder och dom som är duktigast att hitta de blir också lyckligast. Inte för att de garanteras evigt liv utan för att de kan dela sorgerna. För det är en sorgesam historia vi lever. Ändå är vi gynnade, vi som arbetar med det levande. Så hade Lundin sagt: Sök dina likar, bistå dem, dela sorgerna, för att bli delaktig.

Edvard sökte inga fränder, tvärtom! Han drog sig undan, drog bort sitt stöd för andra, gick undan när andra behövde ord, somnade när andra vred sig och vakade själv när andra oroligt slumrade.

Rosander, han hade i alla fall gjort något så varför skulle Edvard döma honom? Marita hade skällt honom för en fjant och Edvard hade för det mesta inte motsagt henne, han hade lockats till skratt när Bengt Ramnäs drivit gäck med insektsforskaren på berget.

Rosander var den ende i byn, tillsammans med Vitrosen, som tänkte längre än sockengränsen och gav upp något av sin egen bekvämlighet för att bistå Enrico och hans bror. Det fanns säkert många skäl till det, fler än Edvard kunde ana, men Rosander hade brutit sin egen isolering och skapat en mening åt sitt liv, blivit delaktig.

Rosander avvisade alla psykologiserande förklaringar, för honom var det politik, ekonomi och klasskamp. Edvard och han hade ofta diskuterat "tidens anda", som Rosander sa, att allt mer av livet blev till fragment, att de tidigare så grundläggande värderingarna, orden, vittrade sönder. Människor tycktes också komma längre ifrån varandra, det glappade allt mer och sambanden bröts. Det var det som skapade krigen, påstod Rosander i sin snabba och grova analys. Se på Första världskriget eller spanska inbördeskriget, sa han, men där kunde inte Edvard hänga med i hans resonemang. Rosander blev ibland otålig och fick ett arrogant drag över munnen.

Det var detta drag som Marita hade sett och som Edvard tog fasta på när han blev irriterad på Rosander. Men visst, bakom arrogansen och sarkasmen fanns kunskaperna och viljan till diskussion. Den sidan hade inte Marita sett så mycket av. Hon vägrade till och med att erkänna den. Edvard trodde sig förstå vad det berodde på: känslan av underlägsenhet, att inte räcka till, att vara underklass, en lantarbetarehustru. Rosander representerade en annan värld som Marita för allt i världen inte ville tillhöra.

Många gånger kände Edvard detsamma, ett fumligt tillkortakommande, som om hans förståndsgåvor inte räckte till. Han såg den andra världen, över staketet, där den låg frodig och full av spännande fakta, resonemang, sammanhang och upplevelser. Den låg likt en vacker, inbjudande trädgård, men han skulle aldrig kunna förmå sig att ta sig över staketet. Han hade inte ord för det. Orden saknades. Eller snarare: orden kanske han hade, men på de vis de sattes samman stängdes han ute. Orden och meningarna hänvisade alltför ofta till en värld bakom den värld som var synlig. Den världen låg dold och hur vacker måste inte den vara?

Han kände sig lurad. Vad trevligt de måste ha på andra sidan staketet. De som levde där såg nog saker som inte var honom förunnat att se. Rosander hade nickat igenkännande. Han hade tagit sig från Lindesberg, från metallarbetarnas värld, till akademikernas Uppsala. Det var ingen vacker värld, sa han skrattande, men han förstod vad Edvard menade. Själv hade han lärt sig att använda verktygen, men främlingskapet fanns där ändå. Det finns ingen genväg, menade insektsforskaren, det gäller att studera omvärlden, detaljerna och helheten, att aldrig ge upp sin nyfikenhet. Men varför flyr då människorna de gamla orden? Vilka ord? "Solidaritet", hade Edvard kommit på. Där hade Rosander förlorat sig i ett långt resonemang.

Rosander kunde ibland föreläsa, ta på sig lärarrollen och mässa i sitt kök. Många gånger hade Edvard tröttnat och bara förstrött lyssnat, men faktum var att Rosander tycktes insatt, pratade engagerat om skilda saker som han ändå på slutet fick ihop till en slutsats. De gånger han lyckades såg han belåten ut, triumferande nästan.

Men han föreläste inte bara, han pumpade också Edvard på informationer om allt möjligt kring lantarbetets sysslor och jordbrukspolitiken och under hela 80-talet hade han livligt följt de fackliga stridsämnena, nedläggningarna av de lokala uppländska fackliga avdelningarna där Edvard varit engagerad. Han hade belåtet läst de få numren av den lokala tidningen "Uppkäften" som hetsade mot de centralistiska planerna. Han hade hejat på, lyssnat och dragit historiska paralleller, pratat om 20- och 30-talens fackliga strider, så olik föreläsarna på Hasseludden och Runöskolan där Edvard gått fackliga kurser.

Äggklockans visare närmade sig nollpunkten. Edvard reste sig. När han tassade ut i hallen hördes Marita rumstera i sovrummet. Han hörde linneskåpet stängas. Han hakade av arbetsjackan och smet ut.

21

HAVERS KOLL AV skoaffärer hade givit noll och intet. Skomodellen var så pass vanlig att det inte gick att härleda den till något speciellt inköpsställe. Nu satt Haver och försökte få tag på Viveka Rimberg i Thailand. Kanske hade hon något mer att berätta om sitt möte med de två männen i skogen. Skulle de skicka ned en bild på bröderna? Rimberg skulle vara i solen två veckor och Lindell ville få en identifiering av männen så snabbt som möjligt. Var det bröderna som var ute och gick? Båda eller kanske bara en av dem, i sällskap med någon annan. Ska vi sända en bild på Rosander också? Rimberg kanske tyckte sig se två mörka män, men Rosander kanske var en av dem?

Likaså hade hennes eget samtal med Juha Lethonen i Alunda inte lett spaningen vidare mer än att finländaren kunde uteslutas som tedrickaren. Han var en arbetslös grävmaskinist och svarade omedelbart då hon ringde. Jag trodde det var jobb, sa han med stark finsk brytning. Han drack te. Magen har tagit stryk, sa han. Han hade däremot inte varit i Ramnäs hembygdsgård och fikat på egen hand. Där var han tvärsäker. Den söndagen hade han trailat upp Åkerman till Skutskär. Vem är Åkerman, hade Lindell frågat. Min maskin, sa finländaren.

Lindell grep telefonluren.

– Haver, när du fått fram på vilket hotell Rimberg bor, se till att skicka ned foton på Perubröderna och även Rosander.

Visst sjutton, han har inte sett någon bild på Rosander. Lindell funderade någon sekund.

– Kom upp till mej och hämta en bild. Den är visserligen lite gammal, men den funkar.

Ann Lindell bläddrade planlöst i pärmen där hon samlat idéer, iakttagelser och hugskott kring Enrico Mendozas död. Så hade hon gjort alltsedan skoltiden, noterat småsaker, fyndiga repliker och saker att komma ihåg. Nu när hon arbetade som utredande polis, med mängder av information som skulle sammanställas och bearbetas, sättas in i ett sammanhang, hade hon stor nytta av sin vana.

Oinspirerat bläddrade hon bland pappren, men det som upptog hennes tankar, som ständigt återkom, var minnesbilderna från besöket hos Lindgrens. Nu var hon övertygad om att något inte stämde, det var inte bara det att hon irriterade sig på faderns och de två sönernas prat utan det fanns något mer, något med substans, något att ta på. Gång på gång återkallade hon scenen vid köksbordet, hur hon snabbt bröt upp, äcklad av snusket, snappade åt sig sin jacka och mer eller mindre sprang ut. Det var i farstun! Någonting som inte stämde, något som inte skulle vara där. En doft? Hon hade fått associationen på gårdsplanen när hon sniffade i sin jackärm för att känna om Lindgrens lukt hade satt sig i jackan.

Hon tvingade sig att lämna Lindgrenarna. Snart skulle Eva-Lena Vitros komma. Vad skulle hon säga som skulle kunna förmå Vitros att öppna sig något. Hon hade så fort de träffades på förmiddagen trott att de skulle få värdefulla informationer, en bild av livet i byn förmedlad av någon som kom utifrån men som ändå kände förhållandena. Men hon hade misstagit sig.

Hon hade haft större förhoppningar på Vitrosen. Kanske för att hon var kvinna och för att Enrico varit hennes älskare. Det gjorde henne sårbar men också mer angelägen att mordet skulle klaras upp. Lindell var övertygad om att det fanns en nyckel in till Vitrosens kunskaper och hågkomster. Det fanns det till alla och det var Lindells uppgift som polis att finna den. Hon fick inte ta några hänsyn, gynnade det utredningen så skulle hon plocka fram allt i ljuset. Ibland hade hon emellertid svårt att frigöra sig från konventionen att inte såra, att inte vara näsvis, att inte dra fram smuts ur skrymslena. Smuts som kunde genera, kanske skada.

Vitros skulle vara hos tandläkaren strax efter klockan ett och nu tickade visaren mot halv tre. Haver ringde och sa att han hittat hotellet där Rimberg bodde: Royal Garden Resort i Hua Hin. Han skulle kolla med Fritidsresor om det gick att få ner bilderna elektroniskt. Hua Hin. Det lät skönt. Lindell slog igen pärmen. Hua Hin. Hon hade semester att ta ut. Först måste mordet klaras upp. När klockan blev fyra ringde Lindell till Eva-Lena Vitros. Efter åtta signaler la hon på och försökte några minuter senare. Ingen svarade. Hon slog upp paret Anderssons nummer. Alice svarade efter två signaler. Hon hade sett Eva-Lena åka strax efter det att Lindell och Lindgren lämnat henne, men inte sett henne komma tillbaks. Lindell hörde hur Alice skrek till sin man och frågade om han sett Vitrosen. Lindell hörde svaret själv.

Hon slog upp Rosanders nummer, men när hon slagit siffrorna och låtit en signal gå fram la hon hastigt på luren. Istället ringde hon Vitrosen igen. Åtta signaler. Inget svar.

Lindell reste sig obeslutsamt. Hon hade tagit fel förut, men nu kröp olustkänslan i henne. Det var något på tok. Hon ringde upp Lundkvist som satt en trappa ned. Inget svar.

När hon satt i bilen på väg ut till Ramnäs, för andra gången den här dagen, ringde mobiltelefonen. Samuel Nilsson hade kommit tillbaks från Alsike Kloster. Nunnorna förnekade all kännedom om bröderna Mendoza.

– Det var riktiga sursuggor, sa Nilsson med en förorättad

ton. De släppte inte ens in mej utan jag fick stå på trappen och argumentera.

– Är du förvånad? Hade du trott på tårta? Förra gången vi var där slog vi in dörrarna.

Hon körde fort, nästan vårdslöst. Vid Ramnäs kyrka stod skyliften inkörd mot kyrkogårdsmuren. Inga trädbeskärare syntes till. Överhuvudtaget var det få människor i rörelse. Först vid affären syntes någon aktivitet. En gammal Volvo startade med ett rökmoln efter sig. En medelålders kvinna kom ut från affären. Vid busshållplatsen stod ett par ungdomar och väntade. Lindell fick ett infall, bromsade in, rullade fram och vevade ned rutan. De två tonårspojkarna kikade nyfiket på henne.

– Har ni sett en röd Golf passera här?

Pojkarna tittade på varandra.

– Nej, sa de i korus.

– En olivgrön gammal Taunus då?

– Rosanders, menar du, sa den äldste av pojkarna.

Lindell stängde av tändningen, steg ur bilen och korsade vägen.

– Känner ni igen hans bil?

– Det är klart!

– Bor ni i byn?

– Vid Ramnäs gård.

Då kände Lindell igen dragen. Den äldste hade samma intensitet när han såg på henne med de bruna ögonen, medan den andre hade ärvt faderns veka drag, det lite sneda leendet som hon sett på Turelundsvägen.

– Är ni Edvards barn?

Den yngste nickade.

– Jag är polis, Ann heter jag.

Hon sträckte fram handen och den äldste grep den efter en viss tvekan. Hon frågade vad de hette och hur länge de stått där.

– Fem minuter kanske, sa Jerker.

– Har ni sett Rosanders bil?

– Inte nu, men när vi gick in till morfar.

– Bor han här, sa Ann och såg sig omkring.

– Det är han som har affären, sa Jens. Vi fick en läsk. Sen gick vi ut hit.

De hade varit inne i affären omkring fem, kanske tio minuter. Lindell såg på klockan. Rosanders Taunus hade passerat när de ställde ifrån sig mopeden.

– Den bilen behöver man inte se, sa Jerker, man känner igen den på ljudet, den låter som en tröska.

– Fanns det någon mer i bilen?

Pojkarna såg på varandra. Jens sneglade på Lindell.

– Nä, sa han till slut.

– Är du säker!!?

Bröderna gav varandra ett hastigt ögonkast. I samma ögonblick dök landsvägsbussen upp.

– Vi ska in till stan, sa Jerker snabbt. Bussen kommer nu.

– Är ni säkra på att Rosander var ensam? Ja eller nej!

– Vi vet inte, sa Jens. Han körde så fort.

Nu hade bussen kommit helt nära.

– Fortare än vanligt?

Jerker ryckte på axlarna.

Bussen stannade. Pojkarna klev på utan ett ljud, gav henne inte en blick. När de satt sig tittade Jens förstulet på henne genom bussfönstret. Hon tyckte att han log. Inget solskensleende precis men en antydan till vänlighet.

Hon tog upp mobiltelefonen, knappade in ett nummer.

– Hej, Sammy, jag vet att du är på väg hem, men nu kör en olivgrön gammal Taunus in mot sta'n, från Ramnäs. Kan du genskjuta den, jag tror inte du kan missa den. Det är Rosander som kör, du vet han som Säk var intresserad av. Ställ dej vid infarten. Häng på och håll sen kontakt med mej.

Hon tystnade för några sekunder och log sedan.

– Det är gulligt. Hör av dej! Du! Ta hjälp av Haver om du behöver. Ring Lundkvist också och tala om att Vitros aldrig dök upp.

Lindell tyckte Getberget ruvade som en mossig trollgubbe. Trots att det inte var många timmar sedan hon for uppför Rosanders väg var det som om fallet Enrico tagit några rejäla kliv framåt. Men om spaningsläget hade förändrats, efter de tre besöken hos bybor, så hade också skogen det: den såg dystrare ut, tyngre. Kanske det var vädret, kanske var det den annalkande skymningen som gjorde träden mer hotfulla, gläntorna inte så inbjudande som på förmiddagen, utan snarare som falluckor, fällor, som när som helst

159

kunde slå igen. De brunrassliga ormbunkarna, de avlövade snåren och mörkret som kröp in mellan de stora stenblocken, vittnade om förfall.

Lindell blev sorglig till mods. Det var delvis trötthet. Hon visste det sedan förr. När hon inte fick tillräckligt med sömn och utsattes för stress eller stor ansträngning reagerade hon så. Hon blev låg, såg det mesta i gråtoner. Hon visste att hon inte skulle plocka någon svamp denna höst, att Rolf inte skulle ringa, att det var slut och ingenting annat! Hon visste att Hua Hin eller någon annanstans inte skulle bli av. Hon hade inte råd. Hon anade att hon inte skulle träffa någon vettig karl. Varför skulle hon göra det när hon aldrig gick ut, rörde sig bland folk, inte ens småflirtade när tillfälle gavs.

Och så detta berg, detta mörkruggiga berg i en by vars namn skulle förknippas med mordet på Enrico under många år framöver. Hur skulle det påverka människorna här? Redan hade en process satt igång. Han kunde se det hos Edvard Risbergs, i paret Anderssons ängsliga blickar och i Vitrosens tillbakahållna aggressivitet.

Rosander skulle påverkas minst, trodde hon, men var han en mördare? Motivet fanns ju där. Svartsjuka var en de vanligaste orsakerna till att folk slog ihjäl varann. Vad Säk skulle jubla. Hon ville inte ge dem den tillfredsställelsen. Hon ville Rosander väl. Han var ingen ond människa. Hans akt vittnade om något annat.

Vad byn skulle jubla. Ramnäs skulle gå fri, all skuld skulle läggas på främlingar. När hon kom upp till Rosanders ställe var där lugnt. Inga bilar, inga ljud. Hon hade parkerat en bit ifrån stugan och gått den sista biten. Hon följde syrenhäcken. Stugan låg tyst. Inte ens katten syntes till. Hon stannade vid den gamla gårdspumpen, lyssnande, spanade. Hon tog sig fram i skydd av busksnår och närmade sig huset från baksidan.

Tre fönster på bottenvåningen vette mot det hållet, två på övervåningen. Fötterna sjönk ned i gräsmattans mjuka lager. Lönnlöven låg som små gula och röda dekorationer över den mossbelupna mattan. Hon tog sikte på vad hon trodde var sovrumsfönstret och kikade in. Det var till en början med svårt att uppfatta någonting. Hon såg bara sin egen spegelbild och hon fick luta ansiktet nära för att kunna uppfatta hur rummet såg ut. Vad hon kunde se var det tomt. En dubbelsäng, en byrå och ett par stolar. Blomkrukorna i fönstret kom från Ekeby. Det hann hon registrera innan hon hörde skrapet. Det lät som om en tung möbel sköts över golvet. Det kom från övervåningen, det var hon nästan säker på. Eller kanske från köket?

Hon bockade sig under sovrumsfönstren och smög vidare. Då ringde mobiltelefonen. Den ringde två signaler innan hon hann slå av den. Hon stod hukad med handflatorna och ansiktet mot väggen, hon kröp ihop ytterligare, pressade sig mot väggen. Den rödmålade panelen kändes varm mot kinden. Hoppas den inte färgar av mot den nya jackan, tänkte hon. Nu var det knäpptyst inifrån huset. Hon svalde, hasade sig närmare köksfönstret. Hon mindes mycket väl hur köket såg ut. Var det någon därinne?

Rädslan gjorde hennes sinnen skarpa. Hörseln fullkomnades så hon tyckte sig höra hur löven tog mark bakom henne. Luften kändes mer mättad med dofter. Trävirkets ådring på väggen framstod som distinkta linjer, fulländade i sin enkla skönhet. Smaken i munnen blev bitter, saliven samlades i munnen och hon tvang sig själv att svälja.

Hon lutade kinden mot väggen. En strof från en gammal psalm kom för henne men hon fick inte fatt på ordalydelsen, men det handlade om fruktan, att inte ha något att frukta för. Vad skulle han kunna göra? Desperat kanske han är, men inte på det viset.

Plötsligt, som en hastig ingivelse, reste sig Lindell, tog ett par steg ut från väggen och tittade upp mot fasaden. Han stod i fönstret. Fullt synlig med en uttryckslös min. Lindell hajade till. De såg på varandra, stumt, frusna för några sekunder. Lindell skulle alltid minnas denna stund. När allt var över skulle hon tänka på peruanens ansikte omgivet av de vita spröjsarna i fönstret. Hon skulle minnas doften av höst och mossa. Det var något bedrägligt i miljön som inte stämde med hennes uppdrag och flyktingens situation. Jag gav honom någonting som inte var värt något, gjorde mig synlig, förrådde miljön, så kom hon att känna det. Hon svek både sig själv och honom. Var det så? Eller var det en efterkonstruktion? Alternativet? Att smyga mig runt, ringa på

161

förstärkning, Anderssons hundpatrull kanske? Här skulle Zero haft en idealisk terräng.

Han öppnade dörren innan hon hann knacka på och han steg åt sidan och släppte in henne. Lindell sträckte fram sin hand och han grep den. Ett svalt handslag. Själv kände hon sig allt annat än sval. När spänningen nu släppt kom reaktionen med darriga ben och svettning.

De satte sig i köket. Ricardo på den stol där Lundkvist suttit på förmiddagen. De sa ingenting till varandra. Det gick en halv minut. Lindell önskade att hon rökte.

– Du är Ricardo, förstår jag. Jag är lessen för din bror.

Han var påfallande lik sin bror. Skulle Lindell sammanfatta hans utseende med några få ord så skulle hon säga vaksamt, vackert och ungdomligt. Liksom Enrico såg han mycket yngre ut än sin verkliga ålder.

Men vad hade han inte, trots sin ungdom, gått igenom. Upplysningarna från Invandrarverket var knapphändiga och Säk:s uppgifter högst osäkra, men så mycket förstod hon att Ricardo sett mer av våld, förtryck och tortyr än någon annan människa hon träffat.

Var det en mördare som satt framför henne? Hon måste ställa sig frågan. Statistiskt var sannolikheten trots allt stor. Offer och gärningsman kände ofta varandra. Män slogs ihjäl av andra män som var bekanta med varandra. Och Ricardo hade kanske trubbats av. Att han som sett så mycket våld var mer benägen att ta till våld än de som växt upp i det lugna Ramnäs. Hon trodde inte på det själv, men prövade argumentet. Det skulle flyta upp, det förstod hon. Det var en bekväm teori.

Men en bror? En lillebror. Nej, mannen mitt emot henne var ingen dråpare. Hon kunde inte känna någon skräck, men varför släppte han in henne så lättvindigt? För att vinna fördelar kanske. För att förklara sig, bryta isoleringen, knyta mänskliga band utöver de som hjälpt honom att gömma sig.

Hon tänkte på Lundkvists ord att Ricardos ärende inte hade förändrats, trots att brodern mördats. Kanske skulle de fraktas iväg på samma plan. En död och en levande.

– Vill du prata med mig? Förstår du svenska?

– Jag förstår.

En ljus stämma men med stark brytning. Så hade nog Enrico också talat.

– Jag förstod att du var här. Ingen har talat om det. Jag kom för att träffa Eva-Lena Vitros. Du känner henne?

Han skakade på huvudet.

– Jag vet att du känner henne. Vi gör allt för att hitta din broders mördare. Allt gör vi. Du måste hjälpa oss. Vi tror, jag tror, korrigerade hon, att mördaren finns här i byn.

Ricardo följde uppmärksamt hennes läppar när hon talade. De tunna läpparna rörde sig ibland som om han tyst för sig själv upprepade hennes ord. Hon svettades. Hans blick följde hennes minsta rörelse. Han var på sin vakt, vaken. Det var viktiga sekunder i hans liv, det förstod hon plötsligt. Hon harklade sig, lade upp händerna på bordet. Han registrerade även det. För en kort ögonblick iakttog han hennes knäppta händer. Han kanske tror att jag ber, tänkte hon.

– Vet du vad som hände den dagen då Enrico försvann?

Det tog några sekunder innan han svarade och Lindell var beredd att upprepa frågan, att förtydliga sig, när han bröt tystnaden.

– Han försvann. Vi hade pratat. Jag väntade här. Länge, länge.

– Vad hade ni pratat om?

– Om Peru, om vårt land. Det är långt borta.

Ja, det är mycket långt borta, tänkte Lindell. Det var smärtsamt att höra hans sorgsna, mjuka röst. När han pratade om "vårt land" associerade hon till någon högtravande nationell sång hennes far sjungit i drickabilen. Han sjöng den alltid lite gapigt med en förställd röst, förlöjligande texten, men hon trodde då som nu att han i själva verket tyckte om den. Fadern hade säkert fått lära sig den i skolan och han sjöng den alltid över ett soligt landskap med nervevad sidoruta. Det var en av gladsångerna. Sedan fanns det andra, melankoliska och drömmande. Det var framförallt "En sliten grimma" som ständigt återkom. Den sjöng han med låg röst över ett grått landskap.

– Vet du vart han skulle?

Peruanen såg upp. Hans ögonvitor var krackelerade med finstrimmiga blodkärl. Att gråta blod, tänkte Lindell. Han sänkte blicken och skakade på huvudet.

– Vi hade, vad säger man, inte pratat vänligt.

– Grälat, försökte hon.

Han nickade och upprepade ordet.

– Han gick.

– Vilken dag var det?

– Söndag.

– Var han arg?

Ricardo nickade.

– Kan han ha gått till Eva-Lena Vitros?

– Kanske.

– Han brukade gå dit?

En ny nick.

– På nätterna?

– Du vet allt, sa Ricardo och fäste en fast blick i hennes ögon. Fråga om annat.

Han har rätt! Hon slog ned blicken, reste sig och krängde av sig jackan och hängde den över stolsryggen. Hon kände hur han granskade henne.

– Hur var han klädd?

– Han hade skjorta, den blå. Jackan också. Sina vanliga skor.

– Jacka, säger du. Hur såg den ut?

– Svart, stor, med mössa.

– Med mössa, hur menar du?

Ricardo gjorde en svepande rörelse från nacken över huvudet mot pannan.

– Du menar en huva, en kapuschong?

Han ryckte på axlarna.

– Den sitter fast i jackan?

Ricardo nickade. Han såg på henne med en förändrad blick.

– Ni har inte sett jackan, frågade han.

Lindell skakade på huvudet. Nej, de hade inte sett jackan. Enrico hade hittats i en tunn, blå batikskjorta. De hade sökt en jacka. Lindell hade kollat med SMHI Arlanda och vädret under den sista veckan i september hade visserligen varit skapligt men hon hade hela tiden varit övertygad om att han måste ha haft ett ytterplagg. Kanske hade han kvävts med sin rock som sedan trycktes ned under en sten eller en hög med ris? Kanske hade han hängt av sig den inomhus, mördats och fraktats iväg till granen? Var fanns den nu? Hos Eva-Lena Vitros?

– Har ni träffat några andra i byn, mer än Vitrosen och Rosander?

Ricardo skakade på huvudet. Varför kom Vitrosen inte till stationen? Lindell reste sig, tog några steg ut i mitten av köket. Oron kröp i henne. Hon tog upp mobiltelefonen och knäppte på den igen, slog pinkoden och tvekade om hon skulle ringa Lundkvist.

– Du vet inte var Vitrosen är? Hon skulle ha kommit till polisstationen i dag men kom aldrig.

Ricardo sa ingenting. Lindell önskade att hon hade mer tid. Då skulle hon slå sig ned och få honom att berätta om sin bakgrund, Peru och varför han kommit till Sverige. Hur många gånger hade han inte redogjort för det? Hans historia fanns i en akt men hon ville höra hans egna ord. Han litade säkert inte på henne. Varför skulle han det? En polis.

– Vet du något mer, sa hon. Någonting som jag borde veta.

Han svarade inte omedelbart.

– Du kan lita på mej!

Hon tyckte sig se ett svagt leende på hans läppar.

– Jag vet att du har tråkiga erfarenheter. Jag vet att du förlorat två tår.

Det var som om hon givit honom ett piskrapp. Han såg på henne med en blick som med ens blev vild av upprördhet. Förvandlingen kom så snabbt att hon nästan ryckte till inför hans reaktion.

– Två tår, stötte han fram. En hel familj! Och nu min bror!

De blodsprängda ögonen sjöng av hat. Hans händer på bordet knöts och han sa något på spanska som hon inte uppfattade, än mindre förstod. Hon ångrade sitt ordval, "tråkigheter" var inte det rätta ordet för att beskriva hans erfarenheter.

Känslan av förtrolighet mellan dem var nu bruten. Ricardos stela axlar avvisade alla försök till förtroenden. Hon tyckte sig överhuvudtaget inte vara sedd av honom. Hon fanns inte! Han stängde effektivt all kommunikation, gick in i sig själv. Han stirrade rakt framför sig, fäste blicken långt borta eller snarare, han syntes inte vara seende, mer som ett tillstånd av oåtkomlighet. Lindell kände olust, gränsande till rädsla, komma. Denna totala slutenhet, som drog in på några sekunder, liknade inget hon tidigare sett. Hon hade upplevt många konfrontationer, samtal och regelrätta förhör, mött alla typer av människor och trodde sig duktig att lirka, prata, vinna förtroende, skapa en sansad atmosfär, men här mötte hon en mur, en stränghet över dragen som vittnade om betryck och hårdhet hon dittills bara kunnat ana i hennes femtonåriga poliserfarenhet. Hon förstod att det var en skyddsmekanism, kanske lika oönskad av honom själv som alarmerande och otrygg för omgivningen.

Lindell lutade sig mot köksbänken. Det skymde och köket blev allt dunklare. Ricardo framstod som en man som väntat mycket länge och nu väntade in mörkret. Konturerna i trädgården upplöstes. Hon gjorde ingen ansats att söka kontakt, starta en dialog, utan vilade bara mot bänken med händerna knäppta och med böjt huvud, som om hon var försänkt i bön. Hon fann en viss ro i Rosanders kök och slogs av kontrasten med sin egen lägenhet. Där infann sig aldrig mörkret, gatlyktorna och ljusen över parkeringsplatsen gav alltid ett sken. De starka strålkastarna från bilarna tycktes söka av rummet när de svängde in på parkeringen, återkastade skuggor som löpte över väggar och tak. Även om hon släckte ned lamporna i lägenheten gav staden henne ingen möjlighet att kura skymning.

I Rosanders kök kunde hon kura, i tystnad invänta det totala mörkret. Hon kände att hon behövde den här stunden. Det tycktes som Ricardo hade glömt henne. Han satt kvar vid bordet, orörlig. Hon ansträngde sig men kunde inte höra hans andetag.

– Vill du se din bror, sa hon ut i mörkret.

Ricardo lät höra ett ljud som från en sårat djur.

– Jag tänkte...

Ja, vad tänkte jag? Hur skulle det gå till? Hon hörde hans tysta frågor. Nu var det sagt, nu kunde hon inte backa.

– Han ligger på bårhuset. Vet du vad ett bårhus är? Ett ställe där döda människor samlas.

Det var ju också ett sätt att uttrycka det!

– Hur då?

– Jag ska kolla, så hör jag av mej till dej.

Nu hade hon tagit steget. Lämnade hon nu Rosanders hus utan att ta Ricardo med sig gjorde hon sig skyldig till tjänstefel. Han var efterlyst, han var intressant i en mordutredning. Finn fem fel, tänkte hon och Lundkvists beska kommentarer kom för henne. Skulle han förstå? Tog hon dessutom in honom till stan och myglade in honom på bårhuset så skulle det anses än mer klandervärt.

– Jag vill att du berättar, men först ska jag ringa ett samtal. Jag är lite orolig för Vitrosen. Jag måste ringa.

Hon pratade långsamt och tydligt, men kunde inte i dunklet avläsa någon reaktion från flyktingens sida. Hon tog upp telefonen, slog Vitrosens nummer som hon nu lärt sig utantill.

Hon svarade på femte signalen. Hon hade just kommit in genom dörren. Besöket hos tandläkaren hade dragit ut på tiden, det hade tillstött komplikationer, sa hon. Det lät inte som hennes egna ord, men hon hade uppenbarligen svårt att tala eller så gjorde hon sig bara till.

De kom överens om att träffas på stationen dagen därpå. Lindell knäppte av samtalet, lättad, men också irriterad.

Lindell tände belysningen ovanför köksbänken och slog sig ned vid bordet.

– Jag vill att du berättar om varför du kom till Sverige.

– Det finns i mina papper.

– Jag vill höra dina egna ord.

– Det är svårt att berätta, sa han efter en lång stund av tystnad. Jag kommer ihåg så mycket men kan språket så lite.

– Försök! Även om det känns svårt. Jag vill verkligen veta!

– Hela vår familj, alla släktingar, har varit fattiga. Campesinos. Spanskan är inte vårt språk. Vi levde högt uppe i bergen. Min farbror Manuel var en av de första i vår trakt som började kämpa mot jordägarna. Han dog. Många andra också.

Så följde en lång historia. Vartefter han talade blev han ivrigare och också språket tycktes förändras. Orden blev fler, rikare, meningarna flöt jämnare. Han såg på henne. Lindell lockades av hans röst, men hade svårt att förstå vissa sammanhang. Hon värjde sig också. Han såg på henne nästan

167

oavbrutet. Hon ville inte bli engagerad men kände hur hon drogs in i en förtätning som underströks av kökets dunkel, stillheten kring stugan, det lugn som lägrade sig efter anspänningen men också exotismen i Ricardos ord.

22

Ricardo mindes:

Hur eukalyptusbladen vibrerade i brisen. De flagade stammarna stod likt pelare som bar upp ett skimrande tak. Månljuset bröts i det silvriga bladverket och påminde Ricardo om kyrkan i Cusco.

Det var innan allt bröt loss, innan allt hände, det som skulle spränga familjen. Farbror Manuel gick aldrig annars i kyrkan, gjorde inte ens korstecknet när farmor dog.

Ricardo hade långt senare slagits av att kyrkobesöket kanske bara var en förevändning, en täckmantel, att han varit ett förkläde, för vem kunde misstänka en dåligt klädd campesino, med en nioårig pojke, som storögt betraktade madonnan? Inte då, 1980. Men nu, nu misstänktes alla, allrahelst en dåligt klädd campesino.

Hade inte farbrodern talat med någon, någon som slog följe med de två när de gick några varv i kyrkan? Kanske det var så, han mindes inte riktigt, det var så mycket annat som hände under den resan. Han hade avgudat sin farbror Manuel, med eller utan besöket i Cusco, även om han hade använt sitt brorsbarn som ett redskap, ja i själva verket önskade Ricardo att så var fallet, att han varit farbroderns, om än ovetande, försvurne.

Farbror Manuel var vald av byn. Det var ett bra val, det tyckte alla, till och med de som inte var sympatisörer med Lunas parti. Det fanns ingen egentlig motkandidat, någon som sågs som en bättre representant för byn Alto Tambo. Det var möjligen Justiniano, som rest norrut några år, arbetat med socker och kommit tillbaka med klocka, lågskor och ett intyg att han var fackligt utbildad. Satans Aprist, svor Manuel. Lågskorna slets, klockan stannade för gott och trots åren på sockerbruket och förmenta fackliga meriter, det fanns till och med fotografier, så gjorde Justiniano aldrig något anspråk på att företräda byn.

Alto Tambo låg högt fastnaglad på bergssidan likt ett övergivet, söndrigt svalbo, men en gång hade byns förfäder ägt och brukat dalen nedanför, ända bort mot träden vid Tingo.

I byn fanns inga träd. De skott som eventuellt spirade tog kylan och vinden. Det var en vind som pustade feber och hosta, det var en kyla som fick blodkärlen att sprängas.

På de branta stigarna ned mot dalen kände byns invånare varje kurva, varje sten. För varje steg blev luften rikare, marken mer fruktbar och fåglarna fler. Barnen brukade slänga stenar efter dem, förbannande de blå bröstlapparna och vingarna.

På godset fanns en patron, don Torres, som red på en vit häst.

Ricardo mindes:

Hur delegaterna samlades på en stor innergård. Var det en skola? Uppsluppet, men också en smula högtidligt. Hundratals småbönder hade kommit till FDCC:s fjärde kongress i departamentet. De hade kommit till fots, med lastbilar och med bussar. Många långväga. Alla hade de knyten på ryggarna, en filt, lite torkad potatis, bönor, majs och kanske chicha. Det var en färgglad parad som gick genom stadens gator. De var många.

En mässingsorkester tutade i ett hörn av gården. De föga samspelta musikanterna blåste i sina horn, trumpeter och klarinetter för brinnande livet. Trummorna skickade tunga basstötar mellan väggarna, pulserande, som om de församlade bönderna hade ett gemensamt hjärta som slog. Visst Manuel, ett gemensamt hjärta?

Du tog mig runt på den kringbyggda gården, där stenbeläggningen var så blanksliten att det nästan gick att spegla sig i stenarna, till alla du kände. Jag stod framför dig, mitt huvud kanske räckte dig till naveln. Du hade dina händer på mina axlar och jag kunde läsa engagemanget vartefter diskussionens puls steg eller stillade sig. Du tryckte dina händer runt mina tunna axlar och när du blev upprörd gjorde det nästan ont.

Redan den andra dagens tidiga morgon hade de gått till kyrkan vi Plaza de Armas. Var det då den första kontakten togs?

Efter kyrkobesöket gick de till ett café, som låg vid arkaden runt torget. Det var ett alldeles för dyrt ställe, för stadsbor. Hade farbrodern fått pengar? Det satt till och med en gringo vid ett av borden. Han såg mager ut, skabbig som en hynda i byn. Ricardo undrade tyst för sig själv om han verkligen orkade bära den jättelika ryggsäcken som stod lutat mot bordet. Ricardo hade undrat mycket över denne bleksiktige man och ansatte Manuel med frågor. Han mindes den lilla flaggan som var fastträcklad på ryggsäcken och frågade Manuel vilket land flaggan representerade. Han visste inte. Femton år senare skulle Ricardo se den flaggan.

Ricardo mindes:

Hur han smög ned till bäcken, gick ned på knä och formade händerna till en skål. Vattnet var svalt, kommet från bergen. Han reste sig sakta. Varje gång han tänkte på farbrodern så fick han detta försiktiga, lite kattlika rörelseschema. Illegaliteten hade lagt sordin på rösterna, skratten, och också rörelserna. Försiktighet hade präglat huset, familjen, under de värsta åren.

Det gick inte att skrika ut sitt budskap, sticka ut, göra sig bred, skapa uppmärksamhet som ett gapigt fyllo på plazan. Nej, det gällde att smälta in, tala tyst, röra sig utan åthävor. Som i kyrkan, som i gränden, i den pissluktande gränden, bakom Ricardos hus där han mött Manuel.

– Min pojk, hade farbror Manuel sagt och strukit honom över huvudet. Du är snart en man, sa han och klämde honom på överarmen. En riktig kämpe!

Hans läppar pressades mot varandra. Jag måste äta mer, var den tanke som drog genom hans huvud. Han fick gå ut på gatan, kika in i prången och ta en tur över den öppna platsen som gränsade till huset. Där låg mest skräp som hans far emellanåt samlade ihop och brände. Där bökade Cadillos gris. I övrigt var det lugnt men man kunde aldrig veta. Kanske något fyllo somnat mot muren och sedan vaknade upp lagom för att se Manuel smyga in i huset. Det skulle löna sig att anmäla ett sådant fynd.

Ricardo ville ropa ut: Farbror Manuel är tillbaks, han lever! Han ville springa längs gatan, ända ned till det lilla torget med sitt budskap, men han smög försiktigt runt, smet in i gränden och gav klartecken.

Ricardo mindes:

Hur det gick till när uppropet startade, när lavinen sattes i gång. Det var den siste överlevande som berättade. Felix Cadillo kom tillbaka till byn, sårad och mycket trött. De la honom i Casa Communidad för ingen vågade ha honom i sitt hus, inte ens hans syster. Då hade det gått åtta veckor sedan männen gett sig av från byn.

Han yrade. Hela byn satt runt bädden. Han frös och det steg en märklig doft från hans andedräkt. Det är döden, sa de gamla förnumstigt, som om det var någon som inte förstod det! Mellan feberattackerna kom ögonblick av klarhet och Felix, som alltid hade varit en god berättare, gav historien åt byn:

– När vi nu går, vilar vinden.

Gruppen av män, luggslitna, med mössorna djupt neddragna, lyfte sina ansikten, perforerade av kylan, vinden, hungern, skriken, hostningarna, och lyssnade. Någon lyfte en hand mot berget, där offer burits fram genom århundraden, som reste sig likt en mörkblå vägg, de hatade, vördade och älskade berget.

– Känner ni det?

Männen nickade nästan omärkligt.

– Låt oss gå!

Mörkret slöt sig kring männen. Ett ljus flämtade i dalen. Det ljuset skulle släckas och mannen som hälsade berget skulle göra det. Stigen, som bitvis var mycket brant, slingrade sig genom moras och snår av törnen. De nötta trampstenarna blänkte till när molnen för några korta ögonblick gled undan och blottade en ostvarm måne. Det var en stig de kände, som de gått i månljus, i sol och i regn, tyngda av gränslöst hårt slit, strävande uppför berget efter en dags arbete, men också fulla av liv, berusade av chicha och pisco, dansande mellan sylvassa blad. En dags arbete? Kanske veckors, månaders trälande.

Alltefter de lade meter efter meter bakom sig förminskades godset, luften tunnades ut och vegetationen blev allt knappare. Träden blev knotor för att sedan helt försvinna, buskarna blev snår och brunrasslande grästuvor, styva mot vinden, vassa för handen. Gräsen lyste som koppar i den nedåtgående solens sken och kylan kom likt en orm över marken. Strax skymtades de fattiga husen, hostningar, en hunds ilskna, men ändå räddhågsna skall.

Gick här att andas, gick här att leva? Nej! Gick här att föda barnen? Nej! De dog. De dog och dog, hostade och dog. Våra barn dör, klagade kvinnorna.

Alla i byn hade fått nog, sedan månader, år, decennier, sedan femhundra år! Alla i byn, i alla byar. Räkna dem! Från flodens flöden, genom dalarna, upp på bergssidorna, där till och med vikunjan slinter med sina klövar. Ja, över alla byar vilade en vingbred fågel och gled ljudlöst genom rymden. Den seglade över godsen, över polisstationerna, över specialstyrkornas taggtrådsbefästa fängelser. I ravinerna låg liken och blev fågelns föda.

Nu var de på väg nedåt. Manuel Mendoza vände för ett ögonblick på huvudet och spanade uppåt, hemåt. Av byn skymtade inget, men han kände alla byar i distriktet, alla stigar. Inte ens i mörkret tvekade han över stegen.

Han brann, en låga som fick honom att vandra, likt en resande från Cusco, med de klara färgerna, de nya, men ack så gamla, varorna. Han gick om natten och han tyckte att månen lyste honom på hans stigar så att han gick i ett ständigt ljus. Han var aldrig rädd. Han var beskyddad, men visste innerst inne att blodet, det blod som flöt i hans ådror, som gav honom ork att gå från by till by, korsa de mäktigaste pass och uthärda kylan, en dag skulle vattna det kalla cementgolvet eller den steniga marken. En kula skulle slita hans kropp isär, slagen mot hans huvud och bröst, skulle krossa hans lever, lungor, hjärta och hud. Det visste han. Det visste hans älskade Julia, hans bröder, Enrico, Ricardo, Pablo, Ernesto ... alla.

När de sju närmade sig godset tycktes marken darra. Trots kylan steg en feber genom männen. Huggknivarna i deras händer tyngdes av stål vars egg doftade av kaktusens sträva saft. Nog var de skarpa!

Manuel Mendoza, Jorge Morales, Antonio Millape och Genero Sillanueva smög sig över vid det ställe där muren tycktes ha raserats sten för sten just för detta ögonblick. Osynliga händer fattade de skrovliga stenarna, kroppar hävde sig över, gled liksom katter. Manuel drog med ett snabbt drag av tygtrasan från machetens klinga. De övriga följde hans exempel.

Felix Cadillo, Alfonso Meija och Guillermo Sanchez gick till godsets port. Den försiktiga knackningen hördes som ett jordskred. Tysta, med huvuden böjda, avvaktade de tre, iakttagna av "El Minero", gruvarbetaren, som lejts för att vakta rikedomarna. Hans händer, för alltid fläckade av blod, sades ha mördat en hel familj utanför Puno.

– Vad vill ni?!

Rösten från luckan fick männen att skälva.

– Vi kommer med bud till don Torres, sa Felix Cadillo, vars tunna röst lät som ett pip under kaminen.

– Nu?

– Det gäller hans välgång.

Ingen av de tre var kända som några bråkmakare, tvärtom. Både Felix och Alfonso hade haft tjänst i godsets stall och var väl kända av "El Minero". Ändå blev tystnaden långvarig.

Sakta sköts porten upp. Guillermo Sanchez snyftade när han svingade macheten och i dess spets blänkte, under bråkdelen av en sekund, ett stänk av månens ljus. Portvaktens huvud skildes med ett gurglande ljud nästan helt från kroppen. Han föll med öppna ögon. En av de fruktade händerna for ut i en svepande rörelse, touchade Felix lätt på axeln, ett lätt slag men ändå en reflex in i döden, att slå. Felix svarade lika instinktivt och skilde tre av portvaktens fingrar från handen. Då var han redan död.

Guillermo lutade sig mot dörrposten. Han darrade men log mot sina kamrater. En våg av lättnad och upprymdhet fick honom att skratta tyst.

Alfonso trampade försiktigt på den fallnes rygg, eller snarare petade med foten, som för att förvissa sig om att han var död. Hade denna tunga kropp fått plats i de trånga gruvgångarna? Hade han överhuvudtaget brutit malmen eller hade han även i Cerro de Pasco varit gårdvar åt de rika? Nu skällde han inte mer, inga slag kunde falla från hans muskulösa armar. Guillermo torkade omsorgsfullt av bladet mot den dödes byxor.

Dona Torres hann inte uppfatta ljudet av machetens bana genom sängkammarens mörker. Godsägaren själv, vars rena samvete fick honom att sova tungt, dog i smärta, med en besinningslös skräck målad i ansiktet. Manuel hade väckt honom med en lätt puff på axeln, lutat sig över honom och viskat något, innan han rätade på ryggen och skar av godsägarens hals med en skära.

De fyra barnen och de tre tjänarna dog i sömnen. Guillermo Sanchez hade tvekat: Barnen har inte gjort något illa. Manuel, som sett hans blick, dödade de tre pojkarna och lillflickan med sin kniv.

– Inte ännu, men dom kommer att döda våra barn och barnbarn, sa han. Det vet du. Det är Don Torres, de femtusen värsta jävlarna i provinsen som måste dö, deras hustrur, barn och hundar.

Finns det femtusen godsägare i provinsen? Tanken lamslog Genaro Sillanueva. Femtusen! Själv kunde han bara räkna upp ett tjugotal. Femtusen. Orkar jorden svälja allt detta blod eller kommer det att finnas mörka gölar där våra hundar ska dricka och våra barn förgiftas av ångorna?

– Manuel, sa Genaro och drog honom i armen, är det femtusen?

Manuel samlade papper i en matta, knöt ihop dess ändar.

– Häri finns alla skulder, alla brev, alla ärr på våra ryggar, alla våra plågor, sa han, klappade den svällande säcken och slängde upp den över axeln.

– Nä, det finns inte femtusen, men många.

I skrymslen fann de mer soles än de någonsin kunnat drömma om. De fann klockor av guld, ringar med opaler och

174

brasilianska akvamariner, broscher av åldrat silver med madonnans bild.

– Det är silver från Huancavelica, som är renat med vårt blod, förklarade Manuel.

De fann en gyllenbrun hårfläta som de brände, tillsammans med femton läderinklädda band, dona Torres dagböcker.

När de slutligen lämnade godset var gryningen nära. Snart skulle dalen fyllas med buller.

23

Lindell satt tyst en bra stund efter det att Ricardo avslutat sin berättelse. Hon tänkte på barnen. Godsägarbarnen. "De femtusen värsta jävlarna", hade han sagt. Deras hustrur, barn och hundar likaså. Var det så? Hon tänkte på barnen i sina sängar. Måste hämnden se så ut? Hon försökte se berget framför sig, med byn som ett fågelbo, klängande fast vid dess branta sida. Hostningarna.

– Manuel är död?

Ricardo nickade.

- Alla sju är döda. Sorgen är stor.

Här kom Ricardo av sig och tystnade. Lindell avvaktade. Så lyfte han huvudet, såg på Lindell med en stadig blick.

– Alla är stolta, sa han till slut.

Visst kunde hon se stoltheten, men vilka de alla var kunde Lindell bara ana. Var fick han orden ifrån, tänkte hon.

– Nu är det en kusin till gamla patron som tagit över godset och han känner sig aldrig säker. Han förbjuder sina barn att gå ut. Han åker med beväpnade män runt omkring sig, rädd som en hund.

Men hade hostningarna upphört, undrade Lindell tyst för sig själv. Hon såg mot fönstret. Lindell visste att skulle hon bli sittande länge i Rosanders kök och lyssna till Ricardos ord så skulle hon fastna i hans berättelse. Det hade hänt förut att hon vid utredningar hamnat vid sidan om, att hon fångats av det som omgav spåret, som ledde framåt. Det spår som hon måste följa, den tråd som hon måste nysta i för att vara en bra polis. I Ricardos fall var det enklare än någonsin förr att irra bort sig. Samtidigt var informationen hon fått, brödernas bakgrund, väsentlig för utredningen. Kanske skulle det kunna leda henne rätt, kasta ljus över Enricos beteende, kanske ge ett motiv, en förklaring till varför Enrico mött döden i skogen.

Hon såg på Ricardo. Var det tacksamhet hon kände mot pojken på motsatta sidan av bordet? Medlidande? En slags samhörighet, som bottnade i vad? Det var nog så att hon ömkade honom. Han hade ingen här i Ramnäs, i Uppsala eller Sverige över huvud taget. Han satt här på ett berg, Getberget, ett hundratal meter ovan havet, medan hans släkt såg ut över Andernas toppar. Hur såg hans framtid ut? Det blev med ens mycket tungt att tänka och hon reste sig snabbt, nästan så att Ricardo flög upp från sin stol.

– Ursäkta, sa hon, att jag skrämde dig, men jag måste gå nu.

Hon ville ta hans hand, säga något tröstande, men förmådde inte ens säga ett vettigt adjö utan mumlade bara några ord som han omöjligen kunde uppfatta. Hon hade hela tiden känslan att hon gjorde något fel. Visst, hon borde ta honom med.

Hon lämnade Rosanders hus med frustration och irritation. Utanför huset stod mörkret som en ridå och det tog några sekunder innan hon vande sig. Flöt hon ovanpå? Det var så! Hon måste vara polis, den sakliga krimaren. Hon saknade värmen, det engagerade småpratet, kroppar som stod nära varandra, förtrolighet. Hon lämnade en människa i mörker för att i mörker ta sig till en lägenhet där tevetidningen på bordet var den mest avancerade läsning hon orkade med, där kläderna låg i prydliga högar i alla skåp, där kylskåpsdörren var fylld med vitt vin. Det ska fan vara polis, tänkte hon förbittrat, när hon snabbt stegade mot sin bil. Det började duggregna. Det här var visst också Upplandskusten. När meteorologerna sa att kusten skulle få nederbörd så regnade det på Lindell nästan oavsett var hon befann sig.

Visst hade Ricardo någon: Rosander och Vitrosen och säkert flera som engagerade sig i flyktingarna, inte minst de som skulle förpassas ut ur landet. Kände hon personlig skam, att hon egentligen inte brydde sig, att hon sa till sig själv, inte bara nu, utan under många år, att hon inte kunde förändra någonting. Känslan av kyla hade smugit sig på henne under det att utredningen fortgick. Men hade hon någon anledning att känna skam? Skam över Sverige? Landet skulle väl svämmas över av människor på flykt om inte samhället satte en gräns? Hon var samhället. Hon hade inte satt gränsen men hon skulle bevaka den, försvara den. Hon var samhällets redskap. Hennes uppgift, hennes engagemang, bestod i att söka rätt på de som gömde sig, se till att de förpassades ut ur landet. Vad Rosander hade det lätt! Inget ansvar, bara se till det lilla. Visst, det var lätt att engagera sig i Enricos och Ricardos öden, men helheten då, vem tog det fulla ansvaret?

Lindell trampade snett i en av grusvägens många gropar. Hon hade gått med snabba steg men stannade plötsligt till. Vitrosen då, hon verkade så självsäker, så självklar i sin uppenbarelse. Hon hade fått arbeta sig in i byn, mot alla odds hade hon blivit kvar med sina tygstycken. Biodlarens vittnesmål om de första årens besvärligheter för Vitrosen att assimilera sig i byn hade bekräftats av hennes egna ironiska kommentarer, bittra ord. Ändå kändes hon stark, självklar i byn.

Skulle hon själv tagit emot Enrico som kom likt en smygande skugga, som en tjuv om natten? Skulle hon ha visat sig i fönstret för biodlarens nattögon, omgiven av Oranieäpplen och kattugglans spöklika läte? Lindell rös till. Om allt fick vara så vackert som de älskandes möten. Rosander, visste han något om Enricos utflykter?

Och någonstans här i byn, i Ramnäs skogar, hade Enrico mött hatet. Hon såg sig omkring, stirrade in bland träden som stod likt mörka gardister, rakryggade, tysta, avvaktande, kanske fientliga. Granarna betraktade henne, såg ned på henne. Det fanns något förnämt över skogen, inte så hotande nu längre när hon vant sig vid mörkret och ögonen anpassat sig, utan mer upphöjt, som om träden var henne överlägsna, att det var på deras villkor hon gick vägen fram.

Hon fortsatte sin promenad mot bilen. Nu skulle Ricardo

ut ur landet. Till vad? Lindell hade inga begrepp om Peru. Vem eller vilka som styrde landet? Med vilka medel? Var det militärdiktatur, eller vad? Hon visste inte och det var inte hennes uppgift att veta. Hon behövde inte, men visst trodde hon Ricardos ord. Skulle han sökt sig till andra sidan jordklotet, hit till Ramnäs, om han inte varit tvungen? Nej, inte med den hettan med vilken han talade om sitt land och sina släktingar. Han hade inte valt landsflykten. Tvånget grep honom som en järnhand, pressade ned honom mot den svenska jorden, när hans hetaste vilja var att ligga i eukalyptusdungen med Urubambaflodens brus tätt inpå, höra ljudet från sågarna som klöv de mäktiga stockarna, åsneskrien och männens röster, när de högljutt baxade de tunga stockarna upp på ställningen.

De som trodde att han sökte friheten i Sverige insåg inte hur ofri han i själva verket var. Han levde i tvånget. Lindell förstod att han skulle givit allt för att få återvända. Men nu var priset hans liv och det var han inte beredd att betala. Skulle han skänka sitt liv, sin kamp, till specialpolisen i Peru, till hennes kolleger, slog det henne plötsligt. Var det så han såg på henne, som en snällare form av förtryckare? Hon skakade på huvudet i mörkret.

Skogen reste sig allt tätare kring henne och i granarnas toppar sorlade vinden. Det kändes som höst i luften, det sorlade höst. En fågel, skrämd av hennes snabba steg, flög hastigt upp. Hon snodde runt, men nu skymtade hon bara Rosanders hus som en svag ljuspunkt som var köksfönstret. Hur kan han bo här, så isolerat? För ett ögonblick trodde hon sig gått förbi sin bil, inte sett den i mörkret, men så blänkte det till och hon ökade ytterligare på takten. Flämtande fick hon fram bilnycklarna och öppnade bildörren med ett ryck. Kupébelysningen spred ett svagt sken. Rosander måste känna sig väldigt ensam. Som forskare träffar han väl inte så mycket folk heller. Att gömma flyktingar är säkert ett sällskap, men nu är det slut med det! Nu är Rosander bränd.

Hon försökte finslipa sin egen bild av honom. Vart hade han åkt? Hon hade trott att hon skulle haft ett meddelande på sin mobiltelefon men Sammy Nilsson hade inte ringt. Hon prövade hans nummer men mobilsvarets opersonliga röst var den enda som hördes. Hon försökte med Havers och efter flera signaler svarade han.

– Det är jag. Har du haft kontakt med Sammy i eftermiddag?

Hon öppnade bildörren så att belysningen tändes, sträckte sig efter papper och penna.

– Bra, sa hon kort och avslutade samtalet.

Adressen hon skrivit ned låg i ett bostadsområde i de västra stadsdelarna, så mycket visste hon, men inte exakt var gatan låg. Hon hade något svagt minne av en misshandelshistoria för några år sedan men var inte säker på om det var samma gata.

Nilsson och Haver hade utan problem fångat upp Rosanders Taunus och sedan följt den genom stan, först till institutionen där han arbetade, sedan till Systembolaget på Skolgatan där han kommit ut med tre kassar, mest vin, trodde Haver, för att slutligen bege sig till Lagergatan. Där hade han nu varit i nästan två timmar. Han hade gått in i en port med sex lägenheter. Haver och Nilsson hade inte kunnat konstatera vilken lägenhet han haft som mål. Nilsson hade åkt hem, medan Haver fortfarande höll utsikt över porten. Det fanns ingen bakdörr och ingen källare.

Lindell log för sig själv i mörkret. Haver hade låtit ivrig men tillbakahållen. Det hördes på honom att han tyckte de gjorde ett bra jobb och Lindell var beredd att hålla med honom. Att Haver trodde att Ricardo fanns på Lagergatan var en annan sak, inte otroligt eller på något vis ologiskt, men med tanke på att hon spenderat de sista två timmarna i den efterspanades sällskap, så framstod Havers övertygelse lite om inte skrattretande så roande.

Vad skulle hon göra? Om och om igen ältade hon det dilemma hon försatt sig i. Oprofessionellt, sa hon själv, men att skälla på sig själv hjälpte inte. Nu kunde hon inte backa. Hon kunde inte kalla på förstärkning och ta in Ricardo. Det hade flugit genom hennes huvud men lika snabbt hade hon avvisat tanken. Skulle hon informera kollegerna och sätta bevakning på Rosanders hus? Det skulle gå åt en hel del folk och det skulle inte i sak förändra något. Inte moraliskt, i alla fall. Hon hade lovat Ricardo tystnad, så kändes det, även om orden inte uttalats så. Det enda hon sagt var att han skulle få se sin döde bror. Eller hade hon sagt något mer?

Hon kände en stigande oro, en molande värk i magtrakten. Skulle hon vända? Skulle hon ringa efter förstärkning? Hon tänkte på Rosanders hånfulla ord, om att skulle de befunnit sig i Peru så hade hon och Lundkvist kommit instormande med tio poliser till, med dragna vapen och med pansrade fordon på gården. Hon saktade omedvetet in bilen och innan hon nådde bergets fot och den stora byvägen hade hon hunnit fatta flera beslut, motstridiga mot varandra. Väl nere i korsningen blev hon stående men väcktes till medvetande av signalen från mobiltelefonen. Det var Haver som meddelade att Rosander lämnade fastigheten på Lagergatan. Han hade också identifierat den lägenhet Rosander besökt. Haver hade sett honom i ett av fönstren. Samtalet från kollegan kom att fungera som en uppbrottssignal för Lindell. Haver frågade om han skulle fortsätta bevakningen, följa efter Rosander eller vad?

– Åk hem, sa Lindell, medan hon petade in ettans växel och sakta rullande ut på byvägen.

Åk hem, upprepade hon för sig själv.

På något egendomligt vis hade tankarna klarnat och när hon passerade kyrkan, för vilken gång i ordningen visste inte Lindell, men hon upplevde nu Ramnäsvägen som en gammal bekant, grep hon telefonen och ringde Lundkvist. Han svarade omedelbart och lät inte på något vis förvånad över att hon ringde eller vad hon berättade.

24

Edvard rullade ut högtryckssprutan. Han stötte den mot dörrkarmen, slet och drog i slangarna, använde mer muskelstyrka än tankeverksamhet, baxade den med häftiga rörelser och svordomar.

Det stod som en sky av skit och vatten kring honom. Han upplevde det som en befrielse, denna kraft som forcerade, spolade rent, blottade ursprungsfärgen på gödselspridaren. Han brydde sig inte att vattnet stänkte över honom och att regnstället bara skyddade överkroppen och huvudet. Benen blev omedelbart genomsura. Han spolade med en ursinnig frenesi och riktade munstycket mot dyngkokorna som om de vore främmande och skrämmande varelser som han var utsänd att bekämpa. Det låg en ilska i hans agerande som fick spridaren skinande ren. Han måste le åt sig själv där han stod likt en Göran i kamp mot draken. När han slog av sprutan stod spridaren naken på lagårdsbacken, tunn, frusen. Han hade varit med om det förr, sett dem som likar, givit redskapen och maskinerna mänskliga egenskaper och till och med känslor. Han brukade tala till dem, trösta dem, klappa dem, beveka de döda tingen, för att de skulle orka göra tjänst, för att de skulle hålla tiden ut.

Han drog av sig regnstället, hoppade in i traktorn och körde in spridaren i maskinhallen. Nu har du gjort ditt för i år, mumlade han och klappade den på draget. Själv frös han som en hund och gick hemåt. Bengt Ramnäs syntes inte till. Schakten för belysningsstolpen stod stilla. Allt på gården tycktes stå stilla. Från lagården hördes inte ett ljud. Det var bara torken som brummade. Över lövdungarna gick ett sus. Blad kom farande i luften. Några duvor hördes ropa avlägset i skogen. Edvard stannade upp, lyssnade, men fåglarna hade tystnat. Han såg ut över den nyplöjda vallen. Han var inte nöjd. Vare sig med Ramnäsarns beslut att bryta upp vallen eller på det sätt han själv plöjt. Han fick skämmas. Han lyfte blicken och spanade mot skogsbrynet som låg likt en udde i det öppna landskapet, stack ut som en fångstarm i åkerhavet.

De avlövade asparna tecknade sig mörka mot himlen. Det skymde fast klockan bara var mellan tre och fyra. Edvard frös.

Det luktade lök i farstun. Stekt lök. Han tyckte inte om det. Om jag haft en hund, tänkte han, då hade jag inte registrerat löklukten. Då skulle den ha kommit när den hört mina steg i gruset, svassat runt när jag krängt av mig mina blöta byxor, nafsat efter mina händer. Då skulle jag inte tänkt på löken. Caesar kom alltid farande. Men Caesar är död sedan tjugofem år.

– Hej, jag ska duscha direkt, sa han högt, men fick inget svar.

Han kikade in i köket. Marita satt framåtlutad över bordet med freestylen på sig och en bok framför sig. Edvard gick in i badrummet, klädde av sig, vred på kranen maximalt och lät den spola. Strax fylldes badrummet av ånga. Edvard satt och iakttog hur vattnet fyllde badkaret. De varma pustarna omvärvde honom och han drog några djupa andetag. Hans ben, som kylts ned, värmdes sakta upp. Den kalla toastolen kändes som ett knivhugg i ryggen.

Det varma vattnet tog luften ur honom när han sänkte sig ned. Det omslöt hans hud med en sådan hetta att han nästan kastade sig upp igen, men han tvingade sig kvar och redan efter några sekunder var det uthärdligt. Han frustade, bubblade med munnen halvt under vattenytan. Han upplevde det som om åratal av smuts och svett löstes upp från hans kropp, lossnade i flagor och sjok, flöt upp och la sig likt en hinna på ytan. Han blundade och tänkte återigen på Caesar, schäfern. I takt med att musklerna värmdes upp och slappnades av sjönk Edvard in i ett behagligt töcken. Plötsligt stod Marita där. Han hade inte hört henne, men känt draget från den öppna dörren.

– Jag måste ha nickat till, sa han förvirrat.

– Vad varmt du har det!

Hon såg med undrande blick på honom, osäker över vad hans omtöcknade min stod för. När hon slog upp dörren fick hon för något ögonblick för sig att han varit i färd med att dränka sig. Rädslan fick henne att skärpa rösten innan hon insåg det löjeväckande i tanken.

– Du badar, sa hon sedan.

De såg på varandra med en blick som ingen av dem önskade.

Hon slöt dörren och han steg strax upp som ur ett ceremoniellt bad, svepte handduken kring kroppen och försökte hålla känslan av värme och njutning vid liv, men den var som bortblåst. Han drog med handen över spegeln och synade sitt ansikte. Hon hade sett på honom som en främmande, men han var sig lik. Kanske litet rödmosigare.

– Jag tänkte på Caesar, sa han, hunden pappa köpte. Kommer du ihåg honom? Han blev femton år gammal. När mamma födde mig, köpte pappa en hund. Det var väl typiskt honom. Han ville att vi skulle växa upp tillsammans. Han förstod att det inte skulle bli några syskon, då fick det bli en hund. Vad lyssnade du på, bytte han ämne helt hastigt.

– Den där språkkursen, italienskan. Jag hittade den i bokhyllan.

– Ska du åka till Italien? Det var väl Helsingfors du snackade om.

Marita sa ingenting, rörde i nötfärsen i stekpannan och tycktes försjunken i andra tankar.

– Blir det nåt?

– Vadå?

– Helsingfors!

– Ja, det blir det. Vi åker i början på december.

Ilskan grep honom direkt. Han kände hettan slå ut som en ros, blodet rusade mot ansiktet och omedvetet knöt han sina händer.

– Vad fan ska ni där och göra?

– Det kan vara trevligt att komma ut litet, sa hon passivt.

– Vadå komma ut?!

Nu vände sig Marita om. Hon hade förberett sig. Hon hade gått igenom allt, men kunde rimligen inte förutse den vändning samtalet fick.

– Man måste röra på sig ibland.

Marita vred på kroppen så pass mycket att hon kom åt att knäppa av plattan. Den röda kontrollampan på spisen slocknade med en sekunds fördröjning. Edvard fann sig själv stirrande på den slocknade lampan innan det gick upp för honom att hon menade allvar. Hon skulle fara till Helsingfors med den där Britt.

183

– Vadå röra på sig? Är det nån svettig tangokavaljer som du suktar efter?

– Titta ut, sa hon och slog ut med armen, åkrar, ängar, ett skitigt bonnställe, vad mer? Jag skulle vilja se nånting annat! Komma ut, se folk, dansa och ha roligt. Kanske skratta.

– Vad ser du från en båt? Havet! Ett stort djävla hav! Hon behöver väl nån att ragga med.

– Nu är du elak. Britt har haft det svårt och det var jag som föreslog henne att följa med.

– Jaha.

– Jag frågade, du svarade. Du ville inte. Jag vill. Jag åker med Britt. Kommer det nån kavaljer så dansar jag väl. Om det är nån som vill bjuda upp, vill säga.

Hon vände sig om och knäppte på plattan igen. Det var nog den rörelsen som retade honom mest, inte orden.

– Vänd dej inte om jämt, skrek han.

– Vem lagar maten, frågade hon lugnt.

– Jag skiter i maten.

– Jaså, sa hon och knäppte av plattan igen. Då fixar du middan till pojkarna.

Det hade kommit en ton i hennes röst som han inte kände igen eller bara hade anat tidigare. Hon talade liksom på distans, från ett främmande rum. Hon talade med en beslutsamhet han inte sett där tidigare. Jag är inte rädd, intalade han sig själv, men kylan fick honom att se på henne med andra ögon, eller snarare, han såg inte på henne längre, han drog ett tjockt pansar kring sig, reducerade henne till en röst. Än sen då, tänkte han.

– Så Ramnäs duger inte längre?

– Jesses, utbrast Marita, du är makalös! För att jag vill åka till Finland? Går Ramnäs under då? Faller allt? Skiljs vi åt för evigt, bara för att jag och Britt åker bort ett par dar? Och om vi nu skulle dansa, så vad i helvete spelar det för roll!

Han reste sig sakta, tog stöd av bordet, såg på henne med en vass blick och lämnade köket. Men kom lika snabbt igen, sköt undan henne, vred på plattan och rörde någon sekund i grytan.

– Stick då för fan, sa han. Middan ordnar sig nog.

– Är Jerker där?

– Nä, vem kan jag hälsa från?

– Det va inget, sa rösten och la på.

Vem fan är det som ringer och är så otrevlig? Edvard stod med luren i handen. Det var tredje gången nu på ett par dagar. "Det va inget", då finns det ju ingen anledning att ringa. Han slängde på luren. Marita bar saker ned i källaren. Lådor. Med vad? Ibland bar hon upp lådor, men idag bar hon ner. Edvard tittade mot spisen, grytan puttrade. Känslan av främlingsskap kom över honom med förnyad kraft.

Han beslöt sig för att gå upp till Albert, prata bort en stund. Gubben hade varit försynt de senaste dagarna, inte stött med käppen i golvet eller hojtat om ärenden som skulle uträttas, nästan så att man glömt bort honom, tänkte Edvard. Han tog trappan i några få steg, sträckte på benen som för att dra ut kroppens muskler. Han kände sig torr efter badet och fick för sig att han skulle fjälla om han sträckte musklerna tillräckligt.

Albert satt och slumrade i öronlappsfåtöljen. Edvard blev stående, betraktade farfadern. Gubbens ansikte andades ro, de kraftigt förstorade blodådrorna vid tinningen och i pannan såg ovanligt livskraftiga ut i det annars så rynkiga ansiktet som i den sparsamma belysningen såg grått och insjunket ut. Det tillbakastrukna vita håret, som han omsorgsfullt kammade minst ett par gånger om dan, lyste som en silverman. Den kraftiga näsan var visserligen sned men vittnade om vilja, det hade Edvard alltid tyckt. Örnnäsan hade givit Albert en aristokratisk och myndig uppsyn. Det hade aldrig varit något tveksamt över honom, tvärtom, han hade givit ett tydligt och konsekvent intryck, en karaktär, som i ett annat sammanhang kunnat skapa stora saker, det trodde Edvard, men Albert hade förblivit svinskötare. Han hade gjort svinavel till en konst. Detta tillsammans med sina språkkunskaper och fackliga engagemang hade skapat legenden Albert Risberg, fortlevande kanske in på ett nytt sekel, ett nytt årtusende, till synes odödlig, med ett obrutet intellekt. Hans namn nämndes med respekt. Många av de yngre eller nyinflyttade i byn hade inte ens träffat honom men alla visste vem det var. Hade han levt i annan tid, i annan kultur, hade han varit schaman, det var Edvard övertygad om.

Sonen Erik och sonsonen Edvard hade på köpet fått något av Alberts glans över sig. Det hade bara givit sig så att folket i byn hade överfört Alberts egenskaper till de efterföljande generationerna, tagit för givet att avkomman stöpts i samma kraftfulla form. De hade inte kunnat undgå Alberts påverkan, trodde människorna i byn.

Edvard gick närmare för att väcka gubben, men blev stående med handen utsträckt. Han kände en stor ömhet inför anblicken av Albert. Gammelmansdoften, de slitna möblerna, de billiga trycken i sina enkla ramar, bokhyllans tyngd, käppen som stod lutad mot fåtöljen, allt fick Edvard att överväldigas av känslor. Så förändrades farfaderns ansikte, antog en ny form och Edvard tyckte sig inte bara se styrka och integritet utan även något annat i Alberts linjer. I det avslappnade ansiktet kunde han avläsa sorg och vemod. Rynkornas antal och djup bar vittnesmål om ett strävsamt liv där historien om lantarbetaren Albert Risberg rymde många bottnar. Det hade Edvard förstått redan som pojke, för varifrån kom annars den melankoli som drog som skyar över Albert? Det var tillfällen då han gått undan för farfadern när doften av svin och shagtobak blandades ut av en bittrare doft.

Edvard hade, när han blivit äldre, trott att Albert varit missnöjd med hans livs bana. Det fanns de som föreslagit honom till politiken, att han skulle utnyttja sitt förstånd och sina färdigheter för att påverka samhällsutvecklingen, för att tala för Ramnäs, för arbetarna, för klokskapet, men Albert hade alltid slagit ifrån sig. Edvard hade fått för sig att han ångrat sig, att han ändå haft en önskan att ge sig in i hetluften, ge sig ut från Ramnäs, skapa sig en tribun. Det fanns något oförlöst över farfadern och denna tvetydighet hade legat likt en oro som ibland skjutit upp sin taggiga borst.

Men faktum var att farfadern hade varit Ramnäs troget. Nej, inte Ramnäs, den här byn kunde bytas ut mot vilken annan uppländsk by som helst, vilken by som helst. Hade han kunnat blir något annat än svinskötare? Det talades om statar- och torparpojkarna som växte upp och blev män i staten, betydelsefulla män, med hela landet, hela världen som sin arena. Edvard hade läst nekrologerna. Vad han var glad att Albert aldrig blev en man i staten! Han var nu övertygad om att Albert gjort ett medvetet val i sitt liv. Han hade valt Ramnäs, det var det som gjorde honom stor.

Han gick sakta nedför trappan, höll i räcket som en gammal man, stärkt av åsynen av den sovande farfadern, stärkt av insikten om farfaderns vägval. Farfaderns oro var hans egen, slog det honom. Kunde han inte säga något, gubben? Han som levat så länge och sett så mycket. "Var rädd om Marita", hade han sagt. Skulle det vara sammanfattningen, den hälsning som han skickade med? Nej, det fanns en annan lärdom. "Var rädd om tiden", var den andra uppmaningen från Albert. Tiden, tänkte Edvard och stannade i trappan, den rusar så snabbt nu. Snart har jag pappas ålder när han dog. Skulle jag dö nu, vad skulle då meningen vara? Att jobba tjugo, trettio år på Ramnäs gård? Det var pappas mening. Ja, det blev pappas liv. Han fick inte mer. Och så en son. Jag. Sonen Edvard. Jag. En meningslös son. Nä! Skitsnack! Enrico då, som fick drygt tjugo år totalt. Meningen med hans liv? Undra vad prästen skulle säga om det? Hon hade säkert nåt, nån inövad harang. Skulle jag fråga? Aldrig!

Edvard stod länge i trappans fönster, såg ut över den svarta gårdsplanen. Alla intrycken blandades till en röra. Vad var rätt och fel? I detta mellanläge, i trappan mellan de två våningarna i det hus han levt hela sitt liv, vars doft var hans, borde han kunna formulera någon form av livsvisdom, han var dock medelålders, han var dock far till två tonårspojkar, han var dock en erfaren lantarbetare, en yrkesarbetare, han var dock son till Erik, sonson till Albert. Son och sonson! som om det vore någon patriakalisk släktkrönika! Han dunkade huvudet i väggen, tänk nu, manade han sig själv. Tänk nu! Ge upp mytologin! Analysera, du är ett medvetet kreatur, mumlade han och använde Rosanders ord. Han stirrade ut i mörkret, trappan knarrade, kved under hans tyngd.

När han väl kom tillbaka till köket, stod grytan avdragen från spisen. Spislampan var släckt och doften av vidbränt gick inte att ta miste på. Av Marita syntes inget. Han hörde henne inte heller, men grytan stod där, litet på sniskan, plattan avslagen och middagen bränd.

25

LINDELL KÖRDE SAKTA hemåt. Nu var Ricardo spårad. Han levde, vilket hon först nu kom på som en väsentlighet. Hon hade inte tagit det för givet tidigare. Det skulle kunnat ha varit ett dubbelmord. När hon tänkte på Rosander kände hon något av en triumf, att de visste mer än han trodde, att de helt enkelt rundat hans avvisande hållning med elementärt spaningsarbete. Det var en tillfredsställelse hon även hört i Lundkvists korta kommentar. Rosander trodde sig överlägsen, som om han hade tolkningsföreträde på verkligheten, men vad han misstog sig! Det var lätt för honom att sitta ute i skogen och spela världssamvete men han löste inga mord, han sopade inte upp något samhällsdamm, som en äldre kollega uttryckt det: Det är vi som får gå runt och suga upp samhällsdammet. Det var en bild som ständigt återkom i Lindells tankar, både när hon städade hemma och i polisarbetet. Hon visste inte vad hon skulle tänka om kollegans bildspråk. Damm lät inte så trevligt och det var tröstlöst att dammet tycktes uppstå av sig själv, att hon med dammsugaren förde en till synes omöjlig kamp mot tussarna under sängen.

Hon ökade farten och susade fram i landskapet, över Uppsalaslätten, i en dubbel stämning av trötthet och ilska eller var det bara höstdepressionen som brottades med hennes beslutsamhet att vara en bra polis? Hon öppnade sidofönstret och släppte in lite frisk luft. Strålkastarnas ljus sköt långt ut på åkrarna, kastade snabba blixtar in i lövdungar och över odlingsrösen, svepte över enstaka gårdar och gavlar. Hon passerade den gamla kvarnen där hon gått med Rolf. De hade älskat i den branta slänten ned mot strömfåran. Hon mindes fågeln som hon sett över hans axel, svepande över den blå himlen och i fulländningens ögonblick hade den kastat sig ned, dykt ned mot marken och försvunnit ur hennes synfält. Var det en hök, en falk, eller vad? Hon hade önskat att hon visste, hett hade hon önskat, frågat Rolf, men han hade svarat något meningslöst, ointresserad. Hon önskade att hon visste. Det skulle vara ett mer rikt minne om hon känt fågelns namn. Det var nog en hök. Det hade hon bestämt sig för, en hök. Jag vill vara en hök, tänkte hon, när hon svängde ut på E4:an. Trafiken var intensiv och hennes meditativa stämning försvann. Hon körde onödigt fort.

Telefonen ringde. Just i det ögonblicket kom hon på att hon måste ha mött Rosander, om han nu var på väg hem. Det var Haver som ringde. Han hade funderat, sa han. Vid dörrknackningen hade en kvinna, han mindes inte hennes namn och anteckningarna hade han på jobbet, hon hade sagt att det var ett ungdomsgäng som brukade samlas nere vid affären. En del av ungdomarna kanske hon kände igen men de flesta var för henne okända. Hon hade klagat på deras uppträdande. Vid ett tillfälle hade de blockerat trappan till affären och vägrat flytta på sig. Hon hade tyckt att flera av dem såg osmakliga ut.

– Osmakliga, sa Lindell frågande.

– Just så, sa hon. Jag ställde samma fråga, men då gled hon undan och svarade litet svävande, nånting om raggare och skinnskallar.

– Det var en blandning, skrattade Lindell.

– Sen drog hon på om sophämtningen, busstätheten, bokbussen och socialfallen. Då tackade vi för oss och gick, men jag tänkte, sa Haver prövande, utan att fullfölja.

Lindell anande vad han tänkte, men ville få Haver att säga det.

– Jag tänkte, tog Haver upp igen, det där med skinnskallarna, och lät den outtalade frågan hänga i luften.

– Ja, sa Lindell.

– Det kanske kan vara nåt?

– Du menar att ett ungdomsgäng slagit ihjäl Enrico?

– Nånting ditåt, eller att, och nu blev Haver än mer defensiv, att de kanske sett nåt. Om dom hänger utanför affären så ser dom folk och bilar som passerar.

– Bra idé, sa Lindell och det slog henne att hon nu berömt Haver två gånger samma dag. Vi kollar upp det i morron!

Rosander gav henne ingen ro, så istället för att åka hem svängde hon av vid rondellen och körde mot de västra stadsdelarna. När hon kom in på Lagergatan, kände hon omedelbart igen sig. Det kanske var för tre, fyra år sedan, en otäck misshandel. En drogad man som först slog sönder sin lägenhet och när ingenting fanns kvar att krossa gick vidare till sin fru och barn. Med i bilden fanns också narkotika, häleri och ett halvdussin åtalspunkter till och han hade fått fem år.

Adressen som Haver uppgivit ledde henne till ett flerfamiljshus med tre ingångar. Hon parkerade bilen ett femtiotal meter från huset och satt kvar i bilen några minuter innan hon med bestämda steg gick trottoaren fram och målmedvetet vek in på den plattlagda gången mot B-porten. Ingen portkod. Larsson, två trappor. Det doftade kryddor i uppgången, indiskt, trodde hon. Hon läste de övriga namnen på tavlan. Ingen Singh, men väl två Karlsson och en Lindström. Hon knäppte av telefonen och gick med dröjande steg uppför. Namnskylten på brevinkastet var ersatt med en smal remsa av frystejp där Larsson stod textat med barnslig stil. Inget tittöga. Det hade däremot Karlsson mitt över.

Vad gjorde hon här? Stirrade på en brun dörr. Skulle hon ringa på? I vilket ärende? Hon fnyste till, gick närmare dörren för att om möjligt höra något livstecken från Larssons, men inget hördes. Hon spelade teater, gjorde miner för sig själv, ryckte på axlarna, tog ett steg tillbaka och gick sedan sakta en trappa upp, valde dörren till höger och ringde på. Efter en stund, Lindell hörde hur någon i lägenheten mödosamt tog sig fram till dörren och fick upp den tvåfalt reglade dörren och hon skämdes, då öppnades dörren och där stod en mycket gammal man.

– Ursäkta, sa Lindel onödigt högt och nu skämdes hon ordentligt, bor det någon Jennifer här?

Mannen stirrade oförstående på henne. Rullatorn skakade när han drog den någon centimeter närmare dörren.

– Va, sa han och de av starr beslöjade ögonen blinkade.

Lindell la sin hand på mannens. Hon såg hans förvirring och ångrade sig gruvligt. Varför ringde jag inte på den andra dörren. Hon klappade handen. Sveket blev än större när hon insåg att hon kanske gjort den gamle besviken, ett besök som inte var ett besök. Varifrån fick hon namnet Jennifer? Hon tog bort sin hand, ursäktade sig och vände sig om och gick nedför trappan. Hon sneglade ilsket på Karlssons dörr när hon passerade. Vilken tönt till polis, fräste hon åt sig själv, samtidigt som hon var förvirrad över sitt egna irrationella beteende.

På parkeringen hemma låg fortfarande spridda rönnbär. Hon trampade på en klase. Hon tittade upp mot sina fönster, men de var mörka. En gång hade hon ett akvarium som lyste dygnet runt.

26

MORGONSAMLINGEN INLEDDES AV Lindell i ett rasande tempo. Allt hade gått i en förskräcklig takt denna morgon. Hon kände fortfarande hur håret var blött i nacken och smaken av tandkräm satt kvar i munnen. Hon hade sovit tungt och länge. Kaffet som hon nu sträckte sig efter var det första hon fick i sig. Hon tog en klunk och såg ut över församlingen. Alla var på plats. Hon hade inlett för att nästan genast lämna ordet vidare. Hon hade inte nämnt ett ord om Ricardo. Haver talade om sin och Nilssons bevakning av huset på Lagergatan. Haver skulle bli en riktigt bra polis, det var hon övertygad om och till och med Lundkvist iakttog uppmärksamt den unge polisassistenten, utan det sedvanliga buttra uttrycket i ansiktet. Han är en bra polis, rättade hon sig. Han hade varit ett bra tag på avdelningen nu, men omedvetet såg hon honom fortfarande som en spoling.

– Vi har också fått svar från Thailand, sa Haver ivrigt, som om han kommit på något nytt, men avbröt sig och tittade mot Lindell, som nickade. Rimberg, den semestrande kvinnan, som såg två män i skogen, är osäker, kanske att den ene är Rosander.

– Sa hon inte att det var två mörka, sköt Lundin in.

– Jo, men hon kan ju ha tagit miste och nu när hon såg fotot . . .

– Så är hon inte sämre än att hon kan ändra sej, la Riis till.

– Just det, sa Haver och såg upp. Hon är tydligen flexibel och kan ändra sig. Det tycker jag är en bra egenskap.

Ironin i hans röst fick Lundkvist att le.

– Men när det gäller vittnen är det mindre bra, sa Riis surt.

Fredriksson hade besökt bygdegården med teknikerna, för att eventuellt säkra några spår efter det förmodade inbrottet, men kammat noll. Det hade varit så många i bygdegården den senaste månaden så det var också tveksamt om värdet på eventuella fynd, menade han. Det var Lindell som hade propsat på undersökningen men hon tog inte hans ord som någon kritik utan log godmodigt när han avslutat sin korta rapport.

– Den här Larsson på Lagergatan, har vi nåt på honom? Kan du kolla det?

Fredriksson nickade.

– Haver, du hörde nåt vid dörrknackningen?

Haver drog sin berättelse igen.

– Kvinnan heter Aina Wisberg och jag tänkte ringa henne så fort som möjligt.

Lundkvist satt helt tyst. Lindell sökte hans blick, men han satt med huvudet böjt ned mot bordsskivan. En diskussion, eller snarare spekulation, utbröt om vad Wisbergs påpekande om ungdomsgänget vid affären kunde ha för betydelse. Lundin var den mest optimistiske. Han vill så snabbt som möjligt avsluta samlingen, tänkte Lindell elakt, och skura knoppar och dörrhandtag. Nilsson, som sett ovanligt trött ut hela morgonen, var den pessimistiske. Lindells uppfattning låg någonstans mitt i mellan.

De bröt upp under tystnad, var och en drog sig tillbaka till sitt. Idéerna var prövade, uppgifterna fördelade och nu fanns bara ett hopp om att något korn skulle visa sig blänka till. Det kändes inte helt lätt, det fanns inte så många trådar att dra i. Tipsen från allmänheten var få. Fredriksson hade sorterat dem i tre olika högar. Den största skulle sannolikt aldrig gås igenom mer men arkiveras så länge mordet förblev outrett. Mellanhögen, en handfull lappar, kunde inte direkt avspisas som ointressanta, men fick än så länge vila. Den tredje högen, den minsta, i själva verket enbart två tips, skulle Fredriksson själv ta hand om. Det första tipset kom från en man i Ramnäs och handlade om en blå bil som stannat vid en timmerväg, cirka åttahundra meter från infarten till Lindgrens bondställe. Tipsaren, en hundägare från kyrkbyn, hade promenerat förbi i slutet av september och lagt märke till bilen. Den stod slarvigt uppkörd, tätt intill bommen som förhindrade trafik in på skogsbilsvägen. Hunden hade nosat på bilen, sa mannen. På frågan om han tittat in i kupén hade han svarat svävande, men han hade lagt märke till dekalen i bakrutan. Den gjorde reklam för en handelsträdgård just utanför Uppsala.

Det andra tipset kom från ett äldre par som plockat svamp den sista helgen i september. De hade också lagt märke till en bil, en amerikansk Van, hävdade mannen. En liten buss, sa kvinnan. Färgen hade de också haft olika uppfattning om, men de var eniga om att den hade stått inkörd i skogen strax efter bygdegården. Där fanns en liten glänta som mannen trodde hade med försvaret att göra. Därför hade han lagt märke till bilen och skojat med hustrun om spioner. När de gick närmare, vi var helt enkelt nyfikna, erkände kvinnan, så upptäckte de en man och kvinna i bilen. De hade böjt sig ned, som för att dölja sig, när det äldre paret kommit närmare. Därför hade de lagt bilnumret på minnet och vid en snabb koll hade Fredriksson konstaterat att bilens registrerade ägare var bosatt i Nacka utanför Stockholm. Bilen var en Chevrolet Astro av 91 års modell.

Skulle de nu kamma noll de närmaste två, tre dagarna, så skulle mordet bli svårlöst, det trodde Lindell. Det var kanske därför Lundkvist var så dämpad. Han hade sagt något i förbigående när de lämnade samlingsrummet. Nu får vi hoppas på den inre spaningen, hade han sagt med en syrlig ton. Han gav inte mycket för tipsen, det var uppenbart. Det gjorde inte Lindell heller men hon ville fortfarande hoppas. Kanske Eva-Lena Vitros kunde bidra med något.

Vitrosen såg blek ut när hon kom. Den högra kinden var ordentligt uppsvälld. Lindell trodde för ett ögonblick att hon blivit misshandlad, innan hon kom ihåg Vitrosens tandplågor. Det syntes att hon inte fått någon fullgod sömn. Hon klagade också på värken. Lindell tyckte plötsligt synd om henne, inte för tänderna skull, men hon hade förlorat en älskare, en ung man som gav henne kärlek, som hon rimligen måste ha förstått att hon skulle förlora förr eller senare, men inte på det viset. Hade han gått efter någon månad eller två så hade hon väl kunnat tagit det. Det skilde ändock tjugo år mellan henne och Enrico, men så här, när deras kärlek var som ömmast, hetast, mest spännande, så måste det vara smärtsamt.

Det var vad Lindell också sa. Efter det att Vitros slagit sig ned, så beklagade Lindell henne, la sin hand på hennes axel och förklarade hur intensivt hon önskade att detta mord reddes ut. Helt oväntat föll Vitrosen i gråt, en stilla gråt, med tårar som rann över den uppsvällda kinden. Om det berodde på tröttheten eller om det var en försenad reaktion, som nu sprang fram, var Lindell osäker på. Hon behöll sin hand på Vitrosens axel. Lindell kunde förnimma en svag doft av parfym. Efter någon halv minut kände hon hur Vitrosens muskler spändes och Lindell tog handen från axeln, rundade skrivbordet och slog sig ned.

– Vill du ha litet kaffe?

Vitrosen skakade på huvudet.

– Jag går som i en dimma, sa hon, jag kan inte fatta att det är sant. Enrico var den finaste människa jag träffat, så ömsint. Det fanns inget ont i honom. Skulle han ha varit terrorist?! Han led när jag slog ihjäl en fluga med smällan!

Vitrosen snyftade. Lindell avvaktade. Hon ville egentligen inte höra mer. Hon kunde väl ana hur de haft det, hur Vitrosens känslor såg ut, men hon höll tyst.

– Han var så ung!

Vitrosens ord kom som ett dämpat skri.

– Erik såg honom som en son. Han haðe ju varit i Latinamerika och bar på nån slags patetisk dröm om revolutionen, om gerillan och campesinos, ja jag vet inte allt. Fast han gillade inte Fidel Castro, konstigt nog.

Hon tystnade hastigt, såg på Lindell.

– Det var inte honom vi skulle prata om, men jag fick till en början mammarollen när Erik var pappan. Enrico kom till mej allt oftare. Under ytan fanns så mycket sorg och elände. Ricardo hade det lättare, han var strängare, allvarligare som storebror. Han kunde leva ut sin sorg. Enrico, som skulle vara den glade och sorgfrie, han fick föra sin kamp dolt och tyst. Han kom till mej, naken och skör.

Vitrosen ansikte drogs samman. Hon snyftade. Skör var ett av de värsta ord Lindell kände till, men hon lutade sig fram över skrivbordet, som för att trösta, då Vitrosen fortsatte.

– Jag är övertygad om att han inte hade något otalt med någon. Han retade ingen heller, sa aldrig något hårt eller utmanande. Hade det varit Ricardo dom slagit ihjäl hade jag förstått det bättre, men inte Enrico, han hade ju ingen som ville se honom försvinna.

– Du var tillsammans med Erik Rosander när bröderna kom till byn?

– Ja, vi är särbos, sen ett år. Det är inte officiellt, det pratas så mycket ändå i byn. Erik är sällan hos mej, utan jag far upp till honom.

Lindell noterade att Vitrosen fortfarande betraktade dem som ett par.

– Hur tog han det att du började träffa Enrico?

– Han visste inget, tror jag. Han sa i alla fall ingenting.

– Hur kändes det?

Vitrosens slog ned blicken.

– Jag skulle göra slut, men så försvann Enrico. Jag skulle göra slut, men jag kunde inte och nu behöver vi nog varandra, ett tag.

– Är du säker på att Rosander inte kände till ert förhållande.

– Han sa ingenting, upprepade Vitrosen.

– Inga antydningar? Små pikar, eller så. Karlar är ju bra på sånt.

– Nä, sa Vitrosen tankfullt, nä, han är en stillsam man på sätt och vis, tystlåten när det gäller mycket, hemlighetsfull, tyckte jag i början. Utom när det gäller fjärilar och politiken, det är hans käpphästar.

Hon tystnade och såg på Lindell.

– Du tror att Erik dödade Enrico?

Frågan blev hängande i luften för några sekunder. Lindell lät bli att svara. Hon lutade sig bakåt i stolen. Vitrosen måste väl ha riktat den frågan till sig själv, tänkte hon, eller är hon så omedveten, så uppfylld av sorgen, att hon inte kunde se den möjligheten.

– Har du inte prövat den tanken själv, sa hon.

– Vet ni nånting som inte jag vet?!

– Det gör vi säkert, men ingenting som talar för att Rosander tog livet av Enrico, men vi måste tänka på alla alternativ.

– Har ni tänkt på att jag skulle kunna ha dödat honom?

Det slog Lindell att hon aldrig hittills under utredningen trott på Vitrosen som en dråpare.

– Jo, självfallet har vi också tänkt på det. Vi måste, som sagt, prova alla möjligheter. Det är så vi jobbar.

Hon hörde själv hur töntigt det lät och försökte släta över.

– Jag grips lika hårt, trots att jag är polis. Många tror att vi poliser är totalt känslokalla. Du har förlorat en kär och det kan vi aldrig ersätta men vi kan dela din upprördhet, din sorg.

Vitrosen såg på Lindell, som hon utforskade polisens väsen, värderade hennes ord.

– Det är en annan sak, bytte Lindell ämne, vi har en rapport om ett inbrott i bygdegården. Har du hört om det?

– Alice sa nåt.

– Hon ringde oss först nu. Ingenting var ju stulet. Det enda som hade hänt var att inbrottstjuven druckit en kopp te. Kan det ha varit Enrico?

– Enrico? Varför det? Han kunde ju komma in till mej och dricka te, sa Vitrosen oförstående.

– Jo, det är klart, men om han var jagad och höll sig gömd där ett tag, för att se ... Du hörde ingenting eller att du märkte något?

Vitrosen skakade på huvudet.

När Eva-Lena Vitros lämnat henne, satt Lindell kvar. Hon drog åt sig anteckningsblocket och kom direkt ihåg att hon glömt att fråga henne en sak. Det där med ringen, som Edvard Risberg undrat över, det skulle hon ha kollat med Vitrosen.

Hon reste sig sakta, gick fram till fönstret. Rolf, sa hon halvt hörbart och lutade pannan mot den svala rutan.

Hon var inte medveten om hur länge hon stod i fönstret, men väcktes till medvetande av en försiktig knackning på dörren.

– Kom in, ropade hon och vände sig om.

Det var Lundkvist.

– Har du gjort illa dej, frågade han.

– Nä, hur så?

– Du har ett märke i pannan.

Hon förde handen mot pannan och kände svalkan.

– Jag lutade mej mot fönstret, sa hon och kände sig ertappad.

– Jag har en sak, sa han och slog sig ned i besöksstolen. Det handlar om Ricardo, som du vänslades med i går.

Lindell gjorde en ansats att avbryta honom men hejdades av en rörelse från kollegan.

– Du minns misshandelshistorien i Flemingsberg? Som Fredriksson tog fram, som Säk läckte?

Lindell nickade.

– Där en peruan slogs sönder och samman men ingen anmälan gjordes, trots att Stockholmskollegerna kände till det. Jag minns. Fredriksson trodde det var en informatör som spöades upp.

– Det tror jag med, sa Lundkvist torrt. Jag tror dessutom att Ricardo var inblandad, kanske också Enrico.

Vitrosens ord om att Enrico led när hon slog ihjäl flugor kom för Lindell.

– Du menar att dom var delaktiga?

Lundkvist nickade och slängde fram en mapp.

– Säks utredning, sa han. Läs den. Vi kanske måste ta in Ricardo ändå.

– Varför det? För ett brott som officiellt inte har begåtts.

Lindells irritation, som funnits där hela tiden sen Lundkvist steg in genom dörren, blommade ut.

– Var det en spion så kanske han förtjänade en orre, sa hon och använde oväntat ett av faderns uttryck.

– Det var ingen orre, det var en ordentlig misshandel. Du såg väl bilderna?

– Jag såg bilderna.

– Det visar i alla fall att bröderna var våldsbenägna.

– Jag tror inte det, i alla fall inte Enrico.

– Enrico är död. Vi letar efter den som tog livet av honom.

Lundkvist lakoniska kommentar var så fylld av ironi att det nästan var mer än hon kunde tåla, behövde tåla, men hon höll masken. Hon förstod vart han ville komma, men kunde han inte säga det i en normal, vänlig ton? Var hade den känsla tagit vägen, av om inte förtrolighet, så ändå samförstånd, som växt fram de senaste dagarna? Plötsligt ångrade hon att hon ringt till Lundkvist kvällen innan och berättat om Ricardo.

– Jag vet att vi letar efter en mördare. Varifrån kommer dina mappar? Är det dina gamla vapenbröderna på Säk som pumpar in informationer.

Hennes röst var amper. Att hon varit så blåögd! Självfallet hade han sina gamla kontakter kvar. Lundkvist reste sig.

– Läs rapporten, sa han tungt, som om han var trött på allting eller snarare som om han var trött på att behöva tjata om detta mord med Lindell.

Lindell sa ingenting utan stirrade bara efter honom, när han sakta stängde dörren efter sig.

Hon läste rapporten omedelbart, fyra sidor, som kortfattat behandlade bakgrunden, själva misshandeln och de slutsatser Stockholmspolisen kommit fram till. Den misshandlade hade, efter viss tvekan, berättat vilka som han trodde genomfört misshandeln. En landsman, bosatt i Haninge, var namngiven. Han var en av Sendero Luminosos ledande aktivister i Sverige. Sedan var det tre till, en som informatören var relativt säker på, en ung aktivist, bror till en tidigare utvisad och så var det de två övriga som deltagit i misshandeln. Här var han osäker. Han trodde sig kunna säga att de båda var bröder, men hade aldrig sett dem förut. Efter att ha bläddrat en stund i kollegernas album hade han pekat ut Ricardo och Enrico Mendoza.

Tunt, tyckte Lindell efter genomläsningen. Hon tittade på fotot där den misshandlade visade upp betydande ansiktsskador. Dessutom hade han fått en spark på höger ben som spräckt knäskålen. Inga vapen eller tillhyggen hade förekommit. Ingenting sas i rapporten om anledningen till misshandeln men Lindell kunde ana motivet. Han kanske förtjänade det, tänkte hon snabbt, men slog bort tankarna. Ingen förtjänade att bli slagen på det här viset. Men han var informatör, kanske provokatör, vad vet man som vanlig cykelpolis. Hur mycket vet Lundkvist som han inte talar om för mig? Jag leder ju faktiskt utredningen, sa hon halvhögt och slog handflatan mot Lundkvist mapp.

Hon erinrade sig Ricardos berättelse om attacken på godsägaren och hans familj. Så mycket våld. Kan det gå i arv? Nä, sluta nu! Vem vet hur du skulle fara fram om du blev behandlad som en lus. Skulle hon döma ett halvdussin fattiga lantarbetare i Anderna för att de slog ihjäl en plågoande? Men barnen? Till och med hundarna.

Men om han var informatör? För Ricardo och hans vänner måste det vara som ett krig där alla medel är tillåtna, och vad ska man säga om en som förråder sina landsmän? Hade Säk köpt honom, hotat honom eller lovat en bra behandling, kanske lovat att behandla några släktingars visumansökningar på ett snabbt och positivt sätt? Vad vet man?

Lindell beslöt sig för att lämna rapporten och Flemingsberg åt sidan. Även om Ricardo hade varit delaktig och kanske också Enrico så påverkade det rimligtvis inte utredningen. Om det nu inte var en hämnd?! Där kanske vi har ett motiv: informatören letar upp sina antagonister och tar livet av dem, en efter en. Vilken eländig tanke!

Hon for upp och greppade telefonen. Det här var något för Fredriksson. Lindell beslöt sig för att inte bry sig om Lundkvist. I alla fall inte just nu.

Lindell blev stående med telefonluren i handen. Jag kan gå till hans rum lika gärna, tänkte hon och la sömngångaraktigt på luren. Hon gillade inte det här, att inte ha kontroll, att inte kunna gå på djupet och veta: längre än så här kommer vi inte. Nu fanns där en faktor som hon aldrig så konkret i en utredning tidigare stött på. Säkerhetspolisen. De Hemlighetsfulla Kollegerna i filttofflor. Hon erinrade sig Lundins skämt om att de vände kepsen bak och fram så att ingen skulle förstå om de var på väg in eller på väg ut ur ett rum. Trots att de hade något av ett löjets skimmer över sig kunde Säk leva på det faktum att de ändå ruvade på hemligheter som det inte var alla beviljat att få ta del av. Det retade henne. Hon kände dragningen, lockelsen till det fördolda, frimureriet, blandat med ett förakt för deras pseudoverksamhet. Där fanns nyfikenheten blandad med frustrationen att stå utanför.

Nu jobbade hon delvis på Säks villkor. De släppte information som det behagade. Kanske hade de till och med nyckeln till mordets lösning, utan att de själva var medvetna om det. Skulle hon prata med Ottosson, nej, det hjälpte inte att gå ett pinnhål högre. Inte än.

Så var det Lundkvist, vars buttra egenskaper, hans brist på

tillmötesgående, nu kom i ett annat ljus. Han kom från Säk. Han kanske var arbetsskadad, ovillig att släppa någon in på livet. Han gav sken av att veta mer. Känslan av illojalitet störde Lindell. Plötsligt förstod hon bättre Rosanders ilska över att vara registrerad. I debatten den senaste tiden hade hon tyckt kritikerna av IB och Säk varit patetiska, överkänsliga. Hade de givit sig in i leken, fick de leken tåla, som någon i fikarummet hade uttryckt det. Många av de som nu hojtade som värst hade ju faktiskt på dagordningen att störta samhället över ända, då fick de väl finna sig i att bli synade. Men att Säk fortfarande höll koll på en sån som Rosander var häpnadsväckande. De visste vilka tidskrifter han prenumererade på, att han var medlem i Naturskyddsföreningen! Vad visste de mer? Var Rosander en säkerhetsrisk? Vad höll han på med där uppe på berget? Förberedde han terrorattacker? Hon hade svårt att tro att fjärilsexperten tillverkade brevbomber. Han var en flyktinggömmare, helt enkelt. Vitrosen hade väl också en akt på Säk. Kanske var det fler i byn. Biodlaren, för att han hade bistått Vitrosen? Biodlaren hade antytt att han vid ett tillfälle lånat sin granne några tusenlappar när hennes verksamhet inte gick så bra. Han hade fått tillbaka pengarna med råge, var han mån om att poängtera. Men det kunde väl inte Säk veta, när inte ens Alice hade fått reda på det?

Hade de en mapp om Edvard Risberg för att han besökte Rosander? Vilka tidskrifter prenumererade Edvard på? Hade han vapen? Hon hade ett svagt minne av att han pratat om jakt. Alltså: Edvard Risberg var en vapenägare som hade kontakt med en misstänkt samhällsomstörtare som redan 1968 hade kastat sten i Paris, som då stod på randen till revolution, och året innan hade viftat med en träpinne mot en polishäst vid en olaglig demonstration, när de laglydiga medborgarna ägnade sig åt julhandel, och som i sin tur hade kontakter med terrorgrupper med internationell anknytning vars främsta kännetecken var hat mot samhällsordningen och besinningslösa mord. Då blev Edvards prenumeration på Svensk Jakt intressant. Med tanke på innehållet i Rosanders akt så skulle ingenting förvåna henne. Hon hade fascinerats av detaljrikedomen i säkerhetspolisens anteckningar och de rätt så halsbrytande slutsatser som skymtade fram mellan de annars så torra och sakliga noteringarna. Hon skulle vilja tala med Rosander om hans akt, stämma av den mot verkligheten, men insåg det omöjliga.

Hon grep efter telefonen igen. Skulle hon prata med Lundkvist? Kanske han ... Nej, aldrig! Inte Lundkvist.

27

Fredriksson nöp sig i näsan med vänster tumme och pekfinger. Han sökte med andra handens pekfinger nedför raden av "Trädgårdar, plantskolor" och fann i slutet på uppräkningen den han sökte. Han kände inte till företaget, bodde själv i lägenhet och hade egentligen aldrig haft ett ärende till en plantskola.

Han fick svar direkt, på första signalen. Trädgårdsmästaren, som lät trött och rosslig på rösten, tycktes vara van att svara på frågor. Att det var polisen som frågade tycktes inte göra någon skillnad.

– Ja, jag har tryckt upp en sån dekal. Det är ett par år sedan.

– Känner du nån med en blå personbil, som kan tänkas ha din dekal på bakrutan?

Trädgårdsmästaren blev tyst. Fredriksson hörde hur han fick en hostattack.

– Nä, inte som jag kan komma på direkt. Inte i bekantskapskretsen i alla fall. Kanske nån kund, som jag lyckats lura på en dekal.

– Finns det nån i Ramnäs som skulle kunna vara aktuell?

– Det handlar om mordet på den där flyktingen?

Fredriksson svarade jakande.

– Jag vet att jag har kunder från Ramnäs, men om nån av dom har en blå bil, det vet jag inte. Det finns i alla fall ingen med anknytning till trädgården som bor i Ramnäs, sa trädgårdsmästaren, när han hämtat sig efter en handfull nysningar.

Fredriksson tackade, önskade ett snabbt tillfrisknande, drog den vanliga harangen "om du kommer på något . . . ", gav sitt telefonnummer och la på. Han lutade sig bakåt i stolen, satte upp fötterna på den utdragna skrivbordslådan.

Skulle de ta en ny runda i byn, kolla upp vilka som hade en blå bil och eventuellt en dekal på bakrutan? Men troligen var det någon utsocknes som ställt bilen vid bommen. Fredriksson var så gott som säker. Det mest troliga var väl att bilen tillhörde en oskyldig svampplockare.

Den andra bilen var lättare. Där hade de en ägare, bosatt i Nacka. Chevrolet Astro, hur såg en sån ut? Fredriksson försökte föreställa sig, men lyckades inget vidare. Bilar var inte hans starka sida.

Han möttes av en telefonsvarare, en barnröst som uppgav att det gick bra att ringa ett mobilnummer. Fredriksson talade in ett meddelande och slog sedan omedelbart mobilnumret. Molander, som bilägaren hette, svarade lika snabbt som trädgårdsmästaren. Fredriksson hörde buller i bakgrunden, ett våldsamt liv.

– Ursäkta, sa mannen, dom för lite oväsen här.

Fredriksson tyckte att det lät som om hela Nacka höll på att rämna mitt itu.

– Stäng av, hörde han Molander skrika, för att sedan återuppta samtalet. Du får ursäkta. Var det polisen?

Fredriksson berättade att Molanders bil varit synlig i Ramnäs i slutet av september och nu undrade han varför.

– Vad har du med det att göra?

– Det gäller en utredning. Ett mord, la han till lakoniskt.

– O fan!

Just det, tänkte Fredriksson.

– Vi plockade lingon. Tanten är från Ramnäs. Vi åker upp varje höst. Lingon är det bästa jag vet. I år plockade vi trettiosex liter. Ungarna får litet också.

Orden kom i snabb takt. Molander var van att prata i mobiltelefon, van att agera snabbt, fick Fredriksson för sig.

– Vad är det som bullrar, frågade han.

– Vi river Slottet, sa mannen, nä, jag skojar, det är en rivning på Söder.

– Kan din fru bekräfta lingonplocket?

– Ja, om hon inte fått demens nu på förmiddan. Du kan ju

202

annars komma hem och räkna burkarna. Vem är det som är mördad?

– En flykting, svarade Fredriksson.

– Det läste jag om, sa Molander, men ring frugan du!

Bullret i bakgrunden ökade i styrka igen och de avslutade samtalet.

Han ringde Molanders fru, som jobbade på en catering-firma. Hon var mycket riktigt född i Ramnäs, för femtiosex år sedan, hade ingen släkt kvar i byn, men barndomens sko-gar åkte hon till varje höst. Han blev sittande med anteck-ningsblocket i handen. Det kändes uppfriskande att ha pra-tat med rivningsentrepenören och hans fru. Folk som levde, som inte slog ihjäl varandra. Molander slog ihjäl gamla hus, säkert med liv och lust och till ett öronbedövande larm, medan frun skar sallad och tomater med samma frenesi. Trettiosex liter lingon, ungarna fick nog en hel del. Lingon är ju gott till så mycket, tänkte Fredriksson.

Han avbröts i sina tankar av Lindell. Hon slog igen dör-ren efter sig. Skulle han prata lingon med henne? Nä, hon kanske har lingonen, tänkte han och log hastigt.

– Har jag missat något?

– Nänä, sa Fredriksson och nöp sig i näsan. Jag tänkte bara
. . .

Han redogjorde för sina samtal. Båda gjorde bedömningen att stockholmarens berättelse var trovärdig. Den blå bilen måste de gå vidare med. Det var tunt, men det fanns inte mycket att hoppas på.

– Jag vet, sa Lindell hastigt. Vi pratar med biodlarn och hans fru, killen som har bilverkstan alldeles i närheten, Lith tror jag dom heter och ICA-handlaren. Är det några i byn som känner till om det finns en blå bil med dekal i omgiv-ningen, då är det dom.

Lindell redogjorde för sina funderingar om Säk. Kanske det fanns ett motiv i deras papper, någon intern uppgörelse mellan peruaner. Fredriksson var tveksam. Varför ha ihjäl Enrico då, men inte brodern? Den som var identifierad i misshandelshistorien, det var tydligen en höjdare inom den landsflyktiga gruppen, varför inte ta honom först? Lindell höll med, men menade ändå att det måste kollas. Att Fred-riksson skulle göra det var givet. Han hade haft kontakt med

Stockholmskollegerna tidigare. Lindell trodde också att hans timida sätt kunde bidra till att göra de hemliga kollegerna mer språksamma. Själv skulle hon inte kunna dölja sin fördomsfulla och kritiska inställning.

– Vi åker till Ramnäs om en halvtimme, sa hon i dörren, uppiggad av samtalet med Fredriksson. Då kan vi kolla kvinnan som klagade på raggare och skinnskallar också.

Fredriksson och Lindell beslöt att ta en annan väg till Ramnäs än de brukade. Nu kom de norrifrån, längs en väg ingen av dem åkt på tidigare. Den smala grusvägen slingrade sig fram genom landskapet. Ett lätt dis låg kvar i de låglänta partierna. Oxelbären lyste utmanande röda, de varmgula björklöven lyste likt facklor i skogsbrynen. Det syntes som om odlingsrösena sjunkit ned i de nyplöjda åkrarna, dragit slån och sly som en vinterpäls över sina lavgråa kroppar, bäddat in sig. En ensam hare stod blickstilla på ett fält, spanande.

– En fjällvråk, sa plötsligt Fredriksson och pekade mot en ljus stor fågel som satt likt en staty i en rönn.

– Vad gör den här?

– Antingen är den på väg söderut, eller så ska den stanna för vintern.

– Jaha, sa Lindell och lutade sig framåt, för att se bättre. Vad ljus den är.

– Dom häckar aldrig här nere, men några stannar.

Hon körde sakta, för hon förstod att för Fredriksson var den viktig. Det är märkligt, tänkte hon, vilka kunskaper människan besitter. Hon såg ut över fältet. Haren hade försvunnit. Inte ett enda hus syntes. Vad tyckte Enrico om det här landet? Hon hade problem att läsa landskapet, hur mycket skulle då en invandrad peruan förstå?

Familjen Lith satt i köket när de två poliserna knackade på. De avböjde kaffe, men slog sig ned vid bordet. Agne Lith plirade nyfiket på Lindell.

– Det är du som är bas, sa han.

– Jag är spaningsledare, om det är det du menar, men egentligen är det åklagaren som är förundersökningsledare.

Agne nickade och såg på sin fru.

– Barbro trodde inte att det fanns kvinnliga chefer på polisen.

Fredriksson hörde roat på, nöp sig i näsan och inledde. Litharna såg genuint intresserade och samarbetsvilliga ut. Lindell tyckte sig se hur de riktigt ansträngde sig för att ha något substantiellt att komma med. Vartefter samtalet fortlöpte växte en slags besvikelse fram, framförallt hos Agne.

– Man kan ju inte veta allt, sa han kort när inbrottet kom upp och det visade sig att de inte ens kände till det, än mindre vem som kunde ligga bakom det fridfulla intrånget.

Några ungdomsgäng, som Anna Wisberg hade talat om, hade de inte sett till.

– Tonåringarna har väl alltid stått och hängt nere vid affären, sa Barbro, och några skinnskallar har vi då rakt inte. Det skulle man se direkt, eller har du sett några?

Sören Lith skakade på huvudet.

– Det ska vara Appelgren då, sa han.

Agne flinade.

– Han är åttiofem och har varit skinnskalle i säkert trettio. Han var en tidig skinnskalle, en föregångare. Om han är rasist vet jag inte.

Lindell kunde inte låta bli att skratta. Agne såg genast mer belåten ut. Fredriksson såg på sin kollega. Det var längesen, tänkte han.

– Nä, utbrast Agne Lith, i den här byn har vi hållt sams, i alla tider. Byn är fredlig, slog han fast.

Triumfen i hans röst fick Lindell att associera till Lindgrenarna, hur hon suttit i deras illaluktande kök och hört deras vämjeliga prat. Liths var trevligare, klokare och det luktade inte illa, men grunden i deras analyser var förvillande lika. Byn som en enhet, en utpost mot det övriga samhällets käbbel och våld. Här i Ramnäs är vi normala, sansade, att lita på. Det är dom andra, tycktes både Lith och Lindgren säga, det är dom andra som ställer till djävulskap.

– Känner ni till Yggla Trädgård? frågade Fredriksson.

– Javisst, sa Barbro, det är där vi köper våra plantor. Hur så?

– Dom har en bildekal, så här stor, sa Fredriksson och måttade med händerna. Har ni sett den på någon liten blå bil, som har varit synlig i byn?

Litharna såg på varandra.

– Vilket märke?

205

– Det vet vi inte, en liten familjebil, inte så gammal. Det är allt vi vet.

– Liten blå bil . . .

Agne Lith gick i tankarna igenom byns blå bilar. Han var som en dator som tuggade igenom listan med bilar. Det blev två träffar.

– Den ena har Rubensson. Han bor i kyrkbyn, det är en Mazda. Den andra kör en kärring, vad heter han som blev allergisk? frågade han och vände sig till sin fru.

– Du menar Klot-Nisses grabb?

– Just! Hans tjej kör en Opel, en blåaktig Opel.

– Rubensson är ingen mördare, så mycket vet jag. Han är frimicklare och kan knappt stava till synd, än mindre mord. Klot-Nisses bor uppe vid avfarten mot E4:an, precis i kurvan, ett gult hus. Det står en ful väderkvarn på ett brunnslock.

Hade de tur skulle bilen stå väl synlig, det trodde Agne Lith att den gjorde. Mycket riktigt. Utanför ett garage, som lutade betänkligt och där de flesta eternitplattorna var bräckta, stod en blå Opel. Ingen dekal i bakrutan. Lindell kände en viss besvikelse, men också lättnad. Lättnaden kom sig av att de fortfarande kunde leva på hoppet om den blå bilen, som en utsocknes mördarbil.

De steg ur och knackade på. En ung kvinna öppnade och såg så där oförställt nyfiken ut, som bara barn annars gör. Javisst, bilen var hennes. Hon kände till trädgården men hade aldrig haft någon dekal därifrån. Nej, hon hade inte haft bilen parkerad i skogskanten för drygt en månad sedan.

– Ska jag plocka svamp så finns det bättre ställen och för övrigt så tål inte min man svamp, sa hon.

När de lämnade huset synade Fredriksson Opelns bakruta litet närmare. Ingenting fanns som tydde på att det där suttit en dekal.

Rubensson, frimicklaren med den andra blå bilen, fick de kontakt med på mobiltelefon. Lika dålig utdelning som hos Klot-Nisses. Han kände inte ens till trädgårdsföretaget och lät uppriktigt förvånad att han överhuvudtaget kunde misstänkas att ha rört sig i samma marker där en människa bragts om livet. Trots Lindells försäkran om att ingen misstanke riktats mot Rubensson, så fortsatte han att bedyra sin oskuld.

– Man ska inte ringa till folk, sa Lindell, när hon äntligen kunnat avsluta samtalet. Det blir bara missförstånd.

Färden gick nu vidare till ICA-handeln. På grusplanen framför affären stod ett par bilar parkerade och en cykel stod lutat mot väggen. I övrigt syntes inget tecken på liv, inga människor, ingen trafik. Några fasadflaggor rörde sig lojt.

Axel Hauge stod bakom charkdisken och slog in några isterband när de två poliserna steg in genom dörren. Genom en spegel, sinnrikt placerad i taket, kunde handlaren hålla utkik över både kassan och ingången. Han förstod genast att detta var inga vanliga kunder.

– Var det bra så där, frågade han kvinnan på andra sidan disken, samtidigt som han diskret följde polisernas väg genom butiken.

Lindell ställde sig avvaktande vid kassan medan Fredriksson gick runt bland hyllorna. Axel Hauge blev nervös. Det fanns något hotande i hela situationen. Var det känslan av myndighetskontroll som fick honom obehaglig till mods? Alltsedan kriget och hans äldre bröders aktiviteter i motståndsrörelsen hade han en oroande känsla i kroppen när poliser var nära. Trots femtio år i det nya landet, i fred, hade han inte blivit kvitt den känslan.

När så den sista kunden var expedierad vände han sig till Lindell. Hon presenterade sig och ursäktade sig att de kom oanmälda. Hennes avslappnade sätt och vänliga ord gjorde inte Axel Hauge bättre till mods. Han kom på sig själv att falla tillbaka till norsk brytning.

– Nej, jag känner inte till någon blå bil som stämmer med det ni säger.

Lindell hade nästat väntat det svaret och gick snabbt vidare till Anna Wisbergs påståenden om ungdomsgäng som hängde framför affären. Hon fick för sig att handlaren tog det som en indirekt kritik mot honom och hans rörelse, att han genom att bedriva en offentlig verksamhet och ställa en trappa till allmänhetens förfogande medverkade till en ökad ungdomsbrottslighet och dåliga seder, för han svarade kort och avvisande.

– Det finns inga ungdomsgäng här!

– Jag menar inte kriminella gäng, utan ungdomar som samlas.

– Men skinnskallar har vi inga i byn.

Hade hon nämnt ordet skinnskalle? Hon kikade mot Fredriksson som hållit sig helt passiv. Hade hon verkligen sagt det?

– Det kan ju vara så att barn och ungdom kan se en del, som vuxna missar, försökte hon. Då måste vi kunna höra dom om iakttagelser som kanske är värdefulla.

Satans gubbtjuv, tänkte hon förbittrat. Berätta istället vilka de är!

– Det passerar många här, sa Axel Hauge och just då klev en ny kund in i butiken. Handlaren rörde oroligt på sig, nickade mot kunden, en medelålders kvinna och gjorde en avvärjande rörelse med handen, riktad mot Lindell.

– Jag träffade dina barnbarn här utanför exempelvis, sa Lindell tyst. Dom hade flera värdefulla upplysningar. Jag får väl prata med grabbarna igen.

– Det är fina pojkar!

Hauge tog ett steg närmare polisen.

– Det här med skinnskallar och nazister, bröt Fredriksson in och Hauge vände sig snabbt om. Dom gillar ju inte invandrare. Du är väl också invandrare?

Det var väl ändå ett stolpskott, tänkte Lindell och det var nära att hon brast ut i skratt.

– Norge, va, fortsatte hennes kollega obekymrat. Dom var aldrig in här och betedde sig?

ICA-handlaren stirrade på honom och skakade på huvudet, något bragt ur fattningen.

– Nä, sa han fåraktigt.

– Du är säker på att dom inte hotade dej?

– Varför skulle dom göra det? Jag ser ju ut som en svensk.

– Ja, det är sant. Det var bara en tanke. Men om det kom en svartskalle till Ramnäs hur skulle nynazisterna reagera då?

Hauge ignorerade frågan och ropade till kunden, som till synes planlöst strök omkring i affären, att han skulle komma strax.

– Du vill ha strömming, va? Hon vill alltid ha strömming, sa han tystare. Det är extrapris idag.

Mer än så fick de inte ut av byns handlare. Lindell och Fredriksson satt kvar i bilen utanför affären en stund.

– Han satte taggarna ut, sa Lindell. Det var litet oväntat. Han kände sig hotad, tror jag.

Fredriksson höll med.

– Han gillade inte att vi drog upp ungdomar och speciellt tror jag inte han gillade ditt prat om hans barnbarn, Edvard Risbergs pojkar. Där tände han till.

– Han har hört nåt eller sett nåt som han inte gillar riktigt, men ändå inte vill prata om.

– Tror du grabbarna är indragna?

– Svårt att tro, sa hon. Dom såg lite för lantliga ut.

– Lantliga, skrattade Fredriksson, snacka om fördomar!

De körde ut på vägen utan att egentligen ha bestämt fortsättningen på sin odyssé genom byn. De hade pratat om att återigen besöka biodlaren och Alice, men det kändes inte lika angeläget nu. De var övertygade om att den blå bilen inte kom från byn. Liths kunskaper på området verkade övertygande. Något nytt om inbrottet i hembygdsgården hade inte framkommit, så av den anledningen var det ingen idé att åka till biodlaren.

Plötsligt tvärnitade Lindell. Fredriksson överrumplades och kastades framåt.

– Vad är det? fick han ur sig, övertygad om att Lindell sett något djur som skulle korsa vägen.

– Nu vet jag, sa hon andlöst. Nu vet jag!

– Vadå?

Hon redogjorde för besöket hos Lindgren, fadern och de två sönerna och att hon hela tiden haft känslan av att hon sett något hos bondfamiljen som inte borde ha varit där. Nu hade hon kommit på vad det var!

– En jacka, sa hon. Det var en duffel som hängde i deras farstu. Jag hängde upp min bredvid, på en spik.

– Kan inte dom ha en duffel?

– Du har inte träffat dom! Det är som om jag skulle komma i aftonklänning till jobbet. Skulle Lindgrenarna gå i duffel, nej aldrig!

Fredriksson såg inte helt övertygad ut, men litade på Lindells omdöme.

– Vad betyder en duffel? frågade han.

– Det jävliga är att Enrico bar en duffel, sa hon och såg på Fredriksson.

Han drog upp ögonbrynen och såg på henne.

– Hur vet du det?

– Hans bror, Ricardo, berättade det, sa Lindell och la i ettans växel.

– Vad i helvete!

Fredrikssons utbrott kom helt oväntat och instinktivt tvärbromsade Lindell igen.

– Kan man aldrig få fullständiga informationer på den här satans avdelningen? Ska det behöva vara katt och råttalek om allt?!

Hans ursinne fick saliven att stänka, anletsdragen att förvridas. Aldrig hade väl Lindell kunnat ana denna reaktion, allra minst från Fredriksson, vars häftigaste känsloyttring brukade inskränka sig till några extra dragningar i näsan. De såg på varandra ett kort ögonblick. Han röd i ansiktet och hon med en stor klump i magen.

– Ursäkta, mumlade hon och tittade bort. Ursäkta, det var svagt.

– Ursvagt, sa Fredriksson. När pratade du med brodern?

Lindell berättade om sitt besök hos Rosander utan att titta en enda gång på Fredriksson. Hon stirrade rakt framför sig. Flera bilar körde om. En av dem tutade ilsket. De stod långt ut i körbanan, strax före en kurva, vilket Fredriksson påpekade. De rullade fram ett hundratal meter och blev återigen stående längs vägen, nu vid en busshållplats.

Fredrikssons ilska hade lagt sig något, men upprördheten gick inte att ta miste på när han frågade ut Lindell om detaljer. Hon skämdes oerhört och insåg att det skulle ta mycket lång tid, om det överhuvudtaget var möjligt, att reparera kollegans förtroende för henne. Hon hade betett sig klandervärt och inom sig skyllde hon på Lundkvist, att han förgiftat avdelningen med sitt hemlighetsfulla sätt och ironiska kommenterande. Han med sin bakgrund inom Säk. Han hade lockat henne att överta ett arbetssätt som höll sanningen helt eller delvis fördold, till och med för de närmaste kollegerna. Men inte kunde hon lägga skulden på Lundkvist. Det var hennes egna beslut. Hon suckade tungt.

Inget blev sagt på Lindgrens väg. Hon körde sakta, sökte efter något att säga, men förkastade allt hon kom på. Hon

210

sneglade på Fredriksson som såg helt nollställd ut. De hade fattat beslutet att åka ned till den vresige bonden och hans debila söner. Det var inte utan viss oro hon körde. Kanske de borde ha ringt efter förstärkning? De visste ingenting hur de tre skulle reagera på deras besök och frågor.

Den här gången tittade sig Lindell litet mer noggrant omkring. Ladugården såg någorlunda fräsch ut, men de övriga ekonomibyggnaderna var i behov av rödfärgning. Ett redskap, som Lindell gissade var en harv, stod nedsjunken vid en gavel, trasiga och rostiga bensinfat låg huller om buller, några ensilageförpackningar med stora revor, blockerade nästan infarten till gården. En välnärd katt försvann in under en stengrund. Betesmarken strax intill byggnaderna hade kunnat varit en vacker vy från bostadshuset, men var full av skräp. Virkesrester och annat låg utspritt bland hällar och ståtliga enar.

De parkerade och steg ur bilen, blev stående en stund på gårdsplanen. Lindell kände spänningen stiga. En gardin drogs ifrån och Lindell kände genast igen den äldre brodern, Ulrik. Erik hette den andre. Faderns namn mindes hon inte, om det överhuvudtaget blev nämnt.

– Dom hatar oss nog, sa hon tyst.

– Varför det?

– Vi kommer från stan. Vi tillhör en främmande makt.

Ytterdörren slogs upp. Det var Ulrik. Han sa ingenting utan ställde sig bara på trappan, lutade sig mot dörrkarmen, på det där litet nonchalanta sättet som Lindell hade så svårt för.

– Hej, du minns mej, va? Det här är en kollega, Fredriksson. Vi har en del funderingar.

Ulrik Lindgren såg på Lindell, lät blicken vandra över till den andre och log brett. Han sa ingenting. Han tog tag i byxlinningen och drog upp byxorna några centimeter och vände sig om in mot förstugan.

– Snuttjejen är här, skrek han. Farsan är dålig, men kom in ni, sa han, vänd mot Lindell. Det är inget dödligt i alla fall.

Lindell tittade på spikarna som satt indragna i farstuväggen men där fanns ingen duffel. På spiken där hon hängt sin jacka vid förra besöket hängde ett blåställ. Lukten i huset var densamma. Det krasade under hennes fötter. De hemvävda mattorna var så genompyrda med smuts att de hade antagit en jämngrå färg och kanterna var så styva av orenlighet att de rest sig upp och blottade en repig, smutsgul linoleummatta. Fredriksson nös. Lindell snubblade på en mattkant och höll på att falla framlänges in i Ulriks rygg. När hon för ett ögonblick kom nära honom var det som om hon överväldigats av äckel. Hans lukt var skarp och när hon tittade närmare i hans fettklibbiga huvud så upptäckte hon stora sår i hans hårbotten.

Lindgren senior låg i kökssoffan med ett rutigt täcke över sig. Vid fotändan låg en katt. Lukten i köket var densamma. Gubbens ansikte stack upp som ett kadaver ovanför täckeskanten. Han hostade till, slog upp ögonen och tittade på besökarna. Hans ögon var så matta och blicken så oklar att Lindell var osäker på om han kände igen henne.

– Snuten är här igen, sa Ulrik högt och gick fram till fadern.

Han drog upp täcket så att bara ansiktet syntes, slog efter katten som dock ignorerade honom fullständigt. Fadern hostade igen och blinkade. Lindell tyckte hans håliga orakade kinder verkade överdragna med ett mörkt mögel.

– Han borde till doktor, sa hon. Hur länge har han varit dålig?

Ulrik såg på henne med en fientlig blick.

– Vi sköter honom själva. Erik är på apoteket just nu.

– Hur länge har han legat?

Ulrik brydde sig inte om henne och gick efter ett glas vatten som han försökte få fadern att dricka genom att lyfta hans huvud och pressa glaset mot munnen, men när det mesta rann ned över hakan ställde han glaset på en pall bredvid kökssoffan.

– Har han feber?

– Jag vet inte, fräste Ulrik.

– Kan vi talas vid? Jag har några frågor, sa hon och utan att vänta på svar, fortsatte hon. Jag såg en sak här senast som jag funderade på. Det var en rock, en så kallad duffel, som hängde i farstun.

Ulrik stannade till i rörelsen, vände sig om och stirrade på henne.

– Vadå?

212

– En duffel som hängde på en spik i farstun. Var är den nu?

– Vi har aldrig haft nån sån.

– Vi vet att duffeln fanns här, sa Lindell lugnt.

Ulrik Lindgren svettades. Fadern hostade igen och uttrycket i Ulriks ansikte skiftade från frustration till öppen oro. Han sneglade på fadern som tycktes ha vaknat till igen.

– Vi har ingen duffel, upprepade han.

– Berätta, hördes en svag stämma från kökssoffan.

Ulrik böjde sig ned över fadern och Lindell kunde inte låta bli att titta på hans huvudsår.

– Snutjävlar, sa Ulrik hätskt. Nu har han blivit orolig.

Lindell såg hur fadern drog ut sin ena arm från täcket. Det såg ut att ta alla hans krafter i anspråk, för när armen låg fri slocknade blicken igen, men efter några ögonblick tittade han upp. Han tog stöd i sofflocket och reste upp överkroppen till hälften, vilade på armbågen och hotade genast att falla tillbaks, skakad av en hostattack, men lyckades hålla sig uppe.

– Pojkarna hittade den i skogen, sa han med knappt hörbar röst.

Hans andhämtning var mycket tung och Ulrik sjönk ned på knä bredvid soffan.

– Strunta i snuten, farsan, sa han vädjande och la handen över den sjukes panna. Dom fattar inte ett skit!

– Berätta, Ulrik, upprepade fadern, annars springer dom här varenda dag.

Han sjönk ned på rygg och ur hans kropp steg en utdragen suck. Den del av mannens bröstkorg som syntes under det uppdragna blixtlåset i fibertröjan var blank av svett.

– Jag ringer efter ambulans, sa Lindell och öppnade axelväskan för att ta fram telefonen.

– I helvete du gör, skrek Ulrik och for upp.

– Din far är mycket dålig och behöver läkarvård!

Ulrik tog tag i hennes arm och ruskade. Lindell såg hur Fredriksson tog ett par steg fram. Hon såg in i Ulriks uppspärrade ögon och såg rädslan.

– Okej, sa hon, jag ringer inte, men då måste du berätta om duffeln.

Han sjönk ned på en stol. Han satt så en stund, som för att

213

samla styrka, innan han började tala. Det var med en annan röst än den tidigare hetsiga. Emellanåt sneglade han åt fadern som dock blundade. Men Lindell hade en känsla av att han ändå lyssnade på sonens ord.

Ulrik och Erik hade funnit duffeln i skogen inte långt från det ställe där Enrico hittades. Den var så gott som ny och passade nästan perfekt på Erik. Den var litet kort i ärmarna, men de tänkte ha den till slängjacka när man springer över gårdsplan på vintern. Den hade legat på marken som om någon dragit den av sig och gått vidare. Det var ungefär så som Lindell också trodde att det hade utvecklat sig. Enrico sprang genom skogen, duffeln blev för tung och klumpig och han slängde den ifrån sig eller så skedde mordet där den hittades.

– Det kanske är ett mordvapen ni hittade, sa Lindell.

Ulrik såg upp. Ingenting av det barska och upprörda fanns kvar. Han såg för ett ögonblick riktigt skärpt ut, tyckte hon. Det glimmade till i hans ögon. Han hade förstått det, att Enrico kanske kvävdes med sin egen duffel.

– Var finns den nu?

– Den hamnade i pannan.

– Ni brände den?

– Vad skulle vi göra? Efter att du hade varit här förstod vi att den hade med svartingen att göra och vi ville inte bli inblandade.

– Ni har ju haft med oss att göra tidigare, sa Fredriksson.

– Just därför, fräste Ulrik. Vi litar inte på snuten. Ni vill bara åt oss.

– Den här gången är ni inblandade i ett mord, sa Lindell.

– Vi har inte gjort nåt!

– Ni har eldat upp ett utredningsmaterial. Det kan vara ett bevismaterial. Det är allvarligt nog och vad är det som säger att ni inte mördade peruanen? Ni gillar ju inte folk på era marker, allra minst utlänningar. Eller hur?

Ulrik höll tyst, sneglade mot soffan. Den gamle tittade upp och iakttog Lindell med sina feberglänsande ögonen. Han gjorde en rörelse med handen som för att få henne att komma närmare.

– Det är sant, det pojken säger. Han skulle aldrig ljuga för mej, hann han säga innan en ny hostattack kom.

214

Rodnaden på hans kinder, tillsammans med skäggstubben, fick hans ansikte att flamma och kroppen skalv till i en frossbrytning. Tydligt var att han nu gick mot en febertopp. Han riste till och det kom något vekt över hans drag. Han klippte med de tunga, magentafärgade ögonlocken och mumlade något ohörbart. Ulrik gick fram till honom igen, la handen på hans huvud, hämtade ett tygstycke indränkt med kallt vatten och baddade den heta pannan. Fadern tittade upp och Lindell kunde skymta ett tacksamt, nästan ömt, uttryck i hans ansikte.

– Vi har sagt allt vi vet, sa Ulrik och fortsatte att stryka den sjukes ansikte.

I samma ögonblick hördes en bil närma sig.

– Det är väl din bror, sa Lindell. Då kan han stanna kvar hos er pappa så får du visa oss var ni hittade duffeln.

Ulrik Lindgren gick med bestämda kliv genom skogen. Lindell och Fredriksson följde efter på några meters avstånd. Liksom förra gången hon besökte skogen uppfylldes hon av dofterna. Kontrasten mellan Lindgrens kök och skogen blev så påtaglig att hon, trots att en människa blivit mördad här, kände glädje att få sätta ned fötterna i den mjuka mossan och fånga in den tunga doften av växtdelar som multnat och från de aromatiska bladen av växter hon endast kände till utseendet. Det gjorde inget att fukten slog igenom hennes skor.

Ingenting blev sagt förrän de kom fram till en liten öppning i skogen. En stor, mossig sten dominerade gläntan.

– Det var här som vi hittade jackan, sa Ulrik och tänkte gå in i gläntan, men Lindell la sin hand på hans arm.

– Peka istället, sa hon. Vi ska låta teknikerna undersöka hela gläntan. Varifrån kom ni?

Ulrik pekade och förklarade. Det syntes som om den friska luften också bekom honom väl. Han talade ledigare och såg på henne utan ovilja.

Fredriksson och Ulrik startade återmarschen till Lindgrens för att därifrån fungera som vägvisare för teknikerna. Lindell bestämde sig för att stanna kvar i skogen och slog sig ned på en halvt murken stubbe. Hon såg ut över gläntan, vars yta kanske var trehundra kvadratmeter. Bumlingen i centrum låg som ett av mossa begravt kutryggigt troll. Men den kunde lika bra ses som en offersten, ett altare, där Enrico prisgivits åt krafter han säkert inte kunnat förstå. Det var rasister som kvävt honom! Det blev Lindell alltmer övertygad om. Var det Ulrik och hans bror? I så fall saknade gläntan betydelse, för visserligen var Ulrik korkad, men inte så att han skulle leda dem till platsen för brottet. Fann de nu spår av strid så skulle det frita bröderna från misstankar, inte tekniskt, inte teoretiskt, men väl praktiskt, det var Lindells uppfattning. Hon trodde att Ulrik och Erik var oskyldiga. Fadern trodde det och det fanns något i scenen i deras kök som ledde henne till den slutsatsen. Det skulle inte hålla för en saklig analys i och med att det helt byggde på känsla, men hon kände sig nu mer hoppfull än på länge. Undra var Fredriksson dragit för slutsats? Hon var glad att det var han och inte Lundkvist som följt med till Lindgrenarna.

En fågel kom flygande. Den svirrade runt bland grenverket i gläntans kant innan den satte sig på en torkad blomställning där den vajade fram och tillbaka medan den pickade i sig frön. Den ivriga fågeln for från blomkorg till blomkorg, skapade för ett tag pendlar som slog i otakt. Lindell kände hur fukten från stubben nu trängde genom byxorna och kylde ned hennes skinkor, men hon ville inte röra sig så länge fågeln var kvar.

Så flög den, lika snabbt som den dykt upp och Lindell reste sig, borstade av byxorna och kände helt plötsligt saknaden efter sällskap, efter Rolf. Fågelns flykt hade väckt hennes minnen. Dofterna som låg tunga över de vattensjuka partierna, mossornas mjukhet, fick henne att associera till deras utflykter i bärskogarna. En gång hade de till och med plockat tranbär under snön, något hon aldrig gjort förr eller senare. Efteråt hade de gått på bio och sedan hem till honom.

Fredriksson och Ulrik kom efter drygt en timme med teknikerna i släptåg. Lindell hörde dem på långt håll och stoppade ned sitt anteckningsblock.

Systematiskt gick Ryde och Larsson, tillsammans med en ung man de presenterade som praktikant, igenom gläntan, kvadratcentimeter för kvadratcentimeter. På den plats där Ulrik påstod sig ha funnit duffeln stannade de extra länge.

Lindell hade alltid varit mån om teknikerna, berömt dem och tagit dem i försvar mot kollegernas ibland orättvisa kri-

216

tik. Ryde ansåg hon var den bäste, alltid samarbetsvillig, resonabel och helt i avsaknad av prestige. Han var i femtioårsåldern och hade han varit ett dussintal år yngre hade Lindell inte bara varit yrkesmässigt intresserad av hans färdigheter.

Efter ett tag ropade han på henne och Fredriksson. Tillsammans i en cirkel satte de sig på huk. Teknikern hade lyft undan litet av mossan och där låg, insjunken i förnan, en nyckelknippa. "Vad är det", hörde hon Ulrik ropa.

– Bra jobbat, sa Lindell med eftertryck och såg på Ryde med en näst intill kärleksfull blick. Här har vi nåt! Det är inte Enricos nycklar, det är jag bombis på!

Hon reste sig upp.

– Det är inte Enricos nycklar, upprepade hon. Varför skulle han ha så många nycklar.

Fredriksson såg också påtagligt nöjd ut, men så slog det honom att det kanske var bröderna Lindgrens knippa. Det såg ut som Lindell i samma ögonblick kom på samma sak, för hon vände sig hastigt om och såg mot Ulrik, som fortfarande stod i gläntans utkant och såg otålig ut.

Ryde fortsatte att snoka i mossan, medan Lindell och Fredriksson gick till Ulrik. Lindell höll upp knippan på en kulspetspenna framför honom. Han såg helt frågande ut.

– Är det din eller Eriks?

Ulrik skakade på huvudet.

– Säker?

– Ja.

– Det är lätt att kolla, sa Fredriksson lugnt.

– Det är inte våra nycklar. Jag lovar!

28

Vänsterhanden hade glidit ned från armstödet. Edvard la upp den i hans knä. Stolen stod inte långt ifrån fönstret. Jag kurar skymning, sa Albert allt som oftast, när Edvard kom upp. Det var så klokt beskaffat att fönstret på övervåningen vad riktat mot väster och det fanns en lucka i vegetationen, där skogen öppnade sig som i en kil och lät solens sista strålar spela över fälten. På vårarna, de år fältet var besått med oljeväxter, lyste det likt ett gult hav i det släpande kvällsljuset. De gyllengula blommorna glittrade i kvällsbrisen och kastade reflexer långt upp på land, ända upp till Alberts fönster. På sensommaren, de år fältet var besått med vete, var det gyllenbrunt, strävt men med mjuka linjer i de böljande sjöarna. Nu var fältet plöjt, med kalla vågor som rytmiskt slog mot dikeskanterna. Snart skulle ryggarna kläs med en snövit fradga. Åkerskum, som Albert hade kallat den första snön.

Kanske han ville mig något men inte förmådde ropa eller stöta med käppen. Den låg ju på golvet framför honom. Hade han tagit käppen men inte orkat hålla den? Edvard gick ned på knä bredvid fåtöljen. Det var mörkt och han hörde hur pojkarna pratade. Ett svagt sken kom genom fönstret. Hade Bengt fått upp sin belysningsstolpe?

Han kurade med farfadern tills benen somnade och det började sticka i fötterna. Nu var han själv. Nu var han ensam i klanen Risberg, den siste lantarbetaren på gården. Det var en dubbel känsla: befrielse men självfallet också sorg och så någonting annat. Det var som en börda las på hans axlar. Nu var han Risbergaren.

Han reste sig på stumma ben, gick fram till fönstret. Alberts arbetsplats och hans egen. Edvard vände sig om som för att säga något, kommentera något han såg på gården. De hade också något annat gemensamt, Erik. Sonen Erik och fadern Erik. Nu var det bandet löst.

Han skymtade en rörelse på gården. Det var Bengt Ramnäs som kom från lagården. Han visste inget än. Rimligtvis var han den siste av släkten Ramnäs på gården.

Ramnäsarna, som betydde makt, utbyggnad av ladugårdar, nya odlingssystem, förbättrat foder, dikningar, torkar, bättre avel, växtförädling, maskinköp, föreningsrörelse, en slags optimistisk bondedriftighet som visserligen respekterades och beundrades i byn, men Albert, som stod mitt uppe i allt detta och i många stycken drev på moderniseringen, kom att representera något mer, utöver det materiella, förvissningen om att även daglönarnas barn kunde få skola och välgång.

Det var ett uttryck Albert hade använt, daglönare, för att understryka lantarbetarklassens osäkra ställning.

Han hade lagt till någonting som Ramnäsarna aldrig förmådde eller ville föra till. Men skulle man fråga på byn, så skulle ingen kunna sätta fingret på det och klart redogöra i vad det bestod, denna extra dimension. "Han var en jävel att arbeta", skulle de gamla säga, "Han stod på sig", skulle fackföreningskamraterna säga. "Han var en intelligent människa", skulle de som ville låta lite flottare uttrycka sig. "Det var en sjutusande svinskötare och va studerad", sa de som hade sett hans bokhylla, språkkurserna och de utländska tidningarna.

Albert kom att representera förhoppningen om det goda samhället. Edvard kände inte det samhället. Visst, han kunde historien och såg framstegen, men godheten saknades. Han tyckte att det var hårdheten som slog emot honom, från teven och tidningarna, i de få diskussionerna med sina gamla vänner.

Plötsligt kom Edvard att tänka på kuvertet i boken om det Uppländska Lantarbetareförbundet. Han gick till bokhyllan och drog ut boken. Brevet föll omedelbart ut. Det var brunt, i storleken A5, igenklistrat. Han vägde det i handen, precis som Albert hade gjort några dagar innan. Vad innehöll det? Edvard kunde inte ens gissa. På något vis var han orolig för dess innehåll. Vad hade farfadern sagt? Någonting med att allt det han fann viktigt fanns i kuvertet, skrivet på franska. Skulle han behöva lära sig franska för att läsa det? Innehållet var sånt att han inte skulle gå till någon annan för att få det översatt, hade gamlingen antytt.

Han ville inte tända utan gick fram till fönstret, för att få lite ljus. Driven av nyfikenhet slet han upp kuvertet, men ångrade sig omedelbart, det var ett kuvert att sprätta upp med största försiktighet, men nu var det gjort. Däri låg ett stort antal papper av det slag Edvard inte sett på många år: bruntonat, linjerat med tunna blå linjer. Den första sidan var fylld med Alberts sirliga, täta handstil, på intet sätt besvärlig att läsa, men på franska. Edvards blick for över sidan för att finna något han kunde tyda och mitt på stod det "Paris". Det kändes som en lättnad. Han fick för ett ögonblick känslan av att det inte skulle bli så besvärligt i och med att han lyckades identifiera ett ord, men mängden text i det dokument han nu snabbt bläddrade igenom, fick honom åter att se på arken med en frustrerad blick.

Marita ringde över till gården. Det var Kristina Ramnäs som svarade. Hon började genast att snyfta när hon fick höra om Alberts död. Bengt tog ifrån henne luren och lyssnade tyst på Maritas berättelse.

En stund senare kom de två gående över planen. Bengt uppklädd i kavaj. Marita och Edvard stod i köksfönstret och iakttog dem. De fyra drack kaffe tillsammans. Kristina hade varit upp en trappa och tagit farväl. Marita följde med. Bengt stannade nere. Han och Edvard satt mitt emot varandra vid köksbordet. De hörde hur kvinnorna pratade en trappa upp. De såg upp och mötte varandras blickar. Det var som att en outtalad fråga låg mellan dem på bordet. Edvard visste inte vad han skulle tro. Normalt var Bengt Ramnäs inte blyg av sig.

– Ja, nu blir det lite tomt, sa bonden eftersinnande. Han har hållit ut länge. Ni får ju större nu. Ska nån av pojkarna upp på vinden?

Edvard hade inte tänkt på det faktum att övervåningen nu var ledig.

– Det vet jag inte, sa han.

När tio minuter gått kom biodlaren och Alice, därefter Widegrens och Liths, alla tre. De var de närmaste grannarna. Ingen räknade med Lindgrenarna eller Vitrosen. Birger, som arbetat tillsammans med både Albert och Erik, kom efter ytterligare tjugo minuter. Han hade en bit att köra. Han ville prompt gå upp till sin forne arbetskamrat. Edvard följde honom upp. Birger hade svårt i trappan. Han gick fram till Albert, knäböjde liksom Edvard hade gjort, la sin hand på den dödes axel, mumlade något. De otydliga orden, Birgers krumma rygg och de tafatta men ändå värdiga rörelserna fick Edvard att titta bort och knyta händerna.

– Det var en god kamrat, sa Birger med en förvånansvärt hög röst. Det var som om han redan stod vid gravens kant och summerade Alberts liv.

När de kom ned till köket hade också Maritas far kommit, liksom en handfull av de övriga byborna. Pojkarna stod vid köksbänken, tätt tillsammans, tysta. Edvard gick runt och hälsade. Marita dukade fram fler koppar.

Edvard sa inte mycket. Han blev alltmer tankfull. På något sätt stördes han av uppvaktningen, ville vara i fred, men samtidigt fann han en så påtaglig värme i deras små anekdoter och minnesbilder, så irritationen växlade över till att bli en känsla av vemod. De kom inte samman så ofta. Vad han kunde minnas hade de aldrig träffats på en och samma gång hos Risbergs. Kanske vid någon högtidsdag för länge sedan. Albert skulle tyckt om det.

Alice talade om vägföreningen där Albert varit kassör i femtio år. Femtio år! Varför skulle gubben alltid vara värst? Räckte det inte med tjugo år? Nä, Albert Risberg hade slagit dem alla och nu för tiden fanns ingen som skulle kunna ta upp kampen. Edvard fick en känsla av att en folkspillra samlats för att ta avsked av patriarken. Nu skulle de skingras, deras verk skulle så sakteliga brytas ned, glömmas bort, men minnet av den gamle skulle leva, vandra som en myt, ge byn en plats. Han såg på Liths, hade de något behov av en myt? Verkstan deras, gick nog bra ändå. Men kunde det inte märkas en trötthet i Agnes ögon? Hade inte Barbro Liths omfångsrika kropp mist lite av sin frodighet och hade det inte i hennes röst smugit sig in en gäll, nästan desperat ton? Behövde de inte byns historia nu mer än någonsin tidigare? Sören Lith satt emellan föräldrarna. Han måste vara fyrtio snart, tänkte Edvard. Han har inte gift sig. Hans händer vilade på köksbordet och han tittade inte på någon, bara på sina händer. Hans tankar var väl i verkstan. Han hade gått ett par klasser under Edvard i skolan. Lite bortkommen hade han varit, alltid varit en snäll människa, det var så folk sa: Sören Lith är en snäll människa, även när han var tonåring var han en människa, inte en pojke eller grabb, utan en litet mindre Lith och snäll, liksom Agne och Barbro. Sören kände Edvards blick och tittade upp.

Axel, Maritas far, hade inte sagt många ord. Även över honom hade åren kommit snabbt och så mycket lanthandlarhurtighet fanns inte kvar. Han hade ställt sina förhoppningar till dottern, men försonats med tanken att ingen skulle föra ICA-handeln vidare. Han trodde den svårsåld, så när han nu planerade avvecklingen och pensioneringen skulle byns enda affär försvinna. Allt var betalt, inga skulder fanns, men han sörjde att ingen ville ha hans butik. Han talade aldrig om det, men Edvard förstod.

Axel hade kommit till Sverige och Ramnäs strax efter kriget för att hälsa på sin bror som flytt från Norge 1943. Brodern hade återvänt, men Axel hade blivit kär och stannat kvar. Han hade till en början levt på folks spontana sympati för broderfolket och hade med sitt försynta sätt vunnit bybornas förtroende. När han tog över den gamla lanthandeln och moderniserade den manifesterade han med det optimismen och löftet om en fortsatt konsumtionsökning. Nu var det slut på Fattigsverige och ransoneringar.

Biodlaren och Alice satt närmast Axel. Alice hade kramat Edvard hårt. Alltsedan skoltiden hade han emellanåt smitit in i huset bredvid skolan. Han hade gått de tre första åren i byns egen skola som sen hade lagts ned. Alice, som var barnlös, hade tagit den lille till sig, bjudit honom på honungssmörgåsar. Biodlaren hade visat sina kupor och Edvard hade fått hjälpa honom med puffen ibland, sövt ned bina med rök när biodlaren skattade sina samhällen. När Edvard blev äldre brukade han stanna med mopeden och fråga om de ville ha någonting från affären. Han kände en värme i Alices kök som han saknade hemma. Biodlaren var lugn i sina rörelser, kunde sitta vid vedbodens gavel i timmar och följa fåglarnas idoga pickande i trädgården, deras jakt efter insekter och frön. Med tiden blev han skicklig att härma deras läten. Dessutom var han duktig på stjärnor och Edvard trodde att han själv fått sitt astronomiska intresse därifrån. Det fanns ett lugn hos biodlaren som saknades i Edvards hem.

Vi är väl ett sån där folkspillra, tänkte han, som griper det sista av gemenskapen. Det gällde att hålla fast, att hitta den glöd som fortfarande kunde värma, glimma i mörkret. Snart skulle de bryta upp, väl medvetna om att folkspillrans tid obevekligen led mot sitt slut. Snart skulle en nytt årtusende träda in. Nu sökte dom sig hit, nästa gång blir aldrig av. Albert var den siste vi kunde enas kring, bönder, ICA-handlare, asfaltsläggare, tandhygienister, småskuttar, lantarbetare och gud vet vad alla gör, som nu befolkar denna by.

Det dröjde ett par timmar innan alla byborna kommit sig i väg. Ända ut på bron pratades det. Marita hade ringt till prästen som lovade att ta hand om det omedelbara och när de sista gick rullade en ambulans upp på gårdsplanen.

När den kommit iväg, Edvard såg hur Bengt följde den med blicken från sitt kontorsfönster, blev Marita och han sittande i vardagsrummet. Maritas ansikte såg grått ut.

– Jag tänker på pojken där uppe, hos Rosanders. Han skulle kunnat varit med här. Det hade känts bra på någe vis. Eller hur?

– Han kände ju inte Albert, sa Marita.

– Nä, men han hade nog tyckt om att sitta här, med oss. Det hade visat en annan bild av Sverige.

– Kan du inte släppa peruanen?

Maritas röst röjde inget av den irritation hon visat tidigare, snarare lät hon nästan öm. Edvard suckade.

– Jag tror inte stämningen hade varit likadan om han hade varit med, fortsatte Marita. Det här var ju Alberts vänner.

– Ja, kanske det.

– Jag tyckte Bengt betedde sig konstigt. Han har varit underlig de senaste dagarna. I kväll sa han just ingenting.

– Han undrade om nån av pojkarna skulle flytta upp, sa Edvard.

Marita såg upp.

– Jaså, det var mysko.

– Det tyckte jag med, att han tänkte på det, nu, ikväll.

– Han är skrajsen, sa Marita plötsligt. Han tror vi ska flytta nu när Albert inte finns längre.

Edvard såg på Marita med häpen blick. Det slog honom först nu. Bengt hade tänkt på det ett längre tag, så var det ju! Marita kom på det som en naturlig förklaring, medan han själv inte reflekterat över det faktum att så länge Albert levde var det i praktiken omöjligt att flytta. Nu var Albert död. Nu behövde de inte längre stanna på Ramnäs gård. Fältet låg öppet. Han häpnade över insikten, den främmande tanke som nu låg så självklar framför honom: Inget band honom vid Ramnäs! Inget! Han var fri. Om han ville. Om han ville vara fri. Om han kunde vara fri. Fri från vad?

Han kände Maritas blick. Han var avslöjad. Han borde säga något. Han borde försäkra henne om att han inte ville, att han inte ville flytta. Han var lantarbetare, han var Maritas man och pappa till hennes barn. Han var Alberts sonson och Eriks son. Den tredje i raden av trotjänare på Ramnäs gård, som lade årtionden till årtionden i en lång räcka. Den tredje mansåldern av lantarbetare, jordarbetare, en mullvad. Fri?

Han såg upp, tittade på Marita med värme. Han ville tala med henne om allt, om havet, om Enrico, om Alberts brev, om prästens förrädiska värme, om den förtvivlan han staplade i vedboden, han ville tala om Jerker och Jens, om kärleken och livet, om friheten, om alla de trådar som löpte samman mot en punkt där någon slags mening med livet fanns, borde finnas.

För några korta ögonblick, så länge värmen stannade kvar i hans blick, så länge Marita kunde ses i den lågan, upplevde de kärleken, om och om igen.

29

EDVARD VAKNADE MED ett skratt på läpparna. Han vände sig mot Marita. Hade han skrattat högt? Det lät som om hon sov djupt men han var ändå inte riktigt säker.

Drömmens skratt låg kvar och lurpassade när han svängde benen över sängkanten. Klockradion visade 4.49. De hade suttit uppe länge och pratat efter det att besökarna gått. Han borde vara trött, han borde vara ledsen, men han kände sig pigg och faktiskt glad, nästan optimistisk.

Marita snusade och i mörkret kunde han urskilja hennes välkända kontur under täcket. Han lyfte försiktigt sina kläder från stolen och lämnade sovrummet, stängde dörren långsamt.

Det fanns mornar då det var en befrielse att gå upp tidigt. Tröttheten var underordnad. Han kände sig bara stark och skärpt. Det var som om ensamheten gjorde honom starkare. Han rådde över sig själv. Kaffet smakade bättre, fåglarna kom till honom som en frände, morgonsolen sken bara för honom och värmde. Så var det om våren och sommaren. Det var långt dit, men samma känsla fann Edvard denna morgon. Kökets konturer låg i dunkel. Han tände bara belysningen ovanför spisen och ställde sig i fönstret. Han önskade att det var maj. Då skulle han gå ut och sätta ned fötterna i det våta gräset, se på de ivriga fåglarna i trädgårdens snår. Nu blev han stående i köksfönstret. Månen lyste och himlen var nästan molnfri och reflexmässigt lyfte han blicken mot stjärnornas ställning, men utan den där blicken som fordras för att riktigt se. Han tittade av gammal vana. Det skulle bli en lång dag förstod han. Alberts mysterium skulle lösas, för visst var det ett mysterium. Farfaderns kuvert, som han glömt bort under gårdagskvällens prat skulle läsas i dag. Han valde mellan prästen och Rosander, men utan egentlig tvekan beslöt han sig för insektsforskaren. Han kunde väl franska.

Edvard kände att gamlingens hemlighetsfulla skriverier också skulle lösa upp några av hans egna knutar. Det var han helt övertygad om. Någon slags kod där Alberts långa livserfarenhet skulle överföras till honom. En gammal mans gåva, patriarkens visdom i ett koncentrat, överlämnat till sitt eget kött och blod. Det var som en saga. Han trodde sig inte kunna bli besviken. Alberts allvar var garanten.

Han hade inte nämnt något till Marita om brevet. Det här var hans sak, att inviga henne vore att ta bort något av det mytiska draget i brevets tillkomst och på det villkor det kommit i hans händer. Plötsligt slog det honom att det kanske bara var ett testamente med instruktioner om begravningen och hur Alberts pinaler skulle fördelas. Gubben hade ju idéer om det mesta.

Edvard gick tyst genom det mörka huset. Trappan upp till Albert kändes som vanligt. De sexton stegen var där, dörrvredets kalla backelit och doften likaså. Öronlappsfåtöljen stod på samma ställe som i går, käppen lutad mot armstödet. Bokhyllan skymtade tung och mörk. Sorgen kom starkt över honom. Det var som om att när han öppnade dörren till Alberts rum så öppnade han också en sluss där undanträngda tankar kom forsande. Saknaden efter fadern och sorgen över Albert fick honom att plötsligt ge upp en snyftning.

I hans inre steg en sång från den amerikanska Södern som han hört hos Rosander. En CD-skiva med toner så bräckliga att Edvard upprördes. Sådan musik hade han aldrig hört tidigare! Den talade till honom, över alla språk- och kultur-gränser. Det var en arbetssång och den kvinnliga sångers-kans åldriga, spruckna stämma var för Edvard ren som kris-tall. Det var Alberts, men också Eriks stämma, så var det! Det var människan, märkt av arbetet, sorger och tillkorta-kommanden. Nu hörde han den stämman igen. Den svarta sångerskans vemodiga röst som bar vittnesmål om ett långt strävsamt liv med orättvisor på gränsen till outhärdliga. Kanske var det hans mors och farmors stämmor han hörde, de som hade levt i skuggan av sina män. Var det kvinnorna i huset som nu gick igen? Han försökte återkalla minnet av sin farmor och mor. Han såg nästan bara kök och slit. Tvätt, lappning och lagning. Vad tänkte de? Vad tänker Marita? Just det! Vad tänker Marita?! Edvard log tyst för sig själv. Han skulle aldrig få något svar. Det gick inte att ställa såna frågor.

Han försökte återkalla melodin och de trasiga fraserna för sig själv. Trots att det dröp av sorgsenhet som ett lågmält klagoskri fann han sången optimistisk, stark. Inte var det bara en kvinnornas musik, det var alla betrycktas sång. Han hade pratat med Rosander om musiken och det visade sig att han hade en hel samling med sånger från det fattiga och det svarta Amerika. Religiösa, arbetssånger, sånger om kärlek, svek och ånger, fängelsesånger, politiska.

Varför hade de här sångerna dykt upp i hans huvud? Rosander hade pratat om något slags kollektivt, universiellt minne, förlorat sig i detaljer om bondeuppror under 1300-talet, pratat länge om England på 1600-talets mitt, hamnat i det grekiska inbördeskriget, vem hade hört talas om det, efter att ha passerat några öar i Söderhavet. Edvard kunde inte annat än le åt den iver insektsforskaren visade. Hoppas att din avhandling blir något klarare, hade han sagt och Rosander hade sett upp och skrattat gott. Edvard fick för sig att Rosander tyckte om dessa stunder av resonemang. Han var nog en ensam människa, tänkte Edvard. Så mycket min-ne kan ingen bära, ansåg Edvard och hade också sagt det till Rosander.

Den tidiga morgonens glädje hade varit kortvarig, men inte förslösad. I dag skulle han inte rasa så djupt ned i melan-kolin, det visste han. Han stod, som Albert gjort någon dag tidigare, med händerna mot den kalla fönsterrutan. Han sökte svaren i de kända konturerna, förvinternattens skuggor över Ramnäs.

– Skitsnack, sa han högt. Du bestämmer själv!

Han avvisade att hans drömmar, maror eller inte, var medvetna vägvisare som skulle leda honom rätt. Han bestämde själv, allt annat var vidskepelse! Farfar var död, punkt slut! Liksom hans far! Punkt slut! Han själv levde. Om det var någonting han hade ärvt så var det övertygelsen om att det egna ödet låg i ens egna händer. Det hade Albert i alla tider predikat. Sedan hängde det på modet.

Blicken sökte sig runt på planen. Vedbodarna på gården, brötarna med timmer och de många travarna vittnade om hans idoga kapande, huggande och staplande. Den vita björnnävern lyste likt bloss i skumrasket. Han tänkte på Jens´ ord om att hela gården skulle bli fylld av ved om han skulle fortsätta i samma takt. Han skulle inte kunna fortsätta i samma stil, helt enkelt, av fysiska skäl. Gården skulle ta slut. Så enkelt var det!

Han stod länge i fönstret, så länge att han tyckte sig skymta ett svagt gryningsljus, men novembermörkret låg fortfarande kompakt över gården. Han anade att den här stunden i farfaderns rum, dagen efter hans död, skulle bli betydelsefull. Hur visste han inte, men det kändes viktigt och litet högtidligt. Han var glad att han vaknat tidigt och att han ensam kunnat ta avsked av Albert i novembermörkret. Något av gamlingens styrka hade överförts till honom, det kände han! Kanske hade det skett i går kväll när Edvard stått vid fåtöljen, med den då ännu levande Albert.

Plötsligt tändes ljuset i Ramnäsarns kontorsfönster. Det varmgula skenet störde honom inte. Tvärtom. Det gick mot morgon och snart kunde han ta kuvertet och åka mot Getberget.

När han kom ned satt Marita vid köksbordet. Hon måste ha rört sig tyst. Tidningen var hämtad. Hade han slumrat till i Alberts fåtölj? Han misstänkte det, för ytterdörren borde han annars ha hört.

Han hade förberett sig att möta Marita men kände ändå en ilning av irritation när han såg hennes ryggtavla och förnam doften av nybryggt kaffe. Kuvertet slängde han snabbt upp på hatthyllan. För ett kort ögonblick la han sin hand på hennes axel när han passerade, mer snuddade, men i alla fall så länge att hon kände ett svagt tryck över axeln.

Det fanns kaffe i bryggaren. Ingen av dem sa något. Lokalradion spelade en gammal Elvislåt. Marita hade tänt ett levande ljus på fönsterbänken. Lågan fladdrade i draget.

30

Bertil Ottosson, rotelchef för "Våldet", hörde på Lindells föredragning med en känsla av stigande välbefinnande. Han noterade hennes iver. Det var helt rätt att hon fick den här utredningen, tänkte han. Han hade alltid hållit Lindell för en kompetent polis, ibland i strid med några kolleger som inte tålde att kvinnliga poliser avancerade i karriären, så han kände sig dubbelt nöjd, dels för att utredningen tycktes ha tagit flera steg framåt och dels för att han fick rätt om Lindells kapacitet.

– Du tror att nycklarna går att spåra, avbröt han henne.

– Det tror jag. Sammanlagt är det fyra nycklar på knippan, men det är en som vi tror är särskilt intressant. Det är en nyckel till en bostad, en port- eller dörrnyckel, eller en kombination. Det knäcker Fredriksson och Haver, det är jag övertygad om.

– De andra nycklarna?

– En ser ut som en skåpnyckel, du vet såna där förvaringsskåp, en kan vara en cykelnyckel och den fjärde tror vi går till ett vanligt hänglås.

– Det är alltså en bostadsnyckel som bokstavligen är nyckeln till mordet.

– Till mordet vet vi inte, sa Lindell, men innerst inne önskade hon det, ja, nästan förutsatte att nyckeln skulle leda dem till en adress där en mördare fanns.

– Kan det finnas alternativa förklaringar till knippan?

– Det kan det, erkände Lindell, men vilka? Svampplock-

228

are? Skogsarbetare? Skogsvandrare? Hundägare? Jag tror
inte det. Kombinationen med Lindgrenarnas utpekande av
gläntan med duffeln och nycklarna gör att allt talar för att
knippan har med mordet att göra.

– Det var inte pojkens nycklar, vad hette han nu?

– Enrico. Nej, det tror vi inte.

Vad hon inte berättade för sin chef var att hon ringt
Rosander på morgonen och helt sonika frågat honom. Han
hade lyssnat till hennes redogörelse under tystnad, ursäktat
sig, lagt ifrån sig luren någon minut, återkommit och förne-
kat att Enrico någonsin ägt en sådan nyckelknippa. Lindell
trodde honom. I samma stund som hon hade lagt på luren
slog det henne att de borde ha inspekterat låsen uppe hos
Rosander. De skulle ju kunnat passa i hans lås, dels ytter-
dörren, dels jordkällaren, som Lindell konstaterat fanns och
cykel borde han väl rimligtvis också ha.

– Om du skulle spekulera, var hamnar du då?

Ottosson älskade dessa resonemang, han saknade det dag-
liga arbetet på roteln, det vardagliga polisiära stretandet,
samarbetet med kollegerna. Alltför litet av hans tid kunde
han ägna åt sådant. Han tyckte sig överöst med papper, per-
sonalfrågor och möten.

Lindell tvekade. Hon såg ner i sina anteckningar, som om
det där skulle finnas någon lösning.

– Jag tror det är ett rasistdåd, sa hon till slut.

– Någon från byn?

– Inte nödvändigtvis. Kanske inte ens troligt. Jag trodde
det först.

– Bildningsreserven på bondsidan, vad tror du om dom?

Lindell skakade på huvudet.

– Nej, dom känner sig bara allmänt misshandlade av sam-
hället, mycket beroende på deras isolering och att de inte
förstår vad som händer runt omkring dom.

– Vem gör det, sköt Ottoson in.

– Dom har varit i rättvisans klor tidigare. För åtta, tio år
sedan fälldes de för att de skjutit en älg, möjligen två, vid fel
tidpunkt på året. Det var på deras egen mark och dom hade
licens. Det blev böter och indragning av den äldste broderns
licens.

– Det gör dom inte till mer sannolika mördare.

– Nej, men det kan förklara en del av deras attityder. Dessutom tror Fredriksson att de bränner hemma.

– Det var fan!

– Han tyckte det luktade mäsk. Ska vi släppa det så länge?

– Det gör vi. Det är väl antagligen bara för eget bruk.

Det var med lätta steg Lindell gick tillbaka till sitt rum. Den här dagen kommer att bli avgörande, tänkte hon. Nu är vi nära. Det föresvävade henne för ett ögonblick att ringa till Fredriksson, men han skulle höra av sig om något viktigt kom fram. Nu fick hon visa tålamod. Morgonsamlingen hade varit ovanligt lyckad. Lundkvist saknades dock. Ingen visste var han var. Kollegerna hade varit nästan uppsluppna och hon log i smyg åt deras pojkaktiga entusiasm. Hur fort männen slår om, från ett sinnesläge till ett annat, tänkte hon. Nu fanns det ingen hejd på optimismen och visst, nu kände även hon medvinden.

Hon hade irriterats av en del tidningsskriverier häromdagen där det hade antytts att polisen inte la ned full kraft i utredningen om mordet på Enrico Mendoza, en förföljd flykting. Artikeln hade också påmint om "flyktingrazzian på nunneklostret", en följetong som Uppsalapolisen skulle få leva länge med.

Det var sant att några på avdelningen, Nilsson, Riis och Lundin de senaste två dygnen delvis också ägnat sig åt ett otäckt rånöverfall i centrum, men faktum var att de nu klarade sig med fem stycken. Det fanns inte så många trådar att dra i, så mycket att gå på. Nu skulle Forsman dessutom komma tillbaks i morgon. Men säkert var att Ottosson läst tidningen, därför var det extra roligt att ha något att komma med.

Lindell ägnade två timmar åt att skriva en rapport. Det var för att systematisera alla fakta i spaningen, skapa en överblick, ge möjlighet att vrida perspektiven, men också för att åklagare Fritzén skulle bli nöjd. Han hade stött på Ottosson att han ville ha mer information. Fritzén gillade det skrivna ordet så nu skulle han få en trave papper. Ett problem var Säks information, hur skulle den behandlas? En annan komplikation var Lindells hemlighållande av Ricardos gömställe. Nu var han säkert flyttad till en mindre het adress. Lagergatan trodde hon. Om han bara visste, Rosander. Han fick ju av Ricardo reda på att hon varit på besök och pratet med flyktingen, det förstod hon, när han utan frågor gav henne informationen om att Enrico inte ägt någon nyckelknippa, men han kände inte till polisens kunskap om Lagergatan.

I och med att hon inte kunde vara riktig ärlig i sin rapport framstod spaningsläget sämre än vad det i själva verket var. Det bekymrade henne, därför hoppades hon att Fritzén inte skulle komma med en massa följdfrågor utan nöja sig med en packe papper.

När hon läst igenom slutklämmen i rapporten drabbades hon av tvivel. Var det rätt att inte nämna Ricardo? Han var ju faktiskt efterlyst. Kanske var det Rosanders hätska ord om deras roll som flyktingjagare som fick henne att i praktiken begå tjänstefel. Hon avskydde tanken på att hon påverkats av Rosander utan intalade sig att det var ointressant att plocka in Ricardo nu. Hon laborerade i sina tankar med humanitära skäl, att han förlorat en bror och att det vore omänskligt att sätta honom i arrest, i avvaktan på utvisning. De kunde ta honom senare. De skulle kännas bättre att först ta fast hans brors mördare. Samtidigt så var det Ricardo själv som fått henne att missbruka sin ställning och kunskap. Det var hans påverkan, hans berättelse som fick henne att fatta beslutet. Hon hade varit amatörmässig och försatt sig i ett moraliskt dilemma som hon inte kunde se hur hon skulle ta sig ur. Hon hade låtit sig påverkas. Måtte det gå vägen, tänkte hon.

Där fanns också Lundkvist som hon så oförblommerat, oförskräckt och inte minst oförståndigt, delgivit sin hemlighet. Det senaste dygnet hade känslan av osäkerhet i hennes förhållande till kollegan vuxit sig allt starkare. Var hade hon honom? Skulle han stötta henne eller stjälpa henne? Denna osäkerhet låg och lurade. Han hade i och för sig berättat om sin bakgrund på Säk och det hade varit ett stort steg för honom.

Hade hon gjort rätt överhuvudtaget? Fanns det en moral som stod över yrkesrollen? Faktum var att hon inte visste. Hon borde veta, det borde vara självklart att lagen var moralen, att hon som polis skulle ta dem för ett, men i och med att frågan ställdes gång på gång var det inte givet. Det var inte ofta hon hamnat i lojalitetskonflikt. Tidigare hade det mera varit att hon ömmat för någon buse men där hon i grunden aldrig tvekat om justisens moraliska legalitet.

Hon gick till fikarummet, uppfylld av sina tankar, slog sig ned i sin gamla vanliga hörna, skakade ut dammsugaren ur förpackningen och betraktade den misstänksamt. Den såg överårig och något svettig ut. Hon beslöt sig för att lämna den.

Mobiltelefonen pep och Fredriksson meddelade att nyckeln inte gick att spåra. Inte än, la han tröstande till.

31

ROSANDER VÄGDE KUVERTET i handen, såg på Edvard med en granskande blick.

– Du är säker på att vi ska ta det nu?

– Ja, det är klart. Varför inte?

– Jag tänkte att du ville ta det lite lugnt nu. Du sa ju att brevet kunde innehålla en del viktig information, omskakande, sa du.

– Jag vill få reda på det nu!

– Det är mycket papper.

– Om du inte orkar så finns det andra. Du kan väl franska?

– Jag kan franska, sa Rosander och log.

Vad fan ler du åt, tänkte Edvard och gjorde en rörelse för att ta tillbaka kuvertet men Rosander drog det till sig.

– Okej, sa han, vi tar det nu, men jag kanske inte hinner allt.

Rosander öppnade kuvertet med försiktiga rörelser och Edvard ångrade de såriga flikarna från gårdagens öppnande. Edvard kunde se spänningen i Rosanders ögon, den nyfikna blicken. Det är väl forskaren, tänkte Edvard. Pappren var vikta en gång. Edvard skymtade första sidan, den som han så intensivt studerat vid Alberts fönster utan att kunde utläsa något av värde, mer än ordet "Paris".

– Kan du läsa, frågade han.

Rosander bläddrade i bunten.

– Jag var rädd att det skulle vara krumelurer allting, men han hade en vårdad stil, det är trettio sidor, så det tar en stund.

Edvard nickade.

– Sätt på kaffe så länge, sa Rosander. Jag vill läsa i fred.

Rosander läste snabbt. Han vände blad med en rasande fart, fingrarna följde de blå strecken med en nästan maskinell precision. För varje gång han vände blad prasslade det litet lätt. Han ägnade inte Edvard en blick, utan läste som om det gällde livet. Edvard iakttog hans ögon som allt som oftast drogs samman till en fundersam min.

Kaffet var klart och stod framdukat men Rosander gjorde ingen min av att dricka och Edvard ville inte avbryta. Nu gällde det. Det var inget vanligt testamente, det förstod han. Arken samlades upp och nedvända på köksbordet. Edvard tänkte på Albert, det här var nog fusk skulle han tycka. Han hade nog helst sett att Edvard skaffat sig en språkkurs eller åtminstone ett lexikon och översatt texten själv. Det skulle ha varit i Alberts anda.

Så var det bara ett ark kvar och Rosander såg för första gången upp. Blicken han gav Edvard var litet frånvarande, som han först nu upptäckt lantarbetaren vid sitt köksbord. Han läste det sista stycket, ordnade pappren och slog dem mot bordsskivan. Edvard iakttog honom, försökte läsa i insektsforskarens ansikte vad texten handlade om. Det slog honom plötsligt att farfaderns ord kanske var högst privata, att de rörde förhållanden i det Risbergska hemmet som ingen utomstående borde få ta del av. Det kanske handlade om Albert och hans fru, deras Erik, kanske Edvard förekom, Marita, vem vet vad farfadern kunde hitta på.

– Nå, sa han. Vad står det?

Rosander svarade inte. Han fortsatte att ordna pappren, jämnade till arken. Han såg ned i bordet, lyfte blicken mot fönstret och det fanns något i hans blick som fick Edvard att tro att Rosander ville fly, lämna köket och Edvard. Det fanns något i hans nervösa plockande med pappren som avslöjade den oro som låg i de bruntonade pappren, som han, vartefter han läst dem omsorgsfullt vänt på, som för att dölja Alberts ord.

– Det var en riktig historia, sa han så till slut och rösten bröts.

Han harklade sig, blev varse kaffekoppen vars innehåll nu svalnat, drack några klunkar och upprepade sina ord.

– Vadå, sa Edvard, berätta! Sitt inte och tryck!

Rosander såg på honom, helt hastigt.

– Din farfar, om nu den här historien stämmer och varför skulle den inte göra det, är en dråpare, sa han stilla.

– Va?!

– Din farfar slog ihjäl en människa i Paris i slutet av 40-talet.

Edvard skakade på huvudet.

– Vad fan säger du!

– Han överraskades av en kille medan han låg med en tjej, blev rädd och slog till honom så han stöp. Han dog direkt. Så skriver han i alla fall.

Edvard såg på Rosander med en oförstående blick. Han hade hört orden, förstått dess innebörd, men vägrade att se dem som slutgiltiga. Det måste finnas något mer, något "men", tänkte han, men Rosander såg orubblig ut, han skämtade inte, hade inget att tillägga, utsagan var precis så kort och definitiv som den presenterats. Det fanns inga "men".

– En dråpare, sa Edvard svagt.

– Ja, hans avsikt var inte att slå ihjäl, det upprepar han flera gånger.

– Är det inte bara en historia? Nånting som han fått för sig, drömt.

– Det tror jag inte, han verkar så precis. Det är så detaljerat, så sant. Jag tror inte man bluffar om en sån sak. Han kan ju inte ta tillbaka det.

– Skriver han nånting om polis eller rättegång?

– Nej, han drog därifrån och hörde aldrig något mer.

– När är det skrivet, tror du?

– Jag vet inte, stilen ser ålderdomlig ut, men man kan bedra sej. Albert var gammal och bevarade nog både skrivstil och språk sen tidiga år, tror du inte det?

– Stämmer, sa Edvard. Pappren känner jag igen från min barndom.

– Han ville inte slå ihjäl honom. Det blev bara så.

234

– Blev bara så, kom som ett eko från Edvard. Det blev bara så. Så brukar ungarna säga.

– Det är skrivet på en väldigt korrekt franska. Hörde du honom någonsin tala franska?

– Nej, aldrig.

– Åkte han till Frankrike?

– Nej, inte vad jag vet. Jag visste inte ens att han varit där. Det var inget han pratade om.

– Han var en märklig man.

Rosander tystnade, såg ned på pappersbunten, lade handen på den och trummade lätt med fingrarna.

– Varför berättade han det? Varför ville han att vi skulle veta? Det är ju ingen merit att slå ihjäl någon.

– Han kanske ville förklara hur hans liv blivit, sa Rosander trött. Han fick ju faktiskt leva i femtio år med vetskapen om att han dräpt en människa, han ville berätta. Han måste varit en stark människa också, bakom alla plågor.

– Vadå plågor?

– Det mesta av texten är resonemang hur han kände sig under alla dessa år. Paris avverkar han på tolv sidor, resten utspelar sig i Ramnäs.

– Han orkade inte dela med sig medan han levde, men ville ändå skapa någon form av rättvisa. Han skriver vid ett par tillfällen att han funderat på att åka tillbaks, söka upp huset där det skedde, leta rätt på kvinnan och försöka förklara allt, hur han upplevt det. "Jag känner skuld", skriver han upprepade gånger.

– Ville han erkänna?

– Nä, inte erkänna direkt, men förklara sig. Han tycker synd om kvinnan. Han lämnade henne med ett lik. Det var kanske en bror eller älskare.

– Var hon en hora?

– Enligt Albert i alla fall. Han raggade upp henne eller blev snarare uppraggad. Han fick betala.

– Mannen då, skriver han nåt om honom.

– Mycket lite. Han var tydligen väldigt kraftig, stor och svart.

– Svart?

– Ja, mörk. Det finns många mörka i Frankrike, invandrare från kolonierna.

– Han kunde ju vara en bror för det, eller älskare.

– Eller hallick, sa Rosander.

– Han dog.

Edvard försjönk i tystnad. Hur kunde han leva så länge med vetskapen om att han slagit ihjäl en människa? Han hade aldrig antytt något, inte ens berättat att han varit i Paris. Fick pappa veta något? Farmor? Edvard greps av förtvivlan och saknad, han längtade efter sin far, den korta tid de fick tillsammans, arbetade tillsammans på gården. Det var två år och några månader som nu framstod som de lyckligaste i hans liv.

– Du, sa han plötsligt, skriver han något om en ring?

Rosander tittade upp.

– Ja, faktiskt, det gör han.

– En fingerring?

– Ja, en stor bred guldring. Det är nästan det enda han skriver om när det gäller den svarte. Hur kunde du veta det?

– Han nämnde det när jag berättade om peruanen? Han frågade mej om Enrico hade någon ring på sig.

– Och vad sa du?

– Att jag inte trodde det. Sen frågade jag polistjejen.

– Och vad sa hon?

– Att han inte hade nån ring. Men varför tror du farfar ...

Han måste ha blivit förvirrad, när han hörde att det var en flykting som dött, en invandrare. Han kopplade det till Paris. Stackars Albert!

Rosander hade rest sig och ställt sig vid fönstret. Han försökte föreställa sig Albert Risberg skrivande sitt dokument. Rosander hade fått känslan av att han läste en roman. Det kanske var språket som förstärkte upplevelsen av fiktion, men det var en sån driven text, väl så god som vilken erkänd roman som helst. Så var det en svinskötare i Ramnäs! Hur kunde han upprätthålla språkkänslan så isolerad från Frankrike och fransmän? Han måste ha läst massor. Han vände sig om för att fråga Edvard men ångrade sig. Det var slut med frön på fågelbordet. Några enstaka titor och mesar flög förvirrat runt bordet, pickade hopplöst på virket i hopp om att ett frö fastnat i någon skarv. Snart ska ni få mat.

– Vill du ha ett nytt kuvert, sa han.

Edvard tittade överraskad upp.

– Tack, sa han frånvarande och tog pappersbunten i handen.

Vad skulle han göra med pappren? Bränna upp alltsammans? Nej, det kunde han inte göra, men var skulle han lägga dem? Skulle han berätta för Marita, för ungarna? Det var som om de inte hade med det här att göra. Det här var mellan Albert och honom. Han skulle gömma bunten. Han skulle få bära hemligheten. Han skulle aldrig kunna prata med Marita om det. Det kändes inte riktigt. Det skulle svärta ned Albert, ge henne ett övertag, ställa även honom i en sämre dager, sonsonen till dråparen. Farfaderns namn lyste och Edvard ville inte fläcka ned hans minne. Vad skulle byborna säga om det kom ut, de bybor som samlades i går kväll, alla de som skulle komma på begravningen och betyga sin aktning för den gamle. Skulle då Edvard berätta om Paris? Nej, det fick bli hans hemlighet. Hans och Alberts.

De följdes ut på gårdsplanen. Rosander hällde upp frön på fågelbordet. Edvard stod vid snöbären. Kuvertet hade han i handen och med den andra klämde han sönder bär. Den klara saften rann från hans fingrar. Rosander hängde omständligt upp en talgboll.

– Det är för tidigt för talgbollar, sa Edvard.

Rosander hängde upp ytterligare en. Edvard såg på honom. Jag blir aldrig klok på den där karln, tänkte han. Han pjoltar med sina fåglar, ekorrar och igelkottar, går här som en eremit. Samtidigt sitter han på så mycket kunskaper, så mycket historia. Han borde utnyttja sitt liv bättre. Han är ogift och fri.

– Hur är det med Vitrosen?

Rosander ryckte till men gjorde ingen min av att omedelbart vilja svara. Han snörde ihop säcken med viltfågelblandning.

– Nu har dom fått lite. Jodå, det är bra med henne! Hur så?

– Jag bara undrade.

– Om du hittar nåt mer som du vill få översatt så kom upp igen.

– Finns det mer, tror du?

– Det vet jag inte.

– Varför skulle det finnas mer?

– Jag vet inte!

– Okej, tack för hjälpen.

Rosander satte upp handen och ställde säcken med fågelfrö på trappan. Edvard klämde några snöbär. Över tunet vilade en frid som svor mot den anspänning han kände. Han ville inte åka hem. Han ville fortsätta prata med Rosander som dock tycktes helt ha tappat intresset för Alberts dokument och för Edvard. Varför skulle Albert skriva det här brevet? Han hade hållt tyst i femtio år, men hade nu lagt hela bördan på Edvards axlar. Han ville inte veta, hade inte bett om att få ett dråp på halsen. Minnet av Albert skulle för alltid skymmas av detta. Alberts livslånga tystnad framstod som både illojal och beundransvärd. Skulle Edvard fått välja skulle han ha valt fortsatt tystnad, gravens tystnad. Men nu hade han vetskap! Hur skulle han behandla den? Rosander tycktes inte vara till någon hjälp mer. Han som annars alltid var så nyfiken. Edvard tittade upp och upptäckte att Rosander var försvunnen. Hade han gått in? Nej, fröpåsen stod kvar och blockerade dörren. Han tittade mot vedboden och där stod dörren öppen och i samma ögonblick kom Rosander ut med ett fång ved.

– Jag sticker nu, skrek Edvard och gick iväg med snabba steg utan att se sig om, men något fick honom att vända sig om när han kom fram till bilen. Vedboden skymdes något av jordkällarens tak och ett buskage med buskrosor, men han kunde ändock skymta Rosander vars gestalt tycktes ha fallit samman. Han satt lutad mot den faluröda väggen. Edvard tog några snabba kliv tillbaks, men rörelsen planade ut i ett par tveksamma steg när han såg hur Rosander slog med nävarna i marken, samtidigt som Edvard hörde hur han pratade för sig själv eller snarare stötte ut några ljud. Han har inte fått en hjärtattack, tänkte Edvard. Varför sitter han så där? Han liknar mer ett övergivet barn som i vredesmod och förtvivlan dunkar och slår mot den stumma marken. Ska jag gå fram? Edvard blev illa till mods. Han vände sig mot bilen, tog några steg, kikade mot vedboden på nytt. Ska jag erbjuda min hjälp? Nej, jag åker. Men tänk om han är sjuk? Om han vore sjuk skulle han skrika på mig. Det fanns något overkligt över situationen, från den rappe översättaren av fransk text till en sammanbruten man mot en vedbodvägg. Förvandlingen hade kommit så oväntat och snabbt. Edvard önskade

238

att han haft kraft att gå till Rosander, sätta sig på huk framför honom och ge honom några ord åtminstone, men hade Rosander någonsin inbjudit till ett sådant närmande? Nej, aldrig ett förtroende, utöver några föreläsningar om politiken. Visserligen hade han talat om sin uppväxt i Lindesberg men mer som ett exempel på klassvandring, från metallarbetarhemmet till forskningsrummet på Uppsala Universitet. Han hade talat om resorna i Sydamerika men hade aldrig blivit riktigt personlig, för mån att övertyga, för angelägen. Det hade varit bättre om han berättat om de små tingen också, detaljerna som fyllde den politiska bilden. Blev han aldrig förälskad, magsjuk eller trött på vänsterpartiernas käbbel? Hade han gjort det skulle Edvard gått till vedboden, dragit upp sin vän på fötter, stöttat honom och talat om Eva-Lena, vintern, Paris, nu och då, sommaren, domherrarna och sidensvansarna, sisslandet och prasslandet i snåren, starkt öl och den där resan till Ecuador, till fåglarna. Nu vred han på tändningsnyckeln och backade snabbt, vände, sköt in ettans växel och rullade nedför Getberget, fick in tvåan och trean och försvann nedåt, bort, hem.

32

Det är en så kallad lagercylinder och den går inte att spåra, avslutade Fredriksson sin redogörelse om den nyckel på knippan som de trodde gick till en bostadsdörr.

– Var får man tag i en sån nyckel?

– Dom köps helt enkelt när man bygger en kåk. Till ett bostadsområde är det lättare, då finns det ett systemnummer som teoretiskt går att härleda, men ett sånt här lås kan du köpa på en byggmarknad och montera själv.

– Så det går troligen till en villa?

Lindell kände besvikelsen komma.

– Inte nödvändigtvis, sa Frediksson.

– Men troligen?

– De övriga tre nycklarna är ännu värre. Det blir bara gissningar.

– Knippan är med andra ord värdelös för att kunna komma vidare?

Fredriksson sa inget. Han stirrade på knippan i sin hand. Lindell väntade. Hon kände att de tappade tempo för varje minut som de nu famlade fram. Av morgonens optimism syntes ingenting. Fredriksson nöp sig i näsan.

– Jag får intrycket att det är en ungdomlig knippa, sa han. Titta på nycklarna!

Hon betraktade kollegans öppna hand där de fyra nycklarna låg, sammanlänkade av en högst ordinär nyckelring.

– Jaha, sa hon avvaktande.

– Det är bara en känsla, sa han, men jag tror inte en vuxen går omkring med en cykelnyckel på samma knippa som en hänglåsnyckel och en bostadsnyckel. Dessutom med ytterligare en nyckel som låssmeden trodde tillhörde ett förvaringsskåp. Det är för splittrat.

– Den är ju numrerad också: 437. Var finns det förvaringsskåp?

– Järnvägen, sa Fredriksson direkt, men det är inte en sån nyckel.

– Affärer, sa Lindell. där man ska stoppa in väskor.

– Skolor, kanske. Såna där svetthallar.

Lindell log. Fredriksson nöp sig i näsan.

– Fyrishov.

– Men där måste man väl lämna igen nyckeln för att komma ut.

– Det kanske finns privata skåp.

Fredriksson suckade.

– Jag tror på skola, sa Lindell bestämt. Sätt Haver på att åka runt med nyckeln till gymnasieskolor, leta reda på vaktmästarn eller nån annan. Själv åker jag runt på byggmarknader.

Fredriksson såg på henne med en undrande blick. Hon var medvetet att det var ett desperat drag men hon måste komma ut från sitt rum och stationen.

– Är det inte bättre att åka ut till Ramnäs?

– Du menar att vi ska knalla runt och prova bostadsnyckeln i hela Ramnäs?

– Vi tar några kopior.

Lindell övervägde för några sekunder hans förslag.

– Kör till, sa hon till slut.

Fredriksson ordnade ett halvdussin kopior. I och med att rånet på Drottninggatan tycktes klaras upp kunde Haver och Samuel Nilsson tillsammans med den friskskrivne Forsman ansluta till Ramnäsexpeditionen. Riis fick sköta de kompletterande förhöret med rånoffret som nu vaknat upp från sin medvetslöshet. Han skulle troligen bli helt blind på ena ögat, kindbenet hade frakturer på två ställen och höger örsnibb saknades, men han levde och kunde kommunicera med nickar och även skriva ned svar på ett papper. Riis muttrade men ingen tog notis om hans grymtanden. Alla visste att han var bra på förhör och att han gillade det.

I tre timmar åkte fem kriminalpoliser runt i Ramnäs och provade nycklar. Resultatet blev noll och intet. Var de än kom möttes de med beredvillighet och nyfikenhet, men nyckeln passade ingenstans och de hade inte heller sett några tecken på att ett lås hade bytts ut.

Trots detta kände sig Lindell på ett underligt sätt tillfreds när de summerade deras milt sagt dåliga utfall. De hade försökt, de lämnade inget åt slumpen, kritiken att de tog mordet lätt kunde tillbakavisas. De hade dessutom återigen pratat med byns innevånare, som en andra dörrknackningsaktion. Inte för att något nytt hade framkommit, men ändå, de höll grytan kokande. Hjälpligt.

De visste dock ett: nyckeln stammade inte från Ramnäs. Därmed inte sagt att inte knippan gjorde det, vilket Forsman påpekat. Både Nilsson och Lindell hade slagits av möjligheten att den gick till en dörr på Lagergatan.

– Troligen inte, invände Fredriksson, det är ett flerbostadsområde och där har nycklarna andra sifferbeteckningar.

– Vi får kolla i alla fall, det kan ju tänkas att låset är bytt, sa Lindell, men hon anade att även Lagergatan skulle bli en miss.

Regnets fina droppar lade sig som en film över Lindells anteckningsblock. Den här dagen som började så bra, tänkte hon. Regnet tilltog. Nilsson, Lundin och Forsman satt redan i sin bil.

Dörren till affären slogs upp och ICA-handlaren kikade

ut. Nu öste det ned.

– Kom in, skrek han och vinkade med handen.

Axel Hauge höll upp dörren och Fredriksson och Lindell skyndade in i butiken.

Lindell drog med handen över ansiktet och kände den friska doften av regn. Fredriksson såg ut som en slickad katt med det stripiga håret klistrat mot pannan.

– Era vänner i bilen, sa Hauge frågande.

– Dom kan sitta kvar, sa Lindell i lätt ton, öppnade dörren och försökte påkalla deras uppmärksamhet, men när de inte uppfattade hennes gester slog hon Nilssons nummer på mobilen och uppmanade kollegerna att åka tillbaks till stan.

– Kolla skolorna, sa hon till Nilsson. Haver vet vad det handlar om!

– Nu är vi här igen, sa hon vänd mot handlaren.

Hon tyckte att han såg trött ut.

Handlaren såg villrådig ut där han stod mellan konserver och gryn. Han hade svårt att koppla på sin vanliga svada och såg obeslutsamt på Lindell. Nå, tycktes hans blick säga, kläm fram vad ni vill ha sagt!

– Det håller nog upp snart, sa han och rättade till raden av burkar med ärtor.

– Det är en sak, sa Lindell. När vi besökte dej senast så nämnde du skinnskallar, att i Ramnäs finns det inga skinnskallar. Varför gjorde du det?

Hauge svarade inte utan sköt samman burkarna till en prydlig rad.

– Har du sett några i byn?

Han hade övergått till nästa rad, morötter, och Lindell slogs av tanken att handlaren inte tyckte om sin butik. Det fanns ingenting i hans rörelse som förrådde något som helst intresse, tvärtom, det fanns något mekaniskt, förstrött i hans sätt att ordna burkarna. Det är klart, skulle inte hon och Fredriksson vara där så skulle det säkert gå med större ackuratess och fart.

– Det är mycket folk som rör sig i byn, sa han och det fick Lindell nästan att le. Det har blivit en hel del sommargäster på sistone, fortsatte han. Det är svårt att hålla rätt på alla.

– Men skinnskallar lägger man väl märke till, eller?

Hauge hade upphört med plockandet men den ena handen vilade fortfarande på hyllan. Lindell såg nu att han var mörk kring ögonen. Han kanske är sjuk, tänkte hon och drabbades för ett ögonblick av dåligt samvete.

– Jag har väl sett ett par pojkar här. Jag vet inte vad dom gjorde här eller var dom hör hemma.

– När?

Hauge såg ned i golvet. Handen plockade med en prislapp på hyllkanten.

– Kan du precisera dej lite mer. Det kanske är totalt oväsentligt men vi rycker i varenda tråd, sa Lindell och tog ett steg närmare handlaren.

Fredriksson hostade i bakgrunden. Regnet smattrade fortfarande mot plasttaket ovanför entrétrappan.

– Första gången var nog förra året.

– En eller flera?

– Två stycken.

Hauge sköt ifrån med handen och hela gondolen med konservburkar gungade till.

– Ni får ursäkta, sa han och såg med ens ännu tröttare ut. Men det blev sent. Albert Risberg dog igår.

För ett ögonblick trodde hon att det var Edvard han pratade om, hon hörde bara namnet Risberg, men så erinrade hon sig att Edvard hade pratat om sin sekelgamla farfar.

– Det visste vi inte, sa hon.

– Han var gammal, sa Hauge tonlöst.

– Skulle du känna igen dom, bröt Fredriksson in och Lindell gav honom en snabb, tacksam blick.

Hauge tycktes ha glömt Fredriksson och snurrade runt och såg på honom med ett förvånat uttryck i ansiktet.

– Du såg dom utanför affären, då borde du också sett om dom hade sällskap med någon från byn, om dom pratade med några.

– Jag vet inte, sa Hauge, jag har inte så mycket tid att stå på trappan och vara nyfiken.

– När såg du dom senast?

– Det minns jag inte.

– Men det var nu i höstas?

– Ja.

Lindell trummade med fingrarna på ratten. Regnet hade avtagit något.

– Vad tror du?

Fredriksson svarade inte omedelbart, spände på sig säkerhetsbältet och drog upp värmen i bilen.

– Jag har fått för mej att lanthandlare vet allt. Det kanske är en fördom men jag tror norrbaggen vet mer än vad han låtsas om. Han kanske vet vilka pojkarna är.

– Det kan vara barn till sommargäster.

Fredriksson hummade. Deras blickar möttes. Lindell anade att Fredriksson funderade på något. Bara det inte är min miss med Ricardo, tänkte hon. Hans reaktion var förståelig, men ovanligt häftig, vilket visade hur allvarligt han såg på hennes undanhållande av informationen. De var kolleger i ett mordfall, allt skulle fram på bordet, det fick inte finnas information och iakttagelser som inte nådde alla, det var hennes principiella hållning, hade alltid varit. Att hon talat med Lundkvist om att hon funnit brodern men inte sagt ett ord till Fredriksson, satt väl som en tagg i hans medvetande. Vad det var som denna gång fått henne att tumma på principen var hon inte klar över själv. Hon hade gjort ett försök att förklara för Fredriksson men han hade bara tittat på henne, oförstående, avvisande och hennes stapplande försök hade avslutats med några hackande ursäkter.

Samtidigt kunde hon känna en stigande irritation. Hon behövde Fredriksson nu, mer än någonsin! Var är Lundkvist? Sitter han hos Ottosson och häckar? Ge fan i att peta på reglagen, det är jag som kör!

– Fryser du, frågade hon.

Resten av eftermiddagen tillbringade Lindell på sitt rum. Hon hämtade en stor mugg kaffe och stängde dörren bakom sig. Hon fick för sig att hon behövde få lite lugn och ro. Hon läste igenom allt skrivet material, studerade foton och sina kråkfötter i kollegieblocket. Motiv, motiv, upprepade hon tyst. Vad kan motivet vara? Hon såg på fotot av Enrico, först det från flyktingförläggningen, en ung man, nästan litet för söt och vek. Lindell kunde mycket väl förstå att Vitrosen förälskat sig i Enrico. Det fanns något rörande i hans uttryck, ett öppet uttryck. Han tittade rakt in i kameran, de tunna läpparna visade en svag böjning till ett leende, slät i huden med bara en antydan till mörk skäggväxt. Det enda som avvek från det docksöta var de kraftiga kindkotorna. Vålds-

244

benägen var det sista man tänkte på när man såg hans ansikte. Hon hade svårt att tro att han skulle ha varit med om misshandeln av sin landsman i Flemingsberg, men vem vet? När hon la fotot från skogen bredvid det från förläggningen var det som om det inte föreställde samma person. Läpparna var sammandragna i ett grin av smärta och skräck. Huden hade mist sin glans och kinderna och hakan var överdragna med en svärta som gjorde honom tio år äldre. Bland det första som hon hade lagt märke till när hon betraktade Enricos kropp under granen var hans händer, hårt knutna, huden missfärgad och knogarna skavda. Spänning, kamp, vrede, rädsla, allt fanns där. Runt den högra underarmen hade det funnits en kraftig blåfärgning av huden, som en kraftig armring. Rättsläkaren hade förklarat det med att antingen hade någon haft ett stadigt grepp kring armen eller så var det märken efter ett rep eller liknande. Jag måste kolla varför Edvard Risberg frågade om en fingerring. Hon kastade ned en anteckning i blocket.

Motivet då? Det fanns fyra möjliga motiv, som Lindell såg det: rasism, svartsjuka, rån eller politisk uppgörelse. Hon skrev de fyra orden högst upp på varsitt papper. Spader, hjärter, klöver eller ruter, slog det henne. Fyra stora vita spelkort låg framför henne på skrivbordet. Var fanns trumf, var fanns lankorna hon skulle saka? Jag är som en spågumma! Lägger kort, läser kaffesump och skådar i kula.

Ekonomiska motiv var det minst troliga. Hon tog papperet där "rån" var rubriken, vände på det och lade det åt sidan. Skulle det ha varit en intern uppgörelse mellan olika fraktioner av peruaner, kanske en hämnd för misshandeln i Flemingsberg, något som Lundkvist antytt mer än en gång? Det kunde inte uteslutas, men Stockholmskollegernas försiktiga fiskande i den peruanska exilgruppen hade inte givit någonting. Lindell skrev "Flemingsberg" överst, därefter "Kolla med Ricardo" och "Säk". Det kunde ju tänkas att Säk satt på några godbitar. Lundkvist, tänkte hon, skulle han kunna utnyttja sina gamla kanaler? Det var det han redan gjort! Hon hade känt sig förrådd när Lundkvist slängde fram Stockholmsrapporten om misshandeln där Enrico och Ricardo pekades ut som delaktiga, att Lundkvist frataniserade med sina gamla vapendragare. Som om Lundkvist drev en egen utredning vid sidan av hennes egen. Nej, faktum var ju att han lämnat över rapporten, sedan att han dragit andra slutsatser av den och motivbilden till mordet, det kunde han inte lastas för. Det var bara den gamla vanlige, buttre Lundkvist som flöt upp igen. Smekmånaden var över. Upplysningen att han först efter så många år avslöjat sin bakgrund på Säk retade henne också. Men det kanske var allmänt känt? Hon skulle fråga Fredriksson.

Hon sköt ruterkortet åt sidan och drog åt sig hjärter kung. Var det svartsjuka, ett av de mest vanliga motiven till dråp och mord? Rosander framstod som en omöjlig mördare, men kärleken kunde skapa våldsamma utbrott, det visste hon sedan tidigare. Till synes stillsamma män kunde förvandlas till galningar och kvinnor till furier. Om de skulle ta Rosander till stationen och höra honom om hans alibi. Det gick ju nu att fastställa den dag Enrico försvann från huset och rimligen mördades han väl samma dag, eller sov han kanske hos Vitrosen den natten? Nä, hon deltog ju i sökandet efter Ricardo, cyklade fram och tillbaka på de små grusvägarna runt Ramnäs. Så förslagen var hon inte att hon kunde hålla masken, spela upprörd över hans försvinnande, samtidigt som peruanen låg nerkrupen i hennes säng. Men om Rosander hotat honom och han sökt skydd hos den enda som han kunde gå till, Eva-Lena Vitros. Lindell skrev några ord på hjärter kung. Kanske han gick till Vitrosen, och när ingen var hemma, gjorde inbrott i hembygdsgården, drack en kopp te och väntade till ljuset tändes i Vitrosens hus. Han hade försvunnit en söndag och Alice Andersson hade kollat upp hembygdsgården på måndagen. Vad hade hon sagt? Lindell drog åt sig blocket och fick nästan genast fram anteckningarna från besöket hos biodlaren och Alice: "Barngrupp söndag, koll måndag, gymnastik tisdag". Mellan vilka tider var barngruppen i hembygdsgården? "Fråga Alice – barngrupp!", skrev hon i blocket.

Skulle de ta in Rosander? Enrico kanske mördades på måndagen? Flykt från Rosander, till Vitros, inbrott, till Vitros igen, måndag konfrontation med Rosander, mord. Var det så kedjan såg ut? Men Ricardo hade inte sagt något om gräl mellan Rosander och brodern, snarare var det bröderna som hade argumenterat, "inte pratat vänligt", som Ricardo

246

uttryckt det. Rosander var i stan den söndagen. Eller hos Vitros? Kom Enrico dit och sammanhangen klarnar för Rosander, som blir våldsam?

Vi måste ta in Rosander, bestämde hon. Svartsjukekortet var fullklottrat med anteckningar, delvis kryptiska, men bara förekomsten av så många noter gjorde hjärter kung intressant.

Så tog Lindell det sista kortet, det mörka. I samma ögonblick ringde det. Hon sträckte sig för att svara men lät bli med handen på luren. Sju signaler gick fram. Hon hann rita ett spadertecken, fylla det med svärta och slarvigt skriva "knekt" bredvid. "Spader knekt" var den symbol hon omedvetet valde. Hon såg framför sig knektar, i rad, på marsch, svarta inte i hudfärgen, utan i tankarna. Målmedvetet marscherande längs Lindgrenarnas grusväg, den väg hon var övertygad att Enrico valt.

"Nyckelknippa", skrev hon med versaler, följt av "Lindgren", som hon dock genast strök över. Fyra nycklar, mumlade hon och stirrade på spadersymbolen. "Skinnskallar", skrev hon sedan. Finns det inga kolleger som kartlägger rasisterna? Hon hade varit på någon information för ett halvår sedan. Det fanns väl en grupp, påminde hon sig. Kan de hålla rätt på att Rosander är med i Naturskyddsföreningen borde väl Skinnskallarnas Riksförbund finnas kartlagt. Hon skulle höra med Björkman. Han hade koll. Hon tänkte på Axel Hauge, varför var han så försiktig? Var han rädd och i så fall för vad då? För hämnd, att de skulle komma om natten och bränna ned hans ICA-butik, slå benen av honom eller vad? Hade han sett något som han kopplade till Enrico och mordet? Kände han till brödernas existens? Ja, kanske det, en handlare märker väl förändringar i folks beteenden, att inköpslistan förändras, sväller ut. Rosander fick två munnar till att mätta. Han kanske köpte andra typer av varor dessutom. Men vad var det som sa att Rosander handlade i byns butik? Hon skulle höra med Hauge.

Telefonen ringde igen. Hon lät tre signaler gå fram innan hon bestämde sig för att svara. Det var Samuel Nilsson. Vartefter han pratade förändrades Lindells ansiktsuttryck. Hon tog upp pennan och skrev ned två ord: "Olsson" och "Sandskolan".

33

Vaktmästare Hans-Allan Olsson tillhörde den där typen av människor som inte lät sig upphetsas av ett polisbesök. Även om det innebar att han fick stanna kvar på skolan efter arbetstidens slut.

– Egentligen slutar jag tre, sa han, men det finns att pyssla med. Ni ser hur det ser ut.

Vad det var som såg ut förstod inte Lindell men hon tittade sig pliktskyldigt omkring i det trånga vaktmästarutrymmet. Hon kunde bara jämföra med sitt eget tjänsterum och fann Olssons vrå som ett under av ordning och reda. Det enda som störde helheten var en sönderskruvad armatur som låg i sina delar på en av bänkarna.

– Ja, det finns alltid att göra, sa hon. Du vet ju varför vi är här, skåpnyckeln min kollega Nilsson visade dej tidigare i dag. Du är säker?

– Javisst! Den går till ett av våra skåp.

– Och det var uppbrutet?

– Ja, det är förjävligt. Men dom är ju inte sluga på en fläck.

– Eleverna?

Olsson svarade inte utan drog fram en låda, tog upp en grabbnäve kort och slängde upp på bänken.

– Jag har en polaroidkamera och fotograferar all skadegörelse. Ni ser!

Lindell kastade en blick på högen och hann uppfatta en bild på en insparkad dörr.

– Men skåpen är väl personliga?

– Ja, i princip. Det här skåpet var det ingen som disponerade.

– Ändå var nyckeln ute på vift.

– Förjävligt, sa Olsson.

– Hur kommer det sej?

Olsson ryckte på axlarna.

– Det kan vara en elev som haft skåpet, slutat på skolan, men inte lämnat tillbaka nyckeln.

– Ska dom inte lämna in den?

– Normalt sett.

Lindell såg på Nilsson.

– Jaha, sa hon uppgivet.

– Det finns inga gamla listor, en slags förteckning över skåpinnehavarna?

– Den är ofullständig är jag rädd.

– Vem ska sköta det här?

Olsson drog ihop korten på bänken och slängde tillbaka dem i lådan.

– Finns det en skolkatalog?

Olsson vände sig mot en hylla, drog fram ett tunt häfte och gav Lindell.

– Årets, sa han. Expeditionen har väl fler, tillbaka i tiden.

– Kan jag låna den? Kan vi få se skåpet?

– Follow me, sa Olsson och manövrerade sig ut från sitt prång.

De gick genom en näst intill öde skola. I en soffgrupp satt ett gäng elever, men de höjde inte ens blicken när poliserna och Olsson gick förbi. Lindell hade inte varit inne på en skola sedan hon slutade gymnasiet för nästan tjugo år sedan, det trots att Rolf arbetade som lärare, men lukten var densamma, torr, likaså känslan av instängdhet. Det kändes trångt i korridorerna, till och med i de större utrymmena där de olika korridorerna mötte varandra kändes det lågt i tak.

Skåpen stod placerade i långa rader. Många var öppna, några trasiga med skåpdörrarna hängande på trekvart. De flesta dekorerade med graffiti, färgglatt, som en kontrast till allt det gråa och mörkbruna.

– Här är 437, sa Olsson och petade till den halvöppna dörren.

Ingenting. Lindell stack in huvudet så långt hon kunde. Nä, det fanns ingenting, inte ens litet skräp.

– Tack, sa hon och vände sig till Olsson, du får igen katalogen snart.

Olsson gick utan ett ord. Lindell tittade på skåpet, sedan på Nilsson. Hon tog upp nyckeln ur fickan och sköt in den i låset.

– Den passar, sa Nilsson. Jag har redan provat.

– Vad tror du?

Nilsson såg efter Olsson som försvann bakom ett hörn.

– Flera alternativ, sa han. Antingen har skåpet varit dött länge och nyckeln hänger kvar på knippan sen förr, eller så har han upptäckt att han tappat nyckeln, brutit upp skåpet och tömt det.

– Inte för att jag tror det ger nånting men vi kollar avtryck på skåpet. Kan du ringa?

Lindell petade igen dörren och synade den. Inga märken, ingen som hade ristat in något, bara en intetsägande färgslinga i blått och gult i ena kanten.

– Gå tillbaka till Olsson och kolla den där ofullständiga listan. Kolla också om det går att utläsa vilka som har skåpen bredvid. Jag måste iväg tyvärr.

Nilsson nickade och gick omedelbart. Lindell dröjde sig kvar en stund vid skåpet, såg sig omkring. Kan mördaren vara en elev som går här nu? En som gått här tidigare?

Varför hade hon bara suttit utanför och väntat, de få gånger hon hämtat upp Rolf. Hon hade träffat flera av hans kolleger men aldrig sett hur han hade det. Själv hade han varit upp till henne, titt som tätt, bullrat och skrattat i korridoren, i fikarummet. Det hände fortfarande att kolleger frågade hur Rolf hade det eller till om med bad henne hälsa!

Hon beslöt sig för att åka tillbaks till Ramnäs och bläddra igenom skolkatalogen tillsammans med Axel Hauge. Nu fick han bekänna färg.

34

Var har du varit?

Hon hörde själv hur gäll rösten lät.

– Hos Rosander.

– Folk ringer hela förmiddan och jag vet inte var du är! Jag trodde du gick ner till Bengt.

– Du såg väl att bilen var borta?

– Det verkar som du vore gift med den där i stället för mej.

De stod och stirrade på varandra en kort stund, tills Edvard skakade på huvudet och började gå uppför trappan till Alberts rum. Faktum är att det stämmer, tänkte han, jag går till Rosander med förtroende men låter inte Marita veta något om brevet, än mindre dess innehåll.

– Än sen då!

Han vände sig hastigt om.

– Om jag så vill åka till månen så är det väl min sak!

Han klampade på uppför. Han ville leta efter fler brev eller papper. Albert kunde ju ha skrivit fler och glömt bort dem. Albert hade nog haft många sömnlösa nätter. Femtio år är en lång tid, det kan ha skrivits många brev.

Han satte sig på knä framför bokhyllan, tog ut bok för bok, bläddrade, skakade ur dem. Det kändes som en billig handling, sniket, som om han var på jakt efter någon instoppad sedel. Han höll upp ett ögonblick, men fortsatte. Det fick inte finnas något undanstoppat, något som Marita eller pojkarna hittade.

I två timmar letade han utan att finna något som berättade om Paris. Däremot fann Edvard mycket annat, som fick honom att stanna upp i sitt sökande: foton, brev från fackföreningsvänner, diplomet som en gång satt uppe på väggen, tidningsurklipp, bleknade, mångdubbelt vikta, slarvigt urklippta dödsannonser och någon enstaka födelseannons, ransoneringskort från andra världskriget, ett kuvert med mycket gamla bokmärken, farmors kanske, brev från ABF och språkinstitut. Allt i en salig röra. Nu skulle han inte minnas farfadern genom dessa gulnade papperslappar, men det var förvånansvärt litet med tanke på att det omfattade nästan ett helt sekel, en aktiv människans arkiv. Framlagda på bordet framstod Alberts personliga kvarlåtenskap som fattig. Edvard betraktade de små högar han sorterat upp. En trappa ned hördes Maritas röst. Var fanns farmor? Det enda som fanns kvar efter henne var bara bokmärkena och några brev från en syster, skrivna på 20-talet.

Hur skulle han minnas farfadern? Som en dråpare? Nej, aldrig! De korta stycken Rosander läst upp högt övertygade Edvard om att han hade reagerat instinktivt. Så hade han skrivit i alla fall. Tänk om det var en efterkonstruktion för att stilla sitt eget samvete? Då skulle till och med brevet framstå i en annan dager, som ett försök att rättfärdiga sig, att ljuga för sig själv och omgivningen, för genom att skriva brevet och formulera det som han gjort så skulle det inte råda något tvivel om att det var ett olycksfall, om än med dödlig utgång. I princip som en trafikolycka där Albert kört bilen, men inte varit vållande. Han skulle ju inte behövt skriva brevet, för risken att sanningen om Paris skulle uppdagas, vad som egentligen hände, var minimal. Vem skulle kunnat avslöja den? Kvinnan i sängen, horan? Hon var väl död och hon hade väl aldrig vetat vem den muskulöse, bleke vikingen varit. En man från norr, en kund.

Skrev han brevet för att ljuga för sig själv? Edvard trodde det inte. Albert hade varit tjurig på många sätt, oresonlig och ibland oberäknelig, men ingen förhärdad lögnare. Men om det gällde liv eller död? Nej, så sofistikerat kunde det inte vara. Han skrev brevet för att få litet ro, få chansen att formulera sig, så var det! Att han visat Edvard gömstället, bara några dagar före sin död, var typiskt Albert. Han hade gjort det med styrka, som en klar och medveten handling, inte som ett nyck från en gammal, förvirrad man. Det var ett testamente, sedan var det Edvards sak att lista ut meningen, vilka lärdomar han skulle dra.

Han lät sakerna ligga på bordet.

I samma ögonblick han öppnade dörren och tog det första steget nedför trappan, ropade Marita.

– Jag kommer, skrek han. Jag är på väg.

Marita stod i köket.

– Nu kommer hon, sa hon och nickade mot fönstret.

– Vilken, sa han, men visste med sig att det var polisen, Ann Lindell. Det hörde han på Maritas tonfall.

– Hon ringde från pappa och frågade om hon fick komma hit.

– Ska vi sätta på kaffe?

– Hon har nog druckit hos Axel.

Edvard satte sig vid köksbordet.

– Varför frågade hon så snällt?

– Hon vet väl att Albert är död.

När Lindell tog fram skolkatalogen och slog upp den så anade Edvard vart hon ville komma.

– Känner ni igen någon här?

Både Edvard och Marita studerade uppslaget länge, gick

från foto till foto. Vad kan det röra sig om, grubblade båda två. Edvard kände Maritas oro, han förnam den i hennes sätt att luta kroppen över bordet, i axlarnas hållning. Hon ruskade på huvudet.

– Nej, sa han. Borde vi känna igen nån?
– Jag vet inte, sa Lindell. Det är inte sagt.
– Det rör mordet förstår jag.

Lindell nickade och drog åt sig katalogen.

– Ingen är från byn, sa Marita. Det är jag säker på.
– Kände svärfarsan igen nån?

Vad jag har underskattat den karln, tänkte Lindell, men låtsades inte höra, utan slog samman katalogen och tittade på Edvard, in i hans vackra ögon.

– En sak, sa hon. När du var upp på stationen så frågade du om Enrico bar en ring på fingret, varför gjorde du det?
– Det var mer än fundering.
– Jag tror inte det, sa Lindell.

Han såg hur Marita blängde till. Det har inte du med att göra, tänkte han tyst, men insåg att ett sådant svar inte skulle gå hem. Han reste sig och gick fram till bryggaren och grep tag i behållaren.

– Det var nånting som farfar undrade över, sa han. Vill du ha kaffe?
– Nej, tack. Varför skulle din farfar undra över det?
– Jag vet inte. Det låter konstigt, men så är det. När jag berättade om Enrico frågade han om han hade en fingerring.
– Du frågade inte varför?
– Nej.
– Det var väl en rätt märklig fråga i det läget, av en 97-åring.
– Farfar var märklig och frågan kom så plötsligt, så jag tänkte inte närmare på det.
– Du tänkte ändå så mycket att du frågade mej.
– Ja, det slog mej att jag skulle fråga. Farfars frågor brukade vara viktiga.

Marita hade hört på utan att röra en min. Edvard ordnade med kaffet. Han hade hållt en saklig ton under Lindells frågestund, inte fabulerat allt för mycket utan lagt sig så nära sanningen som möjligt, inte höjt rösten utan svarat lugnt och vänligt. Hans svar kunde ifrågasättas, men Lindell kunde inte bortse från att det fanns en viss, om inte logik, så ändå halt av trovärdighet i hans utsaga. Det hade varit på det viset och han kunde upprepa det gång på gång, utan att tveka.

– Berättade du för din farfar att Enrico inte bar en ring?

– Nej, det blev aldrig tillfälle.

Lindell beslöt sig för att släppa frågan om ringen. Det var inte därför hon kommit till Risbergs.

– Jag tror att en av de här pojkarna i katalogen känner era söner. Det kan vara så att han är inblandad i Enricos död.

Så var det sagt! Edvard höll upp med sina göromål. Maritas ansikte visade häpnad.

– Vad fan säger du!

Edvard ställde ned kaffekannan med en smäll.

– Skulle våra pojkar vara inblandade i mordet? Nä, far åt helvete!

Han lutade sig över Lindell medan Marita tog tag i hans arm.

– Jag sa inte det, sa Lindell. Sätt dej ner så ska jag berätta.

Edvard sjönk ned på stolen. Lindell blundade för ett kort ögonblick och bestämde sig för hur hon skulle fortsätta samtalet.

– Killen i katalogen har setts utanför affären tillsammans med era söner. Dessutom fanns en ung pojke till, som vi inte har identifierat. Ja, det är din pappa som har sett dom tillsammans, sa hon och riktade blicken på Marita. Han berättade det idag. Han är säker på sin sak. Cirka åttahundra meter från det ställe Edvard fann Enrico har vi hittat ett föremål som vi med stor sannolikhet kan härleda till killen i katalogen.

Det var en chansning, tänkte Lindell, men hon var helt säker på att nyckeln tillhörde Nils Joakim Lund i katalogen. Det fanns i dag inget som band honom vid nyckeln, men hon var övertygad att det var en tidsfråga innan det kunde fastställas att det var skinnskallen som hade haft tillgång till skåpet. Det borde inte vara svårt att hitta grannar till skåp 437. Inte heller att binda honom till de tre övriga nycklarna på knippan.

Marita och Edvard satt tysta och smälte den information de fått. Edvard drabbades av en känsla av overklighet, han såg på polisen med frånvarande ögon. Han fann sig själv stirra på hennes hals och guldkedjan med den röda stenen som lyste likt en blodsdroppe.

– Jag är ledsen, sa Lindell, en sån här dag.

Blodsdroppen rörde sig när hon pratade, hängde sig i en liten grop i hennes hals. Han tänkte på Jerkers snack om svartskallar och kylan kom krypande längs ryggen. Han förstod att Lindell var säker på sin sak. Han litade på hennes omdöme. Om det funnits tvivel så skulle hon inte sitta i deras kök.

– Du menar att Jens och Jerker kan vara inblandade i mordet?

Maritas röst var förvandlad, näst intill oigenkännlighet. Edvard vred på huvudet och såg på henne.

– Vi vet inte. Vi måste höra pojkarna.

– Har ni pratat med skinnskallen i skolkatalogen.

Lindell skakade på huvudet

– När kommer Jens och Jerker hem?

– Dom skulle vara hemma nu, snart, sa Marita förvirrat, snart i alla fall. Det är svårt att säga. Det är så olika. Vi ska väl äta. Edvard! Vet du?

– Nej.

Vilken soppa, tänkte Lindell. Det slog henne att Edvard kanske var inblandad. Hade han . . . nej, varför skulle han då låtsas hitta peruanen om han hjälpt till att gömma honom? Han skulle dessutom valt ett bättre gömställe. Inte vid deras svampställe.

Mobiltelefonen ringde och det gav henne en förevändning att lämna köket. Hon tryckte in den gröna knappen, gick ut på gården och svarade. Det var Nilsson. Ett någorlunda fingeravtryck hade kunnat säkrats på skåpet. Dessutom, sa Nilsson med triumf i rösten, pojken Lund har haft skåpet. Det finns två elever på skolan som kan bekräfta det.

– Bingo! Har du pratat med dom?

– På telefon. Vaktmästar-Olsson var riktigt hjälpsam. Han ringde faktiskt efter en kontorist som kom till skolan och hjälpte oss. Hon påstod att hon kände dej. Genom ditt ex.

Mitt ex! Var bor skinnskallen? Vilka jobbar? Finns det luckor, tänkte hon plötsligt. Hon skymtade Edvard i köksfönstret. Nej, det är solklart! Bara nu Nils Joakim Lund . . .

– Jag är ute i Ramnäs, hos Risbergs. Jag vill att du och

Haver tar in Lund. Nu! Slå en signal till åklagaren också. Det är helt klart att han varit i byn. ICA-handlaren är säker.

– Jävlar i havet, utbrast Nilsson. Vi kirrar det!!

Lindell kikade mot fönstret. Hon gick i vida bågar på gräsmattan och den sura doften av ruttnande äpplen steg emot henne. Hon var iakttagen. Satans pojkjävlar, mumlade hon.

– Vad sa du?

– Ingenting! Ta in Lund, men ta det försiktigt. Jag vill prata med Risbergarna litet mer. Det kan vara så att Edvards söner är inblandade. De är ju faktiskt skinnskallarnas koppling till byn, till Enrico.

Hon knäppte av samtalet. Ett äpple hade kletat fast vid högerskon. Hon hade svårt att känna den riktiga tillfredsställelsen. Dels var inte fallet löst, även om det onekligen såg bra ut, dels gav det litet dålig smak i munnen att familjen var inblandad. Hon skulle önskat sig ett annat scenario. Domen skulle bli hård i Ramnäs. Hon såg framför sig biodlaren och Alice, familjen Lith och bröderna Lindgren. Vitrosen, hur skulle hon ta det? Hon hade talat väl om Risbergs.

Lindell satt tillsammans med Edvard och Marita och väntade. Inte mycket blev sagt. Efter en halvtimme kom pojkarna. Marita var den som hörde mopeden först. Jens körde, skjutsade sin storebror. Edvard reste sig och såg pojkarna ställa ifrån sig mopeden mot garageväggen. Jerker boxade till Jens på axeln, ett hårt slag så brodern for åt sidan, men han skrattade, sa någonting som fick Jerker att skratta. De stannade, vände sig om, tittade på mopeden, diskuterade, Jerker pekade. Edvard gick undan från fönstret. Ilskan hade runnit av honom, men måste pojkarna skratta? Albert dog ju i går kväll, tänkte han.

Lindell hostade i bakgrunden. Marita stirrade rakt fram mot en okänd punkt i köksinredningen. Edvard slog sig ned. Jag borde gå ut på gården, jag borde möta dem, jag borde lägga mina händer på deras axlar och sakta gå över gruset mot trappan, innan de träffar på Lindell.

Jag borde ha gjort det, tänkte han, när han såg pojkarnas miner. De var på sin vakt omedelbart. Jens sa ett försiktigt "Hej", medan Jerker blev stående i dörrhålet.

– Ni vet vem jag är. Jag har några frågor. Vill ni sitta ner?

De drog sig tveksamt mot bordet. Jens tittade på Edvard som inte förmådde säga något. Pojkarna slog sig ned mitt emot Lindell, stela, avvisande.

– Det gäller som ni förstår mordet på Enrico. Jag tror att en kompis till er är inblandad.

Jens drog efter andan. Jerker stirrade stint i bordet.

– Det är Nils Joakim Lund. Vad kallas han för – Jocke? Han var i byn samma dag Enrico dog. Han var i samma skogsavsnitt, samma glänta. Samtidigt som Enrico. Eller hur? Enrico blev bara några år äldre än dej, sa Lindell och vände sig mot Jerker. Han har en bror som sörjer. Ni är bröder, ni måste hjälpa mej. Berätta vad som hände.

Edvard hörde hur Jens svalde. Jerkers händer vilade på bordet. Jens fick något plågat över sig, han vred kroppen, kikade mot Marita. Tystnaden låg som ett sorgflor över köket. Det finns ingen utväg ut ur detta, tänkte Edvard.

– Jag förstår att det är svårt. Det var säkert inte meningen att det skulle gå så tokigt.

– Vi gjorde inget, sa Jens.

– Håll käften!

– Berätta.

– Vi vet inget, sa Jerker. Ni vill bara sätta åt oss!

Han stirrade på Edvard och sedan på Lindell, i den ordningen, tänkte Edvard. Han kommer att hata mig, precis som jag kommer att hata honom. Nej. Jo, precis så blir det.

– Pojkjävel, väste han. Tala om hur det var!

Det fanns skräck i pojkens ögon, men han stirrade tjurigt åt sidan. Jens började gråta. Marita la sin arm runt hans axlar.

– Vi kan lugna oss lite, sa Lindell, reste sig och lämnade köket.

Hon gick ut i vardagsrummet, slog sig ned ytterst på en fåtölj, pressade samman benen och la armarna i knät, blundade. Hon skulle ge dem tio minuter, inte mer. Upprörda röster hördes från köket. Tio minuter, sedan skulle hon knäcka familjen Risberg. Jens Risberg, fjorton, Jerker, sexton. Lindell var osäker på vad som var bäst, vad som gällde. Hon hade ingen erfarenhet av att förhöra barn. Den yngste hittills hade varit en artonårig biltjuv, som idag var tio år äldre och satt på Norrtäljeanstalten. Men i hemmiljö, tillsammans med föräldrarna, var väl ändå bäst? Ingen kritik skulle kunna riktas mot henne, tänkte hon skamset. Här bestämmer jag mig för att gå på en fjortonårig pojke och det första jag tänker på är om jag kan hamna i blåsväder. För övrigt var det inget egentligt förhör, mer ett samtal.

När de tio minuterna var till ända, reste hon sig. Musklerna i benen värkte. Ett jättelikt älghuvud satt på den motsatta väggen. De glansiga ögon stirrade på henne. Skogens konung. Rösterna i köket hade reducerats till ett svagt mummel.

När hon öppnade köksdörren satt familjen till synes lugnt församlad runt bordet. Jens tittade hastigt upp. Hon ställde sig vid köksbänken som för att understryka det informella i det som nu skulle ske.

– Vi har pratat, sa Edvard och Lindell hade gissat att han skulle inleda så. Jens och Jerker har berättat.

Hon tittade på pojkarna. De satt helt stilla, med böjda huvuden. Skammen lyste och Lindell tyckte plötsligt synd om dem. Marita satt med rak rygg, med en självmedveten min i ansiktet, stolt, som för att säga: Rör du oss, så slår jag till. Eller kanske: Vad som nu än berättas, vad som nu än händer, så är det här min familj, enheten Risberg. Lindell hade sett det tidigare, hur medlemmar i en familj slöt sig tätt intill varandra, med ryggarna mot varandra, käftarna utåt. Edvard satt med armarna på bordet, kraftfulla underarmar med uppkavlade ärmar. Husfadern. Det var han som skulle föra Risbergs talan.

– Pojkarna såg Enrico. De träffade på honom på vägen. De var tillsammans med två andra pojkar. Den ene är just Jocke Lund som du frågade om. De började skoja med Enrico, reta honom, helt enkelt. De drev honom framför sig på vägen. Enrico började springa och pojkarna efter. Du vet hur det kan bli, sa Edvard och såg på Lindell.

Hon kunde mycket väl se dem framför sig, men inte erfara den där känslan som Edvard tydligen så väl kände. När jakten började var de inte längre pojkar, utan vad? Det var som en scen ur ett naturprogram, där instinkterna styrde. När offret började springa startade jakten. Om nu Enrico satt sig ned på vägen, lagt sig ned, vad hade hänt?

– Peruanen sprang in i skogen. Efter ett tag kom de i fatt.

– Var nånstans?

Edvard kikade på Jerker.

– Innan avtagsvägen ner mot Lindgrens, mumlade Jerker.

– Vid kurvan, där Bengt krockade?

Jerker nickade.

– Det finns en avtagsväg, eller snarare en gammal skogs-bilsväg, innan man kommer till Lindkvists väg.

– Sprang Enrico där?

– Ja, sa Edvard, och i skogen innanför kom dom i fatt. Det blev lite kurr, först munhöggs dom mest, men sen tog den där Jocke tag i Enrico och det blev som en brottningsmatch. Han drog upp jackan på Enrico, knuffade honom mot en stor sten. Då blev han tydligen alldeles vild, sparkade och slog omkring sig. Jocke tappade taget.

– Vad gjorde ni då?

Ingen av pojkarna gjorde en min av att ha hört frågan, så Lindell upprepade den.

– Vad gjorde ni då, slogs ni också?

Jens skakade på huvudet.

– Nä, vi tittade på. Sen när han fick tag på Jocke och slog ner honom, försökte vi skilja dom åt.

– Han höll för fan på att strypa Jocke, bröt Jerker in.

– Hur då?

– Han höll honom om halsen, tryckte ned honom. Han var alldeles tokig, jag lovar.

– Vad gjorde ni?

– Vi drog i honom. Jocke fick tag i hans arm och lyckades få honom att släppa taget om halsen.

– Vad hände sen?

– Han sprang iväg, rakt in i skogen.

– Åt vilket håll?

– Bortåt.

– Mot byn?

– Inte direkt, sa Jens och såg osäker ut.

– Sen såg ni honom inte mer?

– Nej, han försvann.

– Jocke då, vad gjorde han?

– Han låg kvar. Han hade svårt att andas, sa han. Den där jäveln höll på att döda mej, sa han.

– Han ville inte springa efter?

– Jag tror han var skiträdd, sa Jens.

Lindell satt tyst, iakttog de båda. Det gick för lätt! Var det ett misstag att höra dom vid köksbordet, tillsammans? Dessutom hade dom fått tio minuter själva. Marita skulle aldrig tillåta att hennes barn skadades. Hade hon, eller Edvard, regisserat?

– Hur länge stannade ni i skogen, återtog hon.

– Tio minuter kanske, sa Jens och tittade på Jerker.

– Vad gjorde ni sen?

– Åkte hem till Mattias.

– Vem är det?

– Han bor i byn. Han går i Jens klass, sa Marita. Mattias Rönnkvist. Hans mamma är distriktssköterska.

– Var nån skadad?

– Nä, inte så! Vi fikade och snackade.

– Vad snackade ni om?

– Hur han slogs.

– Inte hur ni slogs? Han sprang därifrån? Vad gjorde ni? Stannade kvar tio minuter, gick hem till Mattias. Var det så?

Jens nickade.

– Blev det någonting kvar där i skogen?

– Jackan. Hans. Den låg där.

– Ni tog inte upp den?

– Jocke trampade på den, torkade av fötterna, spottade på den.

– Men den blev kvar?

– Ja.

– Var det en fin jacka? Hur såg den ut?

– Den var en sån där med huva, stor på nåt vis.

– Färg?

– Mörk, sa Jens, efter ha kikat på sin bror.

– Ni är säkra på att den blev kvar? Ingen av de andra tog den?

– Bombis.

– Har ni varit i skogen sen dess?

– Nä.

– Det är en månad sen drygt, är ni säkra.

Pojkarna nickade. Lindell stannade upp. Edvard hade rest sig under utfrågningen, tappat upp ett glas vatten och slagit sig ned igen. Nu läppjade han på vattnet i små klunkar, som om det vore en drink. Han såg inte nollställd ut, men näst intill oberörd, som han inte brydde sig.

Jaha, tänkte hon, självförsvar, det är dit dom vill ha det. Lite pojkbråk, Enrico blir galen och Joakim Lund känner sig hotad, blir nästan dödad. Självförsvar.

– Vad tänkte ni när ni jagade Enrico genom skogen?
– Tänkte?
– Hade han sagt något när ni möttes på vägen?
Jens skakade på huvudet.
– Är Jocke rasist?
Jerker tittade hastigt upp.
– Nä, mumlade han.
– Han är rakad. Kanske vi hittar några hakkors hemma hos honom. Vad tror ni? Ni då! Är ni rasister?

Hon förnam en rörelse hos Edvard, en ansats att gå i svaromål, men ignorerade honom och upprepade frågan.

– Vad lyssnar ni på för musik? Jag skulle vilja titta på era CD-skivor. Går det bra?

Tystnaden i köket var fullkomlig. Marita hade sjunkit samman något under samtalets gång och såg inte fullt lika krigisk ut. Edvard såg bara trött ut och pojkarna hade fått ett håligt, litet jagat utseende. De sökte med blicken någon utväg. Jerker tittade mot fönstret som om han skulle kunna fly den vägen.

– Jerker, du kan hämta en t-shirt, tandborste, free-style och lite annat som du vill ha med dej, sa Lindell. Jag föreslår att antingen din mamma eller pappa följer med, den andre får stanna hemma hos dej, Jens. Du behöver inte följa med, men du kommer att bli utfrågad igen. Kanske redan i dag, av en kollega till mej.

– Ska jag till polisen?
– Ja, du blir nog kvar över natten också. Vem vill följa med?
– Är jag misstänkt för nåt!?
– Mord, eller medhjälp till mord, försvårande av polisens arbete, det finns lite att välja på.
– Jag har inte gjort något!!
– Han har ju sagt hur det gick till, utbrast Edvard häftigt.
– Det är möjligt, men du tycks inte riktigt förstå. En ung man har blivit mördad, dina söner jagar honom in i den skog

261

där du finner honom död. Självklart måste vi kolla upp pojkarnas historia.

– Jag följer inte med!

– Det gör du nog, sa Marita. Du ska se att allt ordnar sig. Jag ska ringa en advokat, som kan hjälpa oss. Bengt känner en. Vi tror på dej Jerker, eller hur, Edvard?

35

ATT GÅ I LAND, var ett uttryck Fredriksson gillade. Hans far hade aldrig gjort det, men Fredriksson ville gärna gå i land med det han företog sig. Det här går vi iland med, sa han allt som oftast. Om det var ett uttryck för hans bortträngda längtan efter sin far, som visserligen gick i land men vid fel kust, i fel hamn, eller om det var för att visa att han inte var så gemen som sin far, det kvittade Fredriksson själv. Han vägrade gräva i det gamla, han försökte vara en bra far till sina fyra barn, vara en bra polis, han ville "gå i land" till den milda grad att han så sakteliga etablerade uttrycket som sitt tillnamn.

– Det här går vi i land med! Den blå bilen är mamma Lunds, dekalen från plantskolan sitter där, vi har vittne på att den var vid skogsvägen, vi har Lunds fingeravtryck på instrumentpanelen. Olovlig körning dessutom. Nyckelknippan, där har vi härlett tre av fyra nycklar: En till bostaden på Rabarbervägen, en till cykeln i garaget och en till skåpet på Sandskolan. Den fjärde, troligen till ett hänglås, vet vi däremot inget om. Lund själv "minns inte".

– Varför tog han bilen, frågade Haver som varit sjuk flera dagar.

– Han nekar till bilkörning, att han överhuvudtaget tagit mammas bil och kört ut till Ramnäs, men vår teori är att han upptäckte att han tappat nyckelknippan, anade att han tappat den i skogen, tar bilen och åker tillbaks för att leta, sa Fredriksson och tittade på Lindell, som nickade.

262

– Vi har Axel Hauges vittnesmål om att Lund befunnit sig i Ramnäs, tillsammans med pojkarna Risberg. Vi har Jens och Jerkers medgivande att de jävlades med Mendoza och förföljde honom till gläntan där tumult uppstod och där Enrico troligen dog. Jag säger troligen, han hittades åttahundra meter därifrån. Jackan, eller snarare duffeln hittas av "bröderna Bright", som sedermera bränner eländet. Innan dess har Anne sett den hemma hos bonnfamiljen. Ja, allt detta har vi . . .

Allan Fredriksson slutade sin föredragning, som hölls i en lätt ton, men ändå inte tillfredsställde honom själv eller åklagare Fritzén. Lindell klädde med ett prasslande ljud av ytterligare en halspastill. Ottosson ler mot henne, uppmuntrande. Han nickar. Han sätter upp tummen. Nickar igen. Hur nöjd får man vara, tänker hon. Han är hennes chef. Hon borde vara nöjd också, men i detta mål finns det bara förlorare, som Fredriksson med ett slitet uttryck inlett sin föredragning.

Nilsson hostade. Det verkar som hela roteln håller på att gå i däck. Han tittade på Lindell, som nickade, och tog en pastill ur hennes påse.

– Går vi iland, undrade Fritzén. Ingen av oss tvivlar på att pojkarna kvävde Mendoza till döds, men vi har ingen bevisning. Den stannar i gläntan. Pojkarna är samkörda och vi kommer endast att kunna knäcka kvartetten om nån av dom kroknar och börjar prata. Frågan är vem?

Joakim Lund är den till synes mest medvetne, tuffaste. Alla hans skivor, flaggor, tidningar och gud vet vad, talar sitt tydliga språk. Både han och Jerker Risberg var med vid Tuna bygdegård, på den där rasistkonserten, det vet vi nu. Båda har ett förflutet som aktiva rasister, mer eller mindre. Lund mer, men vi ska inte underskatta bonnpojken.

Han är ingen bonnpojke, tänkte Lindell och hon var på vippen att avbryta åklagaren. Han observerade Lindells nästan omärkliga rörelse med handen och vände sig frågande mot henne, men hon skakade på huvudet. Lantarbetarpojke, mumlade hon ohörbart, medan Fritzén fortsatte sin monolog.

– Mattias Rönnkvist har jag knappt träffat, men han ger ett envist intryck, eller hur?

Åklagaren kliade sig på halsen. Undrar om han har egna barn, tänkte Lindell. Tjurskalliga säkert. Men det stämde. Mattias var den de hade fått sämst kontakt med. Han var den näst äldste, mitt emellan Lund och Jerker, arbetslös, med en avhoppad målarutbildning som enda merit. Mamman distriktssköterska, pappan byggnadsarbetare. Han var den mest inbundne. Ett tag trodde Lindell att han inte riktigt hade förstått vidden av det som hänt, att han faktiskt var misstänkt för mord. En gång hade han övergivit sin håglösa framtoning, då han hade vält bordet över Nilsson och sedan återtagit sin passiva hållning, utan att egentligen ha förklarat vad som utlöst det hela. Honom kunde de nog inte hoppas på, där var Lindell och åklagaren överens.

– Återstår då den yngste Risberg, som är litet vekare. Kanske vi kan förmå honom att lätta på trycket. Det är ju ett problem att han är minderårig.

Georg Fritzén förlorade sig här i en lång utläggning om de speciella förhållanden de måste arbeta under när det gällde minderåriga. Trots att åklagaren lät allt mer utmattad och att ämnet inte föreföll så upphetsande, så var ändå Lindell på något vis tacksam över hans långrandiga föreläsning, dels snappade hon upp ett och annat och dels fick hon tillfälle att tänka och i tysthet gå igenom de senaste dagarnas utveckling.

Sedan gripandet av Joakim Lund, Jerker Risberg och Mattias Rönnkvist, hade en kraftig förkylning kastat sig över henne och hela våldsroteln, den känsla av lättnad och seger de omedelbart upplevde efter gripandet hade nu försvunnit i ett modlöst, snorigt töcken av ändlösa förhör med upprepningar, tjat och tjurighet, kontakter med föräldrar, advokater, socialarbetare, psykologer, rasistforskare och massmedia.

Lindell, Lundkvist, Nilsson, Riis och Haver hade i varierande grad drabbats. Nu fick Fredriksson agera lokomotiv och dra de övriga, men han företedde alla tecken på att ha drabbats även han. Lindell kunde inte prata på grund av heshet men febern hade släppt och hon kände hur kroppen sakta med säkert besegrade influensan.

Någon riktig entusiasm kunde hon inte uppleva. Hon hade önskat andra gärningsmän. Visserligen var Jocke Lund en obehaglig figur, hans bräkiga nazism äcklig, men han var ändå en liten pojke, tyckte hon. Hans rum i villan på Rabarbervägen liknade ett tonårsrum, med flygplansmodeller, affischer på popstjärnor, sällskapsspel och med en imponerande samling burkar med olikfärgade kulor, stenisar, glasisar och metallisar. Mitt uppe i allt detta ett foto av Hess, en fruktansvärd bild på en avrättning av en svart man i den amerikanska Södern, med Ku Klux Klan-figurerna som spöken i fonden och på väggen en draperad hakkorsflagga. När Lindell frågade föräldrarna hur de kunde acceptera att deras son smyckade rummet med sådana vidrigheter svarade de att de sällan var inne i hans rum och att de inte kunde hålla koll på allt han gjorde. Pappan var enögd, noterade Lindell. Mamman var hårfrisörska och hennes mobiltelefon ringde ständigt.

Ändå kunde Lindell inte bli riktigt upprörd över hans rum. Hon lyfte de dammiga modellerna som belamrade en hel hylla. Hur många timmar hade inte nazisten Nils Joakim Lund suttit med dessa, passat samman och limmat, klistrat märken och flygplansbeteckningar. Hade den enögde fadern varit med? En så oskyldig, stillsam sysselsättning. Det fanns något mycket sorgligt över hans barndomsrum eller var det bara hennes annalkande influensa som fick henne att stelna i rörelserna och bli mer eftertänksam än hon brukade vara? Fadern hostade någonstans i villan. Mammans telefon ringde. Lindell fann inte något som kunde binda honom till Enrico och mordet, bara en illaluktande nazism i ett pojkrum.

Var hon avtrubbad, att den första chocken att svenska ungdomar kunde vara så korkade och omedvetna att de tog Hitler som idol, nu ersatts av en likgiltighet: jaha, det är så här det är, nu är vi en del av rasismens Europa. Hon hade försökt ta upp ett resonemang med Edvard Risberg när hon senast besökte Ramnäs gård. Han var märkligt tyst, satt vid köksbordet och svarade undvikande på hennes frågor

– Han är så här, sa Marita. Likgiltig, svarar knappt på tilltal.

Marita satt bredvid Jens vid utfrågningarna. De hölls i deras hem. Jens ordknapp, alltid med en barnpsykolog från Akademiska Sjukhuset vid sin sida. De hade diskuterat hur Jens bäst kunde höras. Det blev bestämt att Lindell skulle sköta det hela, men efter ett par dagar fick Haver ta över. De trodde att det kanske blev för många kvinnor runt honom.

Haver var en och nittiofem, kroppsbyggare och hade blivit trea i svenska mästerskapet i sakuteiki. Men det hjälpte inte. Vare sig Lindells milda, men allt mer hesa stämma eller Havers grabbiga framtoning kunde förmå Jens att öppna sig.

Han hade upprepat sin berättelse gång på gång utan att förändra den eller komma på något i sak nytt. Marita höll ofta tyst, men hennes närvaro var stark i rummet.

Begravningen av farfadern genomfördes "i kretsen av de närmaste". Ändå hade folk slutit upp. Birger hade hämtat den gamla fackföreningsfanan och byborna strök omkring utanför kyrkogårdsmuren, men vågade sig ändå inte fram, ovissa om de deltog eller inte i jordfästningen. Prästen talade vid graven, hackigt och för länge tyckte alla. Marita stod med tre röda rosor i handen. Edvard sa inte ett ord. Jerker i kostym, Jens i en ljus kavaj. Polis i bakgrunden. En fotograf från en kvällstidning. Alla frös. Alla tänkte på Enrico Mendoza. Edvard hade kommit på sig själv att förbanna peruanen. Han såg på prästen med hat, var det den kvinnan som han hade besökt? Det framstod nu som otänkbart. Kaffet efteråt ville alla glömma.

– Vi kan nog inte pressa den unge Risberg mer, vi kan ju inte lägga honom i sträckbänk, sa åklagaren samtidigt som han sträckte sig efter en av Lindells halstabletter. Han kanske känner sig för säker hemma. Om vi skulle ta hit honom, inte på förhör direkt, men stressa honom mer?

Fredriksson såg på åklagaren, men kommenterade inte hans förslag.

– Vi kanske ska valla honom i skogen, kastade Lundin fram.

– Det har vi gjort, sa Haver.

– Jag menar, fler gånger.

Lindell förstod Lundins tankegång, men ogillade idén. Att pressa pojken på det viset framstod inte som någon lockande förhörsmetod och frågan var om psykologerna skulle godkänna det. Nu förstod hon att de inte skulle komma längre denna morgon. De decimerade styrkorna hade ändock gjort en samlad genomgång av läget, men det kändes som hela utredningen gått lite över styr i och med all sjukfrånvaro. De hade inte jobbat i takt, missförstånd och en ojämnhet i utredningen hade skapat irritation. Nu kanske de kunde gå i takt. Fritzén tycktes ha kommit till samma insikt. Han slog ihop sin pärm.

– Nu knyter vi ihop säcken, sa han.

Vad stoppar vi i säcken, tänkte Lindell och de övriga kring bordet såg lika frågande ut. Det var bara Ottosson som såg en aning nöjd ut. Lindell trodde det hängde ihop med en artikel i Dagens Nyheter några dagar tidigare där en genomgång av rasistdåd gjordes och Uppsalapolisen nämndes i positiva ordlag. Ottosson hade citerats. Artikeln satt uppnålad på anslagstavlan i fikarummet. Någon hade satt prickar över "o" i hans namn och följden blev att nu kallades rotelchefen "Öttössön". Lindell tyckte det lät gulligt, lite isländskt kanske.

36

Marita dammsög. Edvard iakttog henne från kökssoffans horisont. Han låg på sidan med höger hand under kinden. Han följde henne med blicken, hur hon med energiska rörelser svepte över golvet, tog av munstycket och drog med det glänsande metallröret längs lister och framför spisen, på med munstycket och så ut över golvet där mattorna var borttagna och utslängda på bron. Hon såg hastigt upp. Han blundade men inte tillräckligt snabbt.

– Kan du piska mattorna?

Han suckade. Han förstod inte detta städraseri. Det fanns väl annat att göra? Han blundade och hon upprepade sin fråga som egentligen var en uppmaning.

– Måste du städa?

Hon svarade inte, ryckte lite ludd från munstycket och fortsatte mot hallen. Han segade sig upp på armbågen, såg hennes böjda rygg. Hon hade knutit upp håret i en hästsvans. Dammsugaren tjöt av tillfredsställelse, sladden for rasslande över golvet. Maritas rygg försvann men han såg henne ändå i spegeln. Han satte sig upp, kikade på klockan. Snart är det fotboll, tänkte han. Han reste sig, ställde sig vid fönstret och såg ned mot gården. Likgiltigheten låg som en dimslöja över hela Ramnäs gård. Några svartnade syrenblad for i vinden. En fågel syntes seglande över lagården. Bengts bil stod på planen. Ibland fick han för sig att åka till kyrkan. Hade han varit där idag? Prästhelvete!

Edvards blick följde konturerna av skogen. De taggiga grantopparna syntes trötta mot den grå novemberhimlen. Jag tror inte träden vill mer, tänkte han, dom har tröttnat på att vara skog, att bara stå där. Att pinas hela tiden, bli utsatt för blåst, regn och snö. Och kom det någon besökare så lade dom en stor fågelskit på grenverket. Det kan inte vara kul. En stor vitkladdig skit mitt i ansiktet. Nä, jag tror granarna skulle vilja segla iväg, bli bord i nån båt. Men vem har hört talas om bord av gran? Det ska vara furu, eller ek, men inte gran. Den är för vanlig. Hela skogen är ju full av ruskor. Dom får stå där, nedskitna, blöta, sorgsna. Här står jag och i kyrkan står prästfan och räknar kollekten. Undrar vad Bengt lägger i kollekt. Hednamissionen. För fattiga barns beklädnad. För offren. Vem besitter jorden? De saktmodiga? Nu kommer han. Nä, han har nog inte varit i kyrkan. Det finns inget där. Inte för Bengt, jag tror han har fattat det. Dammsugaren tystande.

– Edvard, tar du mattorna, så det blir klart.

Mattorna. Han tycker om mattorna. Det är Signes mattor. Farmors systers mattor. Hon vävde dem på en jättelik vävstol, hennes katt satt på fönsterbrädan och tramporna gick och det slog. Edvard förde handen över den blåröda mattan. Det var den vackraste. Hon skulle bara veta Signe! Vad jag önskar att hon kunde se mig och mattorna. Hon visste nog, hon anade, att en gång i framtiden så skulle hennes mattor pryda Risbergs hem, Janssons hem, Fribergs, Eklunds. Själv var hon en gallko, men släkten blev bara större och större.

Han slog några slag, men det fanns ingen kraft i armen, piskkäppen for liksom tillbaka. Visst dammade det, men inte som förr. Det dammade bättre förr. Nu var det november och granarna såg på honom med förakt. Han slog några slag till, ökade på styrkan, mest för skams skull.

Bologna. Kenneth Andersson. Upp och nicka. Glenn Hyséns göteborgska retade honom. Men att säga det till Marita var det ingen mening med. 1-0 när han slog sig ned. Jag har missat en kvart, tänkte han, men Kenneth har ju varit där hela tiden.

– Vad ska vi äta?
– Vi åt ju alldeles nyss.
– Jag tänkte förbereda middan. Ska vi ta en bit älg?
– Var är Jens?
– Nere hos Bengt.
– Vad då´rå?
– Dom skulle fixa Hondan.
– Det sa han inget om. Kan han inte fixa den hemma.
– Bengt skulle hjälpa honom, om det var svetsning eller
. . .
– Svetsning! När lärde sig Bengt svetsa! Jävla kludder-gubbe. Går han till Bengt för att få svetsat!?
– Bengt erbjöd sig.

Edvard tystnade. Parma gjorde ett mål. Spelarna låg i en hög. Hur fan kan man bli så glad för ett sånt skitmål? Han hällde upp mer öl.

– Bengt börjar bli så satans beskäftig.
– Nu är du orättvis.
– I helvete!
– Svär inte så mycket.
– Det ska du skita i! Bengt ska leka gulligull i Ramnäs, det retar mej.
– Han ställer upp.

Det var spel mot ett hål. När som helst skulle Parma få ett mål till. Då kontrade Bologna. En lång brant boll som slås från mittförsvaret, tas ned av Kenneth, han drar en spelare, två, spelar ut mot kanten, springer mot bortre stolpen, får inlägget perfekt och trycker till med pannbenet. 2-1.

– Va?
– Bengt ställer upp.
– Han är rädd att jag ska lägga av som du sa förut, det är därför. Han är så satans egoistisk.
– Han ställde upp för mej förut.

– Kan man inte få titta på fotboll i fred?

– När jag gick hemma i affärn, så var det han som ställde upp.

– Vadå affärn?

– När jag flyttade till gården. Hade det inte varit för Bengt och Kristina så vet jag inte vart jag skulle tagit vägen. Det vet du också. Då hade jag strypt farsan.

Edvard släppte tevebilden med blicken och gav Marita ett förundrat ögonkast.

– Jo, mors, sa han.

– Ja, så var det ju!

Han satte sig upp, vred på kroppen, sträckte sig efter fjärrkontrollen och sänkte ljudet.

– Du, så var det inte, sa han lugnt.

– Bengt ringde till mej och erbjöd jobb. Det var räddningen för mej.

– Ringde han till dej?

– Ja, han ville ha mej att sköta Ramnäs. Birgitta klarade inte allt.

– Ha dej! Sköta Ramnäs?! Det är ju sanslöst!

– Han sa ju så! Att det blev för mycket för Birgitta.

– Ska jag berätta hur det var? Det var Axel, din förhatlige ICA-pappa, som ringde Bengt och frågade om jobb för dej. Han erbjöd sig till och med att betala din lön, bara du fick en plats i byn. Exakt så gick det till. Om han sen betalade lön vet jag inte.

Edvard ökade ljudet igen. En ful fällning nere vid Parmas straffområde resulterade i ett gult kort för en Parmaspelare och en frispark för Bologna. Marita stirrade på honom.

– Du din fan, vad du hittar på!

– Fråga Axel!

Marita stirrade på honom. Han lutade sig framåt, till synes uppslukad av de italienska elvornas kamp, men spänningen stod som en magnetiskt fält omkring honom, den krökta ryggen, den högra handen som krampaktigt kramade en penna, den vänstra stödjande på knät. Det såg ut som Edvard var beredd att kasta sig upp, som om han skulle rusa från Parmas mur för att möta bollen, blockera den.

– Vad jag hatar dej, sa Marita med eftertryck. Kan du inte se på mig, skrek hon, sprang fram, grep fjärrkontrollen och stängde av teven. Just när Parma slog sin frispark. Edvard störtade upp, slog i bordet, men satte sig omedelbart ned igen, lutade sig bakåt.

– Nu ser jag på dej och vad ser jag? Du tror inte på mej. Fråga Axel, upprepade han och nu var han till det yttre helt behärskad. Fråga Axel. Så gick det till när du kom till Ramnäs. Axel exporterade dej hit.

Marita skakade på huvudet.

– Bengt ringde ju.

– På Axels uppmaning.

– Så var det inte. Det är möjligt att Axel och han pratades vid, men Bengt ville ha mej hit.

Edvard satt helt tyst, iakttog henne. Varför är det så viktigt, slog det honom. Varför är det så väsentligt för henne.

– Du tror alltid vad du vill, men det är länge sen nu, sa han.

Marita tycktes inte höra det försök till överslätning som ändå kunde anas i hans röst.

– Vad jag ångrar att jag inte stannade där nere.

– Vadå stannade? Du kom ju sättande varenda jävla kväll.

– Det var ju du som ville att jag skulle komma över, har du glömt det?

– Farsan sa nån gång att du hade myror i trosorna.

Edvard log.

– Tror du jag var så intresserad?! Va? Av en blyg traktordräng? Jag hade kunnat valt annat.

– Hade kunnat, ja. Det är mycket man hade kunnat.

– Bengt ville skilja sej.

– Skilja sej!? Och vadå? Gifta sej med dej?

– Ja, men jag ville inte. Han tjatade varenda dag.

När ordens betydelse blev helt klara för Edvard tystnade han tvärt. Han såg på Marita med helt oförstående blick. Han orkade inte höra mer. Han ville lägga sig ned i soffan, dra upp benen och somna. Gick frisparken i mål? Vad stod det? Det fick han aldrig veta. Maritas ord och hennes så länge tillbakahållna vrede nådde honom via tusen mil av ödemark, som om orden måste vandra över ett iskallt tundralandskap, kylas ned genom tusen år, innan de nådde honom, frostiga, skarpa i kanterna. Han hörde orden men förmådde inte smälta ner dem till fattbara meningar. Han ville bara lägga sig ned, dra upp benen.

– Skitsnack, sa han bara och sträckte sig efter fjärrkontrollen, men Marita hann före, tog den och slängde ut den i hallen.

– Han ville ha mej varje dag! Det var därför han ringde till Axel! Det är synd att du går här, sa han varenda gång han kom in och det tyckte jag med! Han tog mej från den där satans charkdisken.

– Så du knullade Bengt och putsade Kristinas matsilver samtidigt?

– Inte samtidigt.

Nu var det slut. Det visste han. Nu fanns ingenting kvar. Till och med den gemensamma historien skulle smutsas.

– Då får du väl gå dit igen då.

Marita började gråta. Inget hulkande, utan tårar som rann nedför kinderna.

– Grina du, men här har du inget att hämta längre.

– Vadå hämta, det här är väl mitt hem också eller är det klanen Risbergs heliga plats? Dom stolta Risbergarna, rättrådiga och rakryggade, byns samvete. Jag har mycket att hämta här. Jag har två söner, även om du tycks glömma bort det ibland.

– Glömma bort. Två mördare.

– Dom är inga mördare! Våga inte säja det!

– Du försvarar rasistmord. Jag borde ha fattat det, men du bara slätade över och lullade med.

– Så det är mitt fel?!

– Och nu sitter du med den där socialkärringen och snackar en massa skit. Ni ska väl göra det till en kvinnofråga, förstår jag, att grabbarna är ett offer för videovåldet och manssamhället, att inte pappan gick på alla Hem- och Skolamöten och hade tid med babysim. Jerker är en rasist, fattar du inte det! Edvard blundade. Jens då, lille Jensan! Så rädd. Han hörde hennes ord gång på gång: "Han ville ha mig varje dag". Var det så, att hon låg med Bengt, hans arbetskamrat och arbetsgivare, hans fars arbetsgivare? Var träffades dom? I mjölkrummet? I Bengts säng?

– Ligger du fortfarande med Bengt?

– Du är inte slug. Det är tjugo år sen, mer!

– Hur kunde han? Hur kunde du?

– Jag var så ung, han utnyttjade mej, det fattade jag först senare.

– Du tyckte väl om det. Inbilla mej inte nåt annat. Sen sprang du hit!

– Det var inte så lätt som du tror.

– Fan vad du lurades, mej och morsan och farsan. Morsan som var så glad i dej, hon prisade din hjälpsamhet, att du tog hand om henne. Om hon bara vetat! Hon gillade aldrig Bengt.

– Det var inte så lätt. Han var på mej hela tiden.

Marita rös vid minnena. Det var åratal sedan hon återkallade minnet av perioden hos Bengt och Kristina Ramnäs, dubbelspelet, hans närgångna tafsande, blickarna bakom Kristinas rygg och hennes blindhet. Visste hon? Anade kanske. Första gången var på hans kontor. Hon kunde genom fönstret se ut över gårdsplanen och upp mot Risbergs. Det gick fort, hon hann aldrig riktigt känna. Det var som hon var avtrubbad, men hon minns bilden av gården från hans fönster. Hon hann tänka ett ögonblick på Edvard innan Bengt Ramnäs gled ur henne och drog upp byxorna.

– Är det mina barn då?

Marita stirrade på honom, vände på klacken och försvann ut ur rummet.

– Vad fan då, skrek han efter henne, man kan inte vara säker på nåt, men där kunde han vara säker. Det visste han. Både Jens och Jerker bar sådana kännemärken att ingen kunde tvivla på att de var Edvards barn.

Han tog Jerkers stora trunk. Han stuvade ned sina saker på en kvart. Det skedde med automatik. Han behövde inte fatta något beslut. Så tänkte han i alla fall efteråt. Det var som om tjugofem år sopades bort. Det fanns inget kvar. Han kände inte sorg, förtvivlan eller vrede. Allt detta kom senare, på berghällarna, med Ålands hav piskandes mot stranden. I snögloppet skulle han minnas snyftningarna från köket, hur Marita snöt sig ljudligt. För ett ögonblick tvekade han. Var han till och med på väg till köket?

Han stod i begrepp att lämna sitt hem, den enda plats han bott på. Tingen runt honom blev utan värde, det var som att gå i ett främmande hus, stelt betraktade han sovrummet, kikade in i vardagsrummet, höll på att trampa på fjärrkontrollen och öppnade ytterdörren.

Det svåraste var att möta Jens på trappan. Han tittade frågande på trunken.

– Jag sticker nu. Vi har skilt oss, morsan och jag.

Jens sa inget, drog med den skitiga handen över näsan och munnen. Han visste det i förväg, tänkte Edvard.

Bengt stod på gårdsplanen, bredvid sin belysningsstolpe. Han såg nöjd ut, men ansiktsuttrycket förändras när han såg Edvards min och blick, hans sätt att köra ut från gården.

Edvard körde sakta som en tankfull människa kör, glömsk av bilkörningens villkor. Han tappade fart, motorn började hacka och han var tvungen att växla ned. Han gasade på nytt, växlade upp, men det hela upprepades. Han såg ut över landskapet, men ändå inte. Vad tänkte han? Han körde som i en tunnel. Husen han passerade var utan betydelse, så kände han det. De var honom likgiltiga. Vägen var det enda viktiga nu. Att hålla sig på vägen.

Han svängde upp mot Getberget. Kuvertet låg i trunken, överst. Bara nu Rosander var hemma. Rosander var den ende som han kunde förlita sig på. De delade en hemlighet, kanske mer än så. Kanske Rosander var klokare än vad Edvard någonsin hade förstått. Det kändes helt naturligt att åka vägen upp. Rosander tillhörde inte byn, han tillhörde landet som helhet, utan att vara kopplad just till Ramnäs, han bara råkade bo här. Han hade hamnat här, på en punkt på kartan. Han bodde på ett löjligt lågt berg, i en löjlig by, i en trakt fylld av åkrar, stengärdesgårdar, flaggstänger med vimplar, sankmarker där det smackade om fötterna när man gick fram, älgtorn, diken, granar, svampar, grusgångar, vinbärsbuskar och allt annat löjligt. Där hade Edvard vuxit upp, älskat och arbetat. Löjligt! Rosander var inte löjlig, han var främmande.

Edvard körde sakta. Det kändes främmande vart han än såg. Fientlig mark. Till och med luften han andades upplevdes annorlunda. Han tänkte på en tidig morgon för många år sedan, vid sjön, i december. Det hade just ljusnat och han stod vid kanten, med sågen i ena handen, dunken i den andra. Kav lugnt, ur munnen stod utandningsluften som ett moln, ovillig att lämna kroppen. Tunn låg nattisen, likt en grå skiftning. Stillheten över sjön bedövade honom, berövade honom ron. Ändå måste han dra igång sågen. Han skulle ha slängt en mossig sten rakt ut i sjön! Sten på sten skulle han vräkt i sjön. Han skulle ha slängt i sågen.

Rosander tog emot honom som vanligt. Med ett ironiskt leende bjöd han Edvard att sitta. Det kändes högtidligt. Han bjöd honom plats för sista gången. Visste Rosander det? Visste han att Edvard nu lämnade Ramnäs?

– Jag kommer för att säga hej. Jag sticker nu.

– Vart då?

Han såg inte speciellt nyfiken ut, utan frågan lät mer som en artighet.

– Jag vet inte, sa Edvard, trots att han visste, men det skulle verka så märkvärdigt om han sa det. Bort, sa han bara. Vi har skilt oss.

Han vägrade ta hennes namn i sin mun.

– Det var snabbt må jag säga.

– Jag vill att du gör mej en sista tjänst. Kan du inte översätta farfars brev helt och hållet. Jag skulle vilja läsa det ord för ord.

Rosander tittade på kuvertet som Edvard lagt på bordet.

– Helst inte, sa han, men tog ändå upp det i handen. Hur är det hemma då?

Fattade han inte vad jag sa, tänkte Edvard.

– Jag har stuckit hemifrån, det är slut!

– Ja, du sa det. Tråkigt.

Rosander reste sig med kuvertet i hand.

– Jag ska göra ett försök.

Han trummade på köksbänken.

– Jag tänkte på pojkarna.

– Jag skiter i det nu, sa Edvard avvisande.

Han bröt upp utan att något mer blev sagt. Rosander följde som vanligt med honom ut på gården. Det var som om han ville tillägga något. Han slog med händerna över byxbenen, som om de var nerdammade, suckade djupt, gick fram till fågelbordet, knäppte till en talgboll med pekfingret, såg på Edvard och log sitt sneda leende.

– Hur ska du få översättningen, sa han till slut.

– Jag hör av mej. Du har ju mitt mobilnummer också.

Rosander nickade. Han sträckte fram handen och Edvard

fattade den med en känsla av avsked för gott, fast han visste att de skulle ses igen.

Edvard körde som en nybörjare. På raksträckan ut från stan höll han 60 kilometer i timmen. Det var som om det legat en sten under gaspedalen. I backen ned mot avfarten mot Hovgårdens avfallsanläggning gjorde en Audi en vansinnig omkörning som fick Edvard att skärpa sig något. Vid Rasbo stannade han och gick in på macken, köpte chips, salta jordnötter, Coca-Cola, choklad, punschpraliner, Dagens Nyheter och en korsordstidning. Han satt kvar en stund i bilen, åt några praliner och tänkte igenom vad som hänt. Än kunde han vända. Varför skulle han vända? Marita? Nej, där var det slut. Han kanske skulle kunna komma över historien med Bengt, om han slutade på gården och de flyttade, men det fanns något mer, en skugga som slagit in över Ramnäs. Det var inte som förr hade han upprepat många gånger och det var väl för väl att inte allt stannade vid det gamla, men det nya ville han inte kännas vid. Skulle han vända för barnens skull. Den ene på polishäcken, den andre omgiven av socialtanter och Marita. Han kunde inte nå Jens längre. Inte nu, kanske sen. Nej, från Rasbo fanns det bara en väg: Mot kusten. Han kom att tänka på en historia han läst om adelsmän som under franska revolutionen flydde Paris. I täckta vagnar under nattliga körningar, där endast guldmynt kunde köpa transport, tystnad och lojalitet som sträckte sig några mil. De flydde från giljotinen.

Han kom fram till färjan vid sextiden och hade tur och kunde köra ombord direkt. Förutom han själv var det fyra bilar och en mindre lastbil.

Han gick ut på däck under den korta överfarten. Doften från havet var som han föreställt sig. Färjans maskin gick jämt, bara ett svagt brus kunde höras när färjan tryckte undan Grepens svarta vattenmassor. Han kikade mot Gräsösidan. Ett par strålkastare lyste upp färjefästet.

Väl över så körde han sist av färjan. Han såg att färjkarlen nyfiket kikade på honom. En utssocknes var väl inte helt vanligt, i alla fall inte en söndagskväll. Han blev stående en stund vid den första korsningen, tveksam om vilken väg han skulle välja. Han körde sakta norrut, såg sig omkring, spanade ut i mörkret. Han greps plötsligt av ensamhetens tvivel, den sorgliga känsla av självömkan och bitterhet som allt emellanåt kunde komma över honom när han från sitt utedass hade kikat mot stjärnhimlen. Han fick möte, bländades av den mötande bilens strålkastare, blinkade ilsket med sina egna. När den mötande bilens bakljus försvunnit i backspegeln körde Edvard intill vägkanten och stannade.

Luften tycktes råare än hemma i Ramnäs. Det är väl som det ska vara. Han gick några steg fram och tillbaks bakom bilen, oviss varför han stannat. Det var väl hans undermedvetna som hojtade till, Marita brukade hävda det att det fanns en, om inte röst, så i alla fall mekanism som styrde stegen och handlingarna.

Tio meter bakom bilen låg en skylt i dikeskanten, en amatörmålad, som landsbygdsvägarna lusats ned med. Med stora bokstäver var textat "RUM 900 meter" och så en pil. Edvard såg sig omkring. Det gick mycket riktigt en liten smal grusväg strax intill där skylten låg. Han tvekade inte mer än en sekund. Det var mekanismen som slagit till.

När trippmätaren tickat fram till en kilometer var han säker på att han kört fel, att skylten inte hörde till den väg han svängt in på. Vart han än såg fanns det inget hus med ett rum för en lantarbetare. Betesmarker, nyplanterad granskog och en björkdunge var allt han såg. Han rullade sakta vidare. Efter ytterligare ett par hundra meter, när han letade efter ett ställe där han kunde vända, fick han syn på en svagt ljus som glimtade till mellan träden. När han kom närmare såg han att det kom från en liten höjd. Det lyste ur tre fönster på nedervåningen. Det var en stor rödmålad träkåk, med en inglasad kallveranda och en liten balkong på övervåningen. Tjugofem meter från huset fanns några ekonomibyggnader. Edvard såg ingen bil. Det enda fordon han kunde upptäcka var en spark.

Det var inte utan spänning han bultade på. Det skallrade i de spröjsade fönstren. Det dröjde så han öppnade dörren på glänt och ropade "hallå". I samma stund öppnades den andra dörren och ett litet ansikte tittade försiktigt ut. Det var en äldre kvinna. De kikade på varandra över verandan.

– Det stod en skylt, inledde Edvard, ute på vägen.

Kvinnan sa ingenting, utan betraktade honom fortfarande lika misstänksamt.

– Vem är du då?

Kvinnans röst var skarp. Han tyckte sig känna igen klangen. Den påminde litet grand om Alice Anderssons stämma.

– Jag söker rum.

– Vem är du? Som kommer så här i nattmörkret.

– Klockan är väl bara sju.

– Kan så vara, sa kvinnan.

– Jag heter Edvard Risberg, sa han och steg in och stängde dörren bakom sig. Jag ska vila upp mej på landet, jag är sjukskriven, jag söker nånstans att bo.

– Vila upp sej? Ska han vila upp sej?

Kvinnan skrattade ett kort, lite gnäggande skratt. Hon drog tillbaka sitt huvud och Edvard hörde hur hon tassade iväg. Han sköt upp dörren och kikade in. Av kvinnan syntes ingenting. Hallen låg i mörker. Det doftade en egendomlig blandning av kokkaffe, skurmedel och gamling. Inget oangenämt, snarare välbekant, tryggt. Plötsligt stod hon där.

– Kom in då, sa hon och nickade.

Hon drack en klunk med ljudliga sörplingar, sköt fram ett bullfat och gjorde en gest med handen.

Edvard drack och doppade. Kvinnan sörplade på. Det knäppte i vedspisen och Edvard såg flammorna genom en springa i luckan.

– Vila upp sej, sa hon plötsligt. Så du tror det här är ett hälsohem.

– Nä, inte direkt, jag behöver bara ett rum.

– Är det nån som har sagt åt dej att åka hit? Gustavsson kanske?

Edvard skakade på huvudet.

– Då är det Arne!

– Inte han heller. Jag såg skylten.

– Det var duktigt.

Hon betraktade honom medan hon sörplade i sig en slurk kaffe till. Jag undrar hur många koppar hon dricker om dan, tänkte han. Hon hade bruna ögon och det grå håret tätt tillbakastruket. Pannan var brunfläckad. De smala fingrarna som omslöt kaffekoppen var beniga med blodådror i purpurblått. Naglarna brunkantade och ojämna.

Hon reste sig, gick fram till spisluckan, stötte upp den

278

med spiskroken och sköt in en vedpinne till. Det var granved.

– Nog finns det rum alltid. Det är bara ovanligt så här års. Förresten tänkte jag sluta upp att hyra ut.

Hon måste vara infödd. Hon pratade som ingen annan. Det förstärkte hans känsla av att vara i främmande land. Här gills inte dina seder och bruk.

– Det är övervåningen.

– Jag behöver bara ett rum.

– Det är hela övre, sa hon. Det är samma pris som för ett rum.

– Vad kostar det?

– På sommarn brukar jag ta 1500 kronor i veckan. Ska vi säga hälften? Hugger du ved blir det en tredjedel, 500 kronor. Fixar du flaggstången, blir det en femtedel. Så där kan vi hålla på, tills jag blir skyldig.

– Jag tar rummet eller snarare hela rasket. Med ved och flaggstång.

Kvinnan gick efter påtår. Edvard kikade ut genom fönstret.

– Är det långt till havet?

Hon knyckte med huvudet.

– 159 steg. Normala steg. På mornarna kan det var lite längre. Vad heter du?

– Edvard Risberg.

– Viola Ström heter jag. Jag är född här i köket.

Jag vill inte höra hennes historia, tänkte han.

– Kan man gå ner till havet?

– Nu?

– Jag tänkte ta en promenad.

Hon såg på Edvard med en svårtydd blick, men nickade.

– Ficklampan står i farstun. Gå runt huset till höger, ta stigen som börjar vid plåtskjulet och följ den.

Redan i början på stigen hörde han havet som ett obestämbart sus. När han gått halvvägs vände han sig om. Kvinnan stod i ett fönster och iakttog honom. Han gick vidare. Det blåste kraftigt och temperaturen höll sig strax ovanför noll. Han var för tunt klädd men det var som om kylan inte betydde något. Han frös, men det betydde ingenting. Han som annars byltade på sig. Nu gick han de 159

stegen mot havet. Befrielse, flykt, bitterhet, sorg och ömkan
blandades i lika delar. Han tog några djupa andetag och drog
in doften av hav, snubblade över en rot, kom på fötter och så
stod han där, i strandkanten. Ljuskäglan spelade över våg-
kammarna, följde de rytmiska slagen mot den steniga strand-
linjen. Han såg mot himlen. Det klarnade upp. Han släckte
lampan och stod så i mörkret tills han frös riktigt ordentligt,
fick lust att lägga sig ned, låta kylan ta över, tränga bort min-
nena som härjade och lemlästande galopperade genom hans
sönderbrutna hjärna.

Vattnet kändes som en främmande vätska mot handen.
Han lade handflatan mot vattenytan, kände hur hela havet
gungade, smekte handen, vattnets puls. Han tände lampan
igen.

Vad ska bli av detta? Han orkade inte fullfölja tankeba-
norna, svor tyst åt sig själv, svor högt mot himlen, mot jor-
den, mot Marita. Pojkarnas namn tog han inte i sin mun.
Det var som om de inte hade några namn. Han förstod inte
hur han skulle ge dem namnen tillbaka. Där fanns sorgen.
Uppbrottet från Marita kändes naturligt, det låg liksom
infällt i hans liv, förprogrammerat. En ansamling av små,
små händelser och förflugna tankar, som till slut tippade
över, till vadå? Maritas förhållande med Bengt kändes mer
som ett svek från hans sida än från hennes. Hur länge hade
det pågått? Han skulle inte forska. Han skulle inte fråga!
Han skulle inte skilja sig, han skulle inte säga upp sig, han
skulle bara stå vid havet. Dom fick trava runt bäst dom ville!
Gläfsa! Skulle han ta hämnd? Mest av allt ville han nog
bränna ned hela gården, utplåna den från jordytan. Jag skiter
i dom, upprepade han mumlande och så svor han mot him-
len, högt, en osammanhängande ramsa av kötteder, som
studsade tillbaka och träffade honom med en förödande
kraft. Han vacklade till, ljuskäglan for runt, lyste upp ett
havtornssnår, spelade över stenarna, innan han åter fick fäste
mot jorden igen.

Edvard vaknade med en strimma av solen över sitt ansikte.
De tunga, mörka gardinerna var fördragna men lämnade en
liten glipa där morgonsolen letade sig in. Han öppnade ögo-
nen direkt medveten om var han befann sig. Han kände sig

utvilad för första gången på många veckor. Han såg sig omkring. Han hade omedelbart tyckt om rummet, hela övervåningen. Ingen överdriven möblering, sparsmakat, utan den anhopning av överblivna, nedsuttna fåtöljer, byråer, bokhyllor, ojämna stolar, piedestaler och andra möbler han förväntat sig. Där saknades också de obligatoriska tavlorna, broderade dukarna och prydnadssakerna. Tvärtom, rummet och hela övervåningen, andades lätthet och ljus. Hon har ansträngt sig, tänkte han, det var mer än jag trodde. Skylten vid vägen var en affärsidé, om än den nu låg i diket.

Han hade sovit naken mellan rena och släta lakan, rört sig mycket litet under sömnen och kände sig märkvärdigt sval när han steg upp. Han drog undan en flik av gardinen. Fönstret vette mot havet och det syntes som en mörkgrön, nästan svart, orolig matta. Edvard uppskattade att det var öppet hav ett par kilometer, därefter syntes konturerna av låga kobbar och skär. Han hörde hur kvinnan stökade en trappa ned. Några fåglar seglade i fjärran. Eko-redaktionens genomträngande jingel hördes från nedre botten. Hon hade säkert hört honom stiga upp. Edvard hörde en klocka slå. Nio slag. Så länge hade han inte sovit på åratal. Elementet under fönstret var varmt och han tryckte sina nakna ben mot det, slöt ögonen och kände hur värmen pumpade upp genom hans kropp. Han öppnade ögonen och fick känslan av att titta ut över en främmande kust.

Doften av nybakat bröd blev allt starkare. Jag är som Albert, slog det honom plötsligt, kommer ned från övervåningen till ett kök med nybakat.

– Gick det att sova, frågade kvinnan.

Hon satt vid köksbordet. Radion stod i fönstret. En plåt med en linneduk över stod på köksbänken. En färskt vitt bröd låg på en skärbräda. Framför henne på bordet låg en veckotidning, med korsordet uppslaget. Hon hade en penna i handen.

– Jag har inte sovit så gott på jag vet inte när.

– Kaffe finns i pannan.

Hon återgick till sitt korsord. Edvard fyllde på kaffe i koppen som redan stod framdukad på bordet.

Så inleddes den första dagen i Edvard Risbergs skärkarlsliv.

Han drack tre koppar kaffe. Kvinnan löste korsordet med hans hjälp. Inte många ord yttrades. På hennes uppmaning skar han upp bröd och bredde sig några smörgåsar. Hon skickade in plåten med de vilande vetebullarna och återgick till korsordet. Radio Uppland pratade på. Han drack kaffe. Plåten ut ur ugnen. Viola och Edvard tuggade färskt bröd. Han kom på en rysk flod på sju bokstäver och försjönk i ett angenämt rus av välbefinnande.

– Det står en karl vid flaggstången.

– Det är Viktor, sa Viola när hon kastat ett öga ut mellan pelargoniorna.

– Vad vill han?

Viola bultade på rutan. Viktor tittade upp och såg obeslutsam ut. Hon bultade igen.

– Han törs inte in när din bil står här. Det är bäst jag går ut.

Edvard såg hur Viola steg ut, drog koftan tätare kring sin magra kropp och gick fram till mannen vid flaggstången. Han var klädd i en rutig jacka med läderfransar på bröst och rygg. På huvudet bar han en grön mössa med öronlappar och de kritstrecksrandiga byxorna var istoppade i ett par gråsjaskiga snowjoggers. Han rörde sig oväntat ledigt.

– Viktor, sa han och sträckte fram handen.

Edvard reste sig och fattade mannens hand. Det slappa handslaget stämde dåligt med mannens fysionomi. Han var decimetern längre än Edvard, visserligen något krökt i ryggen men med ett axelparti och skuldror som vittnade om kraft. Han slog sig ned. Jackan hade han krängt av sig men mössan, som liknade ett hjälmdok, hade mannen fortfarande på huvudet. Några vildsinta grå testar stack fram vid tinningarna. Edvard tyckte han liknade en figur hämtad ur Albert Engströms roslagshistorier. Viola ställde fram en kopp.

– Det är rart ute.

Edvard höll med.

– Han går bra, sa mannen och tittade ut på gården.

Det tog en sekund eller två innan Edvard förstod att han menade bilen.

– Jovars, den orkade hit i alla fall.

– Du är från Stockholm?

– Uppsala.

– Så de. Uppsala.

– Du ska väl ha kaffe, sa Viola från spisen.

Mannen drog fram en näsduk och snöt sig ljudligt.

– Kom i går?

– Fråga inte så mycket! Han kan bli yr.

– Så han är dålig?

– Vill du ha en smörgås också?

– Själv får jag ett sånt jävla håll, sa mannen och brusslade. Det är som mjälthugg. Jag sa till Agnes sist att hon skulle säga till "Snickarn" och börja hyvla på fracken.

Edvard iakttog honom med en uttryckslös min. Här fanns en annan verklighet, även om Viktor mycket väl skulle kunna stiga in i köket i Ramnäs. Kanske inte nu längre, men Edvard kände igen hans tal och gester, till och med den svaga lukt som stod ut från gubben var Edvard bekant med. Dialekten var lite annorlunda, vackrare, för den var inte bara bondsk utan som ett eget mål. För några ögonblick förleddes Edvard att tro att han var hemma i detta kök. Han slöt ögonen, hörde Viktors lågmälda prat och knäppandet från spisen. Han slog hastigt upp ögonen. Viktor hade tystnat, de två gamlingarna såg på honom med uppmärksamhet.

– Jag tänkte på flaggstången, sa han, jag kanske ska gå ut och kika lite.

37

MÅNDAG MORGON. Lindell såg ut över parkeringen. Hon försökte tänka om. Hade hon förbisett något? Hon var övertygad om att gläntan var den avgörande punkten. Hon backade tills hon kom tillbaka till gläntan där Lindgrenarna hittat jackan och där nyckelknippan återfanns. Hon försökte se scenen framför sig. Pojkarna i ring kring den jagade Enrico. Fyra mot en. Enrico blir av med jackan. Han grips av ilska, tar stryptag på Joakim Lund, som till slut lyckas freda sig. Är det därifrån märket kring Enricos handled härrör?

Troligen. Han var aldrig bunden. Det var Lunds grepp. Pojkarna blir skraja. Jens riktigt ordentligt. Leken blir allvar. Det är inte något litet slagsmål på skolgården längre. Springer Enrico iväg och blir de fyra pojkarna kvar? Sker mordet inte i gläntan? Om nu inte i gläntan, var? Var kvartetten då lika självskriven som ett rasistiskt mördarband? Om nu det stämde, att Enrico sprang iväg, vart sprang han? Vart kunde han springa? Vid vallningen hade tre av pojkarna, oberoende av varandra, pekat ut riktningen i vilken Enrico skulle ha sprungit. Den som avvikit var Lund. Han hade pekat österut, tillbaks mot vägen. De tre andra pekade norrut. Det sa i och för sig inget, men Lindell hade blivit fundersam. Hade pojkarna pratat ihop sig åt vilket håll de skulle peka? Tveksamt om de tänkt på en sån sak, och varför pekade då Lund åt ett annat håll. Var det slumpen, att tre samstämmiga uppgifter lämnades? Var det bara byns pojkar som pratat ihop sig? Lindell skakade på huvudet.

– Nej, sa hon högt. Det är nåt lurt! Det var ingen slump. Enrico sprang!

Hon slog sig ned vid bordet, drog åt sig kollegieblocket, grep pennan men lade ner den, reste sig och sträckte sig efter mer kaffe. Hon spillde lite på bordet. Hon borde äta en smörgås men slog det ur hågen. Hon tuggade på pennan.

Om det nu stämde att Enrico sprang iväg, vart sprang han? Fortsatte jakten, till granen kanske? Nej, Lindell fick för sig att om han levande lämnade gläntan, så stämde pojkarnas berättelse att de stannade kvar en stund och sedan lomade iväg. Dom hade gått hem till Mattias och fikat! Det fanns ingenting som motsa att de kunde ha fortsatt jakten, men någonting sa Lindell att de inte gjorde det, om Enrico inte dog i gläntan. Eller var hon så angelägen att fria bröderna Risberg att hon nu byggde kedjor av önskningar? De kanske stod vid vägs ände med utredningen.

Vart sprang han? Hon drack en klunk kaffe till. Joakim Lund återvände senare till Ramnäs med mammans bil. Vilken dag gick inte att fastställa. Hundägaren som sett bilen kunde inte erinra sig om det var söndagen då Enrico försvann eller någon annan dag. Han gick samma vända med hunden varje dag. Mamma Lund trodde, om nu hennes son olovandes lånat bilen, att han inte kunde ha tagit den en söndag. Åkte han ut dan därpå? Han måste väl redan samma dag ha upptäckt att han tappat nyckelknippan. Då vore det mest naturligt att ringa någon av pojkarna i byn? De nekade, då var han tvungen att åka ut själv. Kan han då ha träffat på Enrico och velat hämnas nesan från gläntan?

Duffeln då? Det gick inte att fastställa när bröderna Lindgren fann den i skogen. De mindes inte. Alla dagar är likadana, hade den äldste sagt. Gick Enrico tillbaks till gläntan för att ta rätt på sin duffel? Träffades de där. Lindell noterade i sitt block. Hon skrev snabbt med stora bokstäver, strök under och gjorde pilar, byggde scheman.

När hon kom ut på gården stod herr Sund och resonerade med en annan man, som Lindell trodde bodde ett par hus bort. Sund lyfte på hatten. Lindell nickade och styrde mot de bägge männen. Sund uppmärksammade omedelbart den lilla kursförändringen och riktade sig mot Lindell med det intresserade och välvilliga ansiktsuttryck som hon kommit att sammanknippa med honom, nästan litet ivrigt.

– Hur står det till, sa han entusiastiskt. Det här är fröken Lindell, som bor i A, tillade han och gav mannen vid sin sida en snabb blick, och det här är Rickardsson, en god vän, en gammal arbetskamrat.

Lindell tog den framsträckta handen. Rickardsson log. Han hade någon neurologisk sjukdom som gjorde att han ständigt nickade, små nästan omärkliga rörelser med huvudet.

– Tack bra, sa hon. Jag undrar, blev rönnbärsgelén god?

Sund slog ut med armarna.

– Ja, tänka sig, den blev utmärkt. Ni kanske vill ha en burk?

– Nä, men . . .

– Jag har så många. Avgjort! Jag kommer förbi med en liten burk. Det är så gott . . .

– . . . till vilt, lade Lindell till.

– Just det! Till vilt.

Rickardsson nickade bifall. Herr Sund lyfte på hatten. Rickardsson lyfte på hatten. Lindell gick vidare. De såg efter henne.

Nu hade också Nilsson sjukskrivit sig. Fredriksson satt däremot på sitt rum. Det var lite oväntat. Han hade klagat på huvudvärk och ledvärk och det hade övertygat Lindell om att han skulle ligga däckad på måndagen.

Hon slog sig ned i hans besöksstol utan att säga något. Fredriksson kikade på henne, nöp sig i nässpetsen.

– Det finns att grubbla på, sa han.

Fredriksson kan nog bli en Sund, tänkte hon. Känslan av välbefinnande förstärktes av hans närvaro. Nu skulle de grubbla tillsammans. Hon skulle pröva sina tankar på honom, bolla lite hit och dit. Men det var Fredriksson som inledde.

– Jag har också funderat. Det ser inte bra ut. Jag tror inte vi kan få pojkarna fällda som det ser ut nu. Att knyta ihop nån säck går inte. Jag trodde i slutet på förra veckan att vi skulle gå i land med utredningen men nu är jag tveksam. Vi är nog tvungna att släppa dem.

– Ja, så är det, sa Lindell. Jag tänkte att det kanske stämmer det pojkarna sa, att Enrico lämnade gläntan, och de själva lämnade tio minuter senare. Kanske Joakim Lund kom dit nästa dag, mötte Enrico.

– Kanske, sa Fredriksson eftertänksamt.

– Du, sa Lindell hastigt, vi har ju ett vittne som sett Enrico i skogen. Helvete vad dumma vi är!

Hon for upp från stolen, gick några snabba steg runt Fredrikssons lilla rum.

– Vad hette hon som reste till Thailand?

– Rimberg.

– Hon måste väl vara tillbaks. Hon hade ju sett två män i skogen, längs en väg. Kan det ha varit Enrico och Lund?

– Föga troligt. Hon sa ju att de gick och pratade. Jag har svårt att tro att dom skulle bli så såta vänner. Ena dan slåss, den andra kramas.

– Det är väl så det är, sa Lindell.

– Hon trodde den ene var Rosander, sa Fredriksson.

– Ett gammalt foto. Först sa hon att det var två utlänningar.

– Det finns bara en sak, vi hör henne.

Det visade sig att Rimberg bodde några kvarter bort från polisstationen, så Lindell och Fredriksson ryckte ut till fots. När de gick över Vaksala torg stack Lindell sin hand innanför Fredrikssons arm.

– Jag tror vi ror i land det här, sa hon.

Fredriksson skrattade.

– Förlåt min blunder med Ricardo, sa hon och tryckte till hans arm.

– Det är okej, jag var lite trött just då.

– Nej, det var inte trötthet. Du hade rätt att bli förbannad.

Stegen över det stensatta torget blev lättare. Hon släppte hans arm och ökade takten. Hua Hin, tänkte hon leende. Dit åker vi. Hua Hin.

– Ska vi åka till Hua Hin, sa hon och vände sig mot kollegan.

Han bara flinade, road men också litet generad.

Viveka Rimberg var solbränd. Nästan onaturligt brun. Lindell blev nästan förbannad. På brunheten, på sig själv, sin blekhet. Hon sa ingenting om solbrännan, vilket däremot Fredriksson gjorde. Rimberg pratade gärna om sol och Thailand. "Ett paradis", upprepade hon gång på gång. Fredriksson log med hela ansiktet. Lindell stod med jackan i handen, trampade i hallen. Längre hade de inte kommit.

– Vi har några frågor, avbröt hon solpratet.

– Men kom in, utbrast Rimberg hjärtligt. Vi kan väl sitta i köket. Jag blev så upplivad när ni ringde. Jag hade på känn hela tiden att det var något skumt på gång. Ni ska veta vilken uppståndelse det blev på hotellet. Hotelldirektören kom upp. Han ville inte veta av några problem på sitt hotell. Han frågade om det gällde knark. Jag sa att jag var vittne till ett mord. Jag måste ju säga nåt, eller hur? Sen när bilderna kom blev alla intresserade. Vem var mördaren, frågade alla.

– Ni sa i det första samtalet att ni sett två män, utlänningar trodde ni, i skogen. Är ni säker på datumet, att det var söndagen den 28 september?

– Absolut! Den söndagen var den enda dag jag plockade svamp i höstas, därför är jag helt säker.

– Vad arbetar du med?

– Jag är sjukskriven, annars jobbar jag på Obs. Jag var med om en trafikolycka och har fortfarande värk, svårt att lyfta.

Viveka Rimberg förde upp högra armen som för att demonstrera sin värk, men såg lika belåten ut som tidigare.

– Men det blir stadigt bättre, sa hon, och till julrushen är jag igång igen!

– Du skrev att det var två utlänningar du såg.

– Ja, jag tyckte det, båda var mörka på något vis.

– Hur gamla?

– Svårt att säga, det gick så fort, men jag tyckte den ene rörde sig snabbare, såg vigare ut om man säger så.

– Hörde du dom prata?

Rimbergs svar kom inte omedelbart, hon dröjde några sekunder.

– Inte hörde, men jag såg att dom pratade med varandra, just innan dom fick syn på mej.

– Dom hade inga svampkorgar i händerna?

– Inte vad jag tänkte på.

– Du skrev i faxet att du följde vägen. Vart kom du fram?

– Vid stenröset som jag kallar det. Jag tror vägen går upp mot en bondgård.

– Lindgrens?

– Så heter dom. Agne brukar skoja om dom där.

– Du skrev att "det var på vägen rädslan kom", hur menade du?

Rimberg såg på henne med uppmärksamhet, värderande. Hon lade samman sina brunbrända händer, den högra ovanpå den vänstra, suckade.

– Jag blev rädd, svårt att säga varför, men kanske det var att dom sprang, som skygga djur. Om man stöter på ett rådjur, så sticker det iväg på samma sätt. Nervöst, så skulle man kunna säga. Jag är mycket ute i skogen, plockar bär och svamp och har aldrig varit rädd, men nu blev jag det.

– När du sen fick ner bilderna till Thailand så kände du igen båda?

– Ja, jag tror det.

– Tror?

– Riktigt säker kan man aldrig vara, eller hur?

– Den ene ser ju inte ut som en mörk utlänning direkt.

– Nä, kanske inte det, men hans ansikte var så bekant.

– Har du sett honom förut?

– Det tror jag inte.

– När på söndagen stötte du ihop med de två? Kan du erinra dej det?

– Det måste ha varit rätt sent på eftermiddan, kanske vid

288

tre. Jag hade skenat omkring i skogen bra länge. Tre, kanske fyra.

Fredriksson harklade sig som för att säga något, men sa ingenting. Rimberg såg på sina händer, vred en guldring runt sitt vänstra ringfinger.

– Den andre, var väl pojken som mördades? Han flyktingen.

– Det var det. Enrico Mendoza. Han var bara tjugofyra år. Har du barn?

– Ja, en pojke, som studerar i Luleå, han har riktigt läshuvud. Han är tjugoett.

Ingenting av hennes glättighet fanns nu kvar. Tvärtom var hennes betänksamma min anledningen till att Lindell dröjde litet innan hon gick vidare. Hon ville få henne att tänka sina tankar fullt ut.

– Var det nånting i klädseln som du la märke till?

– Nej, inte direkt.

– Den ene var inte skinnskalle, frågade Fredriksson plötsligt. Du vet en sån där med rakat huvud.

– Nej, det skulle jag ha tänkt på. Jag önskar jag visste mer, sa hon och Lindell fattade sympati för kvinnan mitt emot sig.

Hennes ansikte var inte bara brunbränt, det var klokt också. Nästa gång hon handlade på Obs skulle hon hålla utkik efter Viveka Rimberg. Åtminstone för att nicka en hälsning.

– Vi kanske får komma igen, sa Lindell.

Fredriksson och Lindell promenerade sakta Väderkvarnsgatan fram. Strax innan Norrtäljegatan stod en lastbilsburen skylift. Två män skar grenar i en lönn. En tredje man samlade ihop riset.

– Visste du att Lundkvist jobbat på Säk?

– Ja, sa Fredriksson kort.

– Jag fick reda på det häromdan.

– Han var där länge, men fick sluta. Det var något bråk.

Hon tyckte sig höra en ton i Fredrikssons korta kommentar att han inte ville prata mer om Lundkvist. Lindell återgick till Rimbergs vittnesmål.

– Hon verkar ju säker på sin sak. Det som gör mig bekymrad är identifieringen av Rosander. Han ser ju inte ut som nån peruan. Jag fick för mig att hon sett Rosander på byn och sen när fotot kom var det ett så bekant ansikte att hon omedvetet kopplade det till upplevelsen i skogen.

– Just så, hon blev rädd, det får vi inte glömma. Kanske rädslan påverkade vad hon såg, tror sig ha sett? Nej, svarade Fredriksson sig själv omedelbart, så förvirrad var hon inte.

– Du tror hon såg Rosander?

Lindell stannade upp i steget. Fredriksson kom ett steg före, innan han också blev stående. Han vände sig mot Lindell. Frågan var avgörande för hela utredningen. Han knyckte med huvudet, kikade på trädbeskärarna som hojtade till mannen på marken.

– Ja, jag tror det.

– Då får vi skriva om hela historien.

– Inte hela, men slutet, sa Fredriksson.

Det var som Lundkvist hade sagt: mord tar på krafterna. Lindell kände sig plötsligt slut. Ur blomsteraffären i hörnet steg ett ungt par ut med två jättelika paket. Mannen skrattade åt nånting kvinnan sa. De korsade gatan, lade in blommorna i baksätet i sin bil. Nu var det kvinnans tur att skratta. Mord tar på krafterna, upprepade hon tyst för själv. Om dom bara visste så skulle dom skratta mindre. Lindell ville bara gå hem. Så kände hon. Hem, prata med herr Vilt-Sund och den nickande farbrorn. Hem till mamma och pappa i Östergötland. Hem till Rolf! Skratta med Rolf. Älska med Rolf. Bada bastu med Rolf. Spela minigolf med Rolf, mot Rolf, han hatar att förlora, fortfarande? Värma smörgåsar i hans 50-talskök. Allting K-märkt. Till och med konservöppnaren och potatisskalaren! Var det någon som skalade potatisen i en sån längre? Rolf gjorde det. Skrattande drog han veven. Han överröstade dånet. Paret med blommorna svängde ut på Väderkvarnsgatan och försvann ur hennes åsyn.

– Vad gör vi, sa hon matt och såg på sin kollega.

– Vi bestiger berget, sa Allan Fredriksson.

Rosander såg dem komma gående. Kvinnan var densamma, men mannen var en annan. Han satt kvar på vedbodtaket, hukade sig något bakom nocken. Takpannornas spröda ton gnisslade under hans knän. Han lade ifrån sig rullen med ståltråd, kikade över kanten. Hon tittade runt, sa någonting till sin kollega som gick runt huset. Motsols, vilket förvånade Rosander. Själv gick han alltid åt andra hållet. Kvinnan stod kvar vid dörren. Hon bultade en gång till, kikade in genom farstufönstret. Det var någonting i hennes hållning som gjorde Rosander bekymrad. Hon var vacker i sitt spretiga hår. Den kupade handen mot rutan, ansiktet tryckt mot fönstret, det ena benet något vinklat, framåtlutad, som till språng. Hon rätade på kroppen, såg mot lidret och lät blicken vandra runt trädgården. Mannen var fortfarande försvunnen, han kikade väl i fönstren på baksidan. Rosander fnyste. Han orkade inte ens bli upprörd. Det var deras jobb att snoka. Vid förra besöket var det som om den politiska polisen gjorde ett nedslag. Det var hennes andra kollega som skapat den känslan. Han hade påmint om någon i tevens debattprogram. Aggressiv, enögd och därför omöjlig att resonera med. Rosander hade känt animositeten som blommat upp, förstärkt den genom sina egna kommentarer.

Rosander tryckte sig mot det lavfuktiga teglet, pressade kinden mot dess svala yta. Oscar, "El Gordo", vars röst han hörde allt oftare, viskade förtroligheter, pratade strunt, pekade på husen, fabrikerna, männen och kvinnorna, monumenten, ruinerna, berättade allt, om vartannat, tryckte sin tunna portfölj mot kroppen, sprang in genom hålet i staketet som kvinnorna tagit upp, läste dikter stående på ett bord på kantinan, visade stolt sin klocka, fick det sorgsna uttrycket i sitt ansikte, allt om vartannat, kvinnorna och männen, doften av sopor som brändes på gatan, hundarna som drev likt raggiga tiggare i barrions trånga gränder, polisen, militären, fackföreningsorganisatörer, den upp och nedvända Karlavagnen, den enda han kunde identifiera på den guldglänsande gatan som välvde över byarna i bergen, dock felvänd, de kyliga nätterna, campesinos från Cajamarca.

Teglet tålde inte detta, gick i kras, bräcktes under hans kropp. Lindell fann honom sittande på taket med blicken fäst på en punkt i skogen där vinterfåglarna samlades, konfererade.

De såg på varandra, han log ett trött leende.

– Tänk så mycket man kan få i skallen, sa han. Att reparera tak.

Han var glad, nästan tacksam för att hon inte sa ett ord om att de varit så länge utanför hans hus utan att han givit sig till känna. Hon måste ha förstått att han betraktat henne. Han gjorde det fortfarande, utan att genera sig iakttog han henne, granskade henne. Hon lät det ske, såg bara tillbaka med vad hon trodde en neutral blick. Hon lade upp handen på en stegpinne.

– Det är ett vackert tak, sa hon.

– Jag har blivit tung i kroppen, sa Rosander och tittade ur över taket. Visst är det vackert! Liksom det mesta här uppe. Lindellita, que quieres?

De spanska orden fick hans ansikte att öppna sig, tyckte hon. Han såg på henne med en annorlunda blick än vid förra besöket. Han satt som en liten tomte på taket, med en stickad topplluva på sned, fiberjacka, gröna stövlar och bredrandiga manchesterbyxor. Hans händer vilade på teglet. Några redskap låg vid hans sida. Så långt från Paris! För sitt inre såg hon Säks omfångsrika lunta. Det kunde bli en roman.

– Ska vi prata litet?

Han nickade och började hasa ned från taket, nådde stegen, vände sig ovigt om och klättrade ned.

– Jag låter stegen stå, sa han. Du har en kompis med dej?

Fredriksson kom från lidret, släntrande, som han var hemtam på gården.

– Det är Fredriksson.

– Har han inget förnamn?

– Jo, tre stycken. Mest Allan.

– Nu ska jag fälla en klassisk replik: Jag förstod att ni skulle komma.

– Ja, den är sliten, sa Lindell.

Hon kände sig nedstämd och upprymd på samma gång och hon anade att det var likadant för Rosander. Hon hade varit med om det förr. Den intimitet som ibland uppstod i förhör och konfrontationer, den vilja till samarbete och samförstånd som låg i det lågmälda samtalet, men också vetskapen om samtalets villkor. Tjuv och polis, alltid tjuv och polis.

– Vi är väl alla slitna, eller hur?

Han förväntade sig inget svar, men såg på henne med en

292

forskande blick. Hon tyckte inte om det. Hennes slitenhet var hennes egen. Där fanns en gräns, som hon inte ville överskrida, inte ens när det gällde en mordutredning.

– Var har du gjort av den andra, Lundkvist hette han så?

– Han gör lite annat.

– Det är bra det, sa Rosander. Jag tålde honom inte. Han var bara plit, ingenting annat, en dräng. Sådana där är farliga.

Lindell lyssnade, gav Fredriksson en kort blick som för att säga: Låt honom tala.

– Att jag var kommunist för tjugofem, trettio år sen, det vet ni ju, men jag är det fortfarande, kan ni tänka er! Kommunist. Trots Ahlmarks kampanj. Han är ju enbart flintskalligt upprörd, ohederligt låtsasargumenterande. En medlöpare, javisst!

Rosander slog med handen på stegpinnen, tycktes förlora sig i tankar, men vare sig Lindell eller Fredriksson rörde en fena, sa inte ett ord.

– Varför skulle ni övervaka mej? För att jag löpte med? Jag löper med de halta, de lytta. Det var inte något slags överstatsintresse som gjorde mej intressant att fotografera, avlyssna, bevaka, anteckna, nej, det vara klassintressen, partiintressen, ingenting annat. Skulle jag vara spion? Vad skulle jag ha för informationer? Vilka länder skulle vara intresserade av att ta del av mina funderingar? Ryssland, arvfienden? Jag var medlem i ett Sovjetfientligt parti! Jag demonstrerade mot Sovjets invasion i Tjeckoslovakien. Vi byggde en hel teori kring deras imperialism, pratade om de två supermakterna som delade upp världen emellan sig. Kina då? Visst, vi hade partidelegationer som for till Kina, visst fällde vi upp paraplyt när det regnade i Peking, övertog okritiskt deras analyser, men inte sålde vi Sverige. Allt medan Ahlmark hånglade sig fram och befann sig vara för kort till och med för folkpartiet, de skenheliga. Vi samlade pengar för strejkande gruvarbetare, elektriker, städerskor, skogsarbetare och allsköns folk, medan andra sålde ut Sverige. Vi hade ingenting att sälja. Gösta Bohman hade, Gunnar Sträng hade, Sten Andersson hade, Palme, Ullsten, Fälldin, allihopa hade de att sälja.

Rosander tystnade. Hans tal hade varit osammanhängande och föga begripligt för de båda poliserna.

– Vi var bäst med andra ord, sa han med ett leende. Skitabäst, de rättrådigas parti, den dialektiska materialismens sanna uttolkare. Det kan låta så, va? Jag har aldrig varit någon realpolitiker, jag har levt med gråten i halsen, sökt mina vänner bland de svaga, de lytta. Om jag ändå hade varit spion, en Le Carré-figur, då skulle jag kunnat skriva mina memoarer, ljugit lagom. Nu är jag bara en avdankad revolutionär insektsforskare, med en åldrig metallarbetarfar i ett alltmer öde Bergslagen. Han trycker mina händer när jag kommer upp, han tar mej om axlarna, dom säger att han inte känner igen nån längre, men så är det inte. Han känner mej. Han har blivit öm på gamla dar, gubbstrutten.

– Peru, sa Lindell tyst.

Nu ville hon haka på, gå vidare.

– Där träffade jag en poet. Det var i en av Limas slumförstäder. Han levde illegalt i huvudstaden, eftersökt av alla. Han skrev fantastiska dikter, kärleksdikter. Han skrev med en blå penna i en bok med svarta pärmar, som han bar närmast kroppen. Ingen visste att han skrev, bara jag. En gringo på genomresa. Han läste sina dikter i ett rum där det stank piss och brända sopor. Han gick med i Sendero Luminoso sen, dikterna försvann väl, det ansågs väl lite småborgerligt att skriva poem. Carlos försvann från Lima, dog utanför Huancayo. Hans dikter och hans längtan försvann med honom.

– Skriver du nånting?

– Det händer, men inte som Carlos. Jag har inte hans stämma. Jag har mest skrivit protokoll, vi var duktiga på det, plikttrogna revolutionära bokhållare. Ibland önskar jag att vi skulle ha varit mer anarkistiska, oberäkneliga. Ställt till det, det hade åtminstone varit mer spännande. Men vi kom ju från folkrörelserna och det var därför vi var farliga. En anarkist med svart flagga gör ingen succé i Lindesberg. Han rör om lite, skapar rubriker men ingen text. Vi gnodde på, talade oftast som folk, därför blev vi farliga, måste övervakas av sossarnas hemliga polis. För vad är farligast: en Baader-Meinhof i Stockholm eller en klubbordförande i en metallklubb i Laxå, Luleå eller Lindesberg?

– Eller en forskare i Uppsala, sa Fredriksson som dittills

tålmodigt lyssnat.

Rosander såg på honom.

– Nätvingar kan vinnas för proletariatets sak, sa han torrt, det gäller bara att anpassa strategin och taktiken. Skämt åsido, sa slaktarn, jag var livsfarlig!

Lindell rös till.

– Jag vill helst inte gå in, sa Rosander, men vi kan väl promenera ett stycke.

De gick förbi jordkällaren. Rosander berättade vad som fanns i den. Mest inlagd västeråsgurka, påstod han. Lindell följde honom på den smala stigen som löpte mot skogen. Fredriksson sladdade. Hon funderade på varför Rosander blivit så språksam, så meddelsam helt plötsligt. Till och med humoristisk. Men jag låter honom prata på, tänkte hon. Fredriksson verkade samtycka. Han gillade ju naturen och nu var de på väg in i skogen.

– Här slutar min tomt. Nu är vi på mark som tillhör Ramnäs gård. Bondskog. Ni har väl träffat Bengt Ramnäs?

Rosander vände sig om. Lindell nickade. Rosander stannade till.

– Till och med bönderna var vi intresserade av.

Vilka vi, tänkte hon, men anade att Rosander var kvar i politiken.

– Var det längs den här stigen Enrico försvann?

Fredrikssons fråga fick Lindell generad på något sätt. Han kände hur det hettade i kinderna. Rosander såg på Fredriksson och sedan längs skogsstigen bort.

– Det är väl troligt, sa han lamt. Det är ingen upplyst stig precis. Han gick väl här.

– Ska vi gå hans väg, den väg som du tror han tog ner mot byn?

– Vi är för dåligt klädda, invände Rosander.

– Han gick väl till Eva-Lena Vitros?

– Du tror det?

– Vad tror du? sa Fredriksson.

– Kanske.

Lindell kände sig obekväm, som om de brutit en tyst överenskommelse, fast ingen sådan var träffad. Fredriksson och hon var ju här som utredande poliser, ingenting annat. Hon kom på sig själv att hon omedvetet sorterat in Rosander bland de trivsamma, att han skulle hon kunna tänkas umgås med. Aggressiviteten var borta, den som skrämt henne, gjort henne ilsken också. Nu såg hon viljan till prat, humorn och allvaret hos Rosander. Det var förrädiskt. Hon visste det sen förr, därför var det bra att vara två. Fredriksson var Lundkvist överlägsen.

– Du var förälskad i Vitrosen? Eller snarare är kär i henne.

– Javisst, än finns det safter i gubben.

Han sa det utan ironi, snarare med en självmedveten ton.

– Svek han dej, gick han till Vitros? Svek hon dej, tog emot Enrico?

Lindell kände spänningen gripa tag i henne. Den satt i magtrakten. Fredrikssons fråga skingrades mellan granstammarna. Svek han dej? Hon såg Rolf framför sig. Hade han gått till någon annan, funnit en ny kärlek? Han hade förnekat det.

– Ja, det kan man väl säga.

– Visste du om det?

Lindell såg honom i ögonen, men var tvungen att slå ned blicken. Rosander nickade.

– Ja, sa han stilla.

Att han höll sig så lugn! Att han lät sig utfrågas? Han måste ju ana, han måste väl förstå?

– Tror du Risbergs pojkar mördat Enrico?

Frågan förvirrade honom. Han log ett snett leende eller gjorde snarare en grimas.

– Nä, inte pojkarna Risberg, inte Jens och Jerker.

– Var dom delaktiga?

Rosander svarade inte utan återupptog sin promenad.

– Vet ni att Edvard Risberg har flyttat?

Lindell tog tag i hans ärm och hejdade honom.

– Vad säger du? Vart? Vet du varför?

– Jag vet inte vart och egentligen inte varför. Jag ville inte fråga.

– Han har pratat med dej?

– Han var upp i går och sa adjö.

– Vadå adjö? Skulle han långt? Han måste väl ha sagt nånting.

– Han pratade om havet.

Lindell greps näst intill av panik. För ett ögonblick såg

hon Edvard framför sig, flytande på mage, guppande i vasskanten.

– Brukar han åka ut till havet? Fiska eller så?

Fredriksson tog över igen.

– Nej, det tror jag inte.

– Han har aldrig pratat om någon anknytning till havet?

Rosander skakade på huvudet.

– Vet du vilket hav?

– Jag fattade som om det var Roslagen, det är ju inte säkert, men det ligger närmast.

– Kan du gissa varför han stack?

Lindell hade återtagit så pass mycket av kontrollen att hon kunde formulera en fråga och ge sin röst någorlunda stadga.

– Det har väl inte varit helt lätt, med Marita, menar jag och så nu det här med mordet och sen Alberts död. Ni får väl fråga honom själv.

Lindell samlade sig, såg på Fredriksson, tog några steg på stigen, vände sig om. Rosander iakttog henne.

– Jag tror inte de fyra pojkarna mördade Enrico Mendoza. Jag tror att det var du.

Rosander reagerade inte med en min, men slog ned blicken.

– Du hade både motiv och tillfälle, dessutom har vi ett vittne.

– Ja, men då så, då är det väl bara att sy in mej.

Han sträckte fram händerna. Lindell tyckte det var en patetisk gest.

– Om det vore så enkelt. Kan du inte känna lite dåligt samvete, för pojkarnas skull? Tre av dom sitter ju faktiskt häktade. Den fjärde törs inte gå till skolan.

– Jens har aldrig gillat skolan.

– Du förstår vad jag talar om. Oskyldiga tonåringar misstänkta för mord.

– Om jag nu skulle erkänna mej skyldig så betyder det ingenting. I en rättssal skulle jag aldrig erkänna.

– Vi är två poliser som kan vittna.

– Det tvivlar jag inte alls på, men frågan är vad vår skogspromenad är värd. Jag är en förvirrad man. Jag är en misslyckad förvirrad man.

– Är det din bild av dej själv?

– Nej, omgivningens bild, rättens bild.

– Varför gjorde du det?

Rosander svarade inte utan fortsatte promenaden. Lindell hastade efter men slogs samtidigt av tanken på hur löjeväckande hela situationen var, som en katt- och råttalek.

– Stanna!

Rosander stannade.

– Måste du skena iväg? Jag ställde en fråga.

– Jag hade motiv, jag hade tillfälle, men det var inte jag.

– När du lämnade huset på förmiddan den 28:e september, såg du Enrico för sista gången då?

– Ja.

– När kom du tillbaks till huset och fick reda på att Enrico var försvunnen?

– På eftermiddan nån gång, kanske vid tre.

– Vi har ett vittne som sett dej tillsammans med Enrico den där söndagseftermiddagen, ute i skogen, inte långt ifrån där han hittades. Vad säger du om det?

– Grattis!

– Inget mer?

– Vad är det för vittne? Nån som vill freda sin egen rygg?

– Nej, inte alls.

– Är det kvinnan?

– Ja, det är kvinnan.

– Jag förstod det. Jag väntade på det. Jag har sett henne förut, jag tror hon bor i byn. Eller hur?

– Och ändå ljög du om att du inte träffat Enrico efter det att du kört till stan?

– Man försöker ju, sa Rosander.

– Ricardo har vi kunnat ta in när som helst, men vi har inte gjort det.

– Jag vet det.

– Vi är också människor, sa Lindell.

– Det förstår jag också, men var det anledningen? Var det av humanitära skäl?

Lindell svarade inte, osäker på hennes egna bevekelsegrunder. Det hade skett en förskjutning på roteln, en uppluckring som hon inte förstod. Egentligen var det ofattbart att hon inte sett till att Ricardo greps. Hon hade velat prata

298

med Fredriksson om det men frågan om Ricardo hade varit för känslig att tala med honom om. Nu kanske det var ett annat läge.

– Vad gjorde ni i skogen?

– Jag stötte på honom längs vägen. Både Eva-Lena och jag var ute och letade. Han frös. Jackan hade han förlorat i slagsmål med grabbgänget. Han ville hitta den. Han frös så han skakade. Det är en annan kyla i det här landet, sa han. Vi gick hit och dit i skogen utan att hitta den.

– Vad gjorde ni då?

– Vi började gå tillbaks. Jag hade min bil inkörd i skogen. Men han ville inte följa med hem. Han hade blivit osams med Ricardo. Jag försökte övertala honom.

Rosander tystnade. Lindell anade hur han i tankarna förflyttade sig tillbaka till Ramnäsvägen, söndagseftermiddagen den 28 september.

– Han följde med till bilen och jag trodde han skulle hänga med, men så sa han att han skulle gå hem till Eva-Lena. Han berättade för mej vad jag redan visste, att de var kära i varandra, att de träffats några gånger hemma hos henne. Han gick. I det läget gav jag faktiskt fan i om nån sett honom, anmält honom för polisen. Hade jag tvingat honom hem så skulle han ha levt idag. Nu sket jag i det, jag lät honom gå.

Han tystnade.

– Sen då?

– Det var det sista jag såg av honom. Hans ryggtavla.

– Jaha, och din version stämmer den här gången, sköt Fredriksson in.

Han hade slagit sig ned på en omkullfallen stock och likt en ekorre skalat en grankotte, vars fjäll nu låg framför honom. Nu kastade han iväg resterna och tog upp en ny kotte.

– Varför nu? Varför berätta nu? Din historia skulle ju rentvå pojkarna. Har du inte tänkt på det? Dom är ju misstänkta för mord, inte snatteri!

Rosander vände sig mot Fredriksson.

– Självklart har jag tänkt på det. Jag har aldrig trott att pojkarna skulle fällas. Jag förstod ju att dom var oskyldiga. Och skulle det gå så långt som till rättegång så skulle jag ha berättat, det hade jag lovat mej själv.

– Det var ju storsint, sa Fredriksson, men att vara oskyldigt misstänkt är nästan värre än att vara misstänkt och vara skyldig.

– Det är riktigt, sa Rosander.

Han tittade i marken, sparkade i förnan.

– Där sa du nåt, lade han till. Där sa du nåt. Jag borde kanske ha berättat.

– Vad tror du hände efter att ni skiljdes vid bilen?

– Jag vet inte, han gick mot Eva-Lenas, men hon var ju ute och letade liksom jag.

– Har du och Vitrosen talat om det här? Vet hon om att du och Enrico träffades på vägen?

– Nej. Hon vet ingenting.

– Talade du om för Enrico att Eva-Lena också letade?

Rosander nickade. Fredriksson reste sig upp, slog av barr och skräp från byxorna.

– Vilken satans soppa, sa han med eftertryck. Du får lämna ditt tak och följa med oss, det förstår du, va?

Rosander vände på klacken och började trava hemåt utan att säga ett ord. Fredriksson och Lindell gav varandra ett hastigt ögonkast och följde efter på den smala stigen.

38

FÖRHÖRET MED ROSANDER gick trögt. Det var som hans beredvillighet att tala försvann så fort de lämnat skogen. På polishuset satt han stel och svarade fåordigt. Han upprepade i princip det han sagt. Det kom på band och det var huvudsaken för Lindell, även om hon skulle ha önskat att känslan av samförstånd skulle räckt hela vägen in till Uppsala och Salagatan. Han talade med en monoton röst, den agiterande stämman var försvunnen. Hon funderade på att locka honom att tala politik, om det vore ett sätt att få honom livligare, men hon avstod.

Det fanns inga grankottar i förhörsrummet så Fredriksson plockade sönder en kulspetspenna istället. Han såg närmast uttråkad ut. Han hade velat stanna i skogen, trodde Lindell.

Det var först när de kom in på hans förhållande till Eva-Lena Vitros som Rosander visade någon rörelse. Han var mån om att inte säga ett enda negativt ord om vare sig henne eller Enrico, nästan för angelägen att verka storsint och förlåtande.

– Ni har fortsatt att träffas, frågade Lindell.

– Ja, mer av gammal vana, skulle jag tro.

– Så gammal är väl inte vanan.

– Nä, kanske det, men för mej känns det så.

– Pratar ni om Enrico?

– Hur skulle vi kunna undvika det? Han är vårt gemensamma minne.

– Du kvävde honom inte med duffeln?

Rosander såg upp. Han knep ihop ögonen och sköt fram underläppen till en arrogant min, fnyste, skakade lätt på huvudet, men sa ingenting.

– Vill du vara bussig att svara. Mikrofonen tar inte små fnysningar.

– Nej, jag kvävde inte Enrico Mendoza med en duffel och inte med nånting annat heller.

Lindell hörde för första gången hans västmanländska. Hon spolade tillbaks bandet och spelade upp hans senaste replik.

– Hör du, sa hon.

– Vadå?

– Du pratar västmanländska.

Rosander skrattade till.

– Ska det användas emot mej?

Längre än så kom inte Lindell och Fredriksson. Hon hade omedvetet hoppats på nya detaljer om Rosanders och Enricos möte på Ramnäsvägen, att han skulle lätta sitt hjärta, kanske inte erkänna men ge henne lite hopp, att den möjligheten ändå fanns att han tagit livet av sin inneboende och rival, att om de fortsatte samtalet en annan gång så skulle hela berättelsen komma.

Trodde hon på Rosander som mördare? Hon hade ju lekt med tanken tidigare, men avfärdat den. Varför det? Hon ville inte ge byn rätt, att det var en utomstående, visserligen bosatt i byn, men ändå främmande. Hon ville inte ge Bengt

Ramnäs, Lindgrenarna och de övriga rätt. Det sa hon också till Fredriksson när Rosander lämnat dem för att återvända till Ramnäs.

– Tänk om man kunde få välja gärningsman, sa Fredriksson och Lindell fick en känsla av det i de orden låg en försiktig kritik av hennes sätt att resonera, att leda utredningen, men hon avvisade tanken. Han var inte sån Fredriksson. Hon trodde att kollegan menade precis vad han sa. Hon ville inte hålla på att tolka sina kolleger, hon hade nog besvär att tolka sina egna känslor.

Efter förhöret gick hon ned på stan, promenerade i rask takt S:t Olofsgatan ner, över järnvägen. Rödljuset vid Kungsgatan stoppade upp hennes snabba forcering. Hon drog upp jackans blixtlås något, stirrade envist på den röda gubben, övervann sin impuls att springa över gatan, hon skulle ha hunnit, och räknade de metalliska ljud som ljöd från trafiksignalens stolpe. När så ljuset slog om blev hon likafullt kvar på trottoarkanten. Hon fick sig en knuff i sidan så hon var tvungen att ta ett steg ut i gatan och blev stående där, grep tag i stolpen som nu gav ifrån sig ettriga ljud i tät följd, manande henne att följa strömmen över Kungsgatan, tog steget tillbaka. En man i hennes egen ålder såg undrande på henne. Tala inte till mig, tänkte hon och slog ned blicken. Han strök förbi henne och hon uppfattade att han luktade vitlök. Vi kommer aldrig att lösa det här mordet, slog det henne. Signalen slog om till rött igen. En paketbil susade förbi, tätt intill hennes ansikte.

– Se upp, sa en kvinna på bruten svenska och tog tag i hennes arm.

Hon gick sakta tillbaka. Stan lockade inte mer. Jag kan ta någon gammal trasa, tänkte hon. Festen på lördag, fyra kvinnliga poliser som brukade gå ut någon gång då och då, lockade inte heller. Det skulle bli det obligatoriska: först lite jobbsnack, sedan snack om mansgrisarna på jobbet och därefter snack om karlar i allmänhet. Alla de övriga var gifta eller sambos. Deras huvudintresse tycktes vara att ge goda råd till Lindell, hur hon skulle få ihop det med någon trevlig och sensuell karl. Men Rolf då, tänkte hon första gången kvinnokvartetten var ut efter att det var slut mellan henne och Rolf, innan hon kom på att han lämnat henne några

302

veckor tidigare. Hon kände sig hjälplös i dessa kvinnors sällskap. Nu mer än någonsin.

Hon sökte upp Fredriksson omedelbart. Han hade just kommit tillbaks från lunchen och såg piggare ut. Hon talade om sina farhågor att de aldrig skulle kunna binda någon till mordet, vare sig pojkarna, Rosander eller någon annan. Fredriksson såg på henne, nöp sig i näsan.

– Det saknas teknisk bevisning, slog hon fast.

Lite för kraftfullt, tyckte Fredriksson, dessutom obehövligt.

– Ja, jag pratade med en kollega i Stockholm som har lång erfarenhet av mordutredningar och menade att det är märkligt att det inte fanns något främmande på Enricos eller runt Enricos kropp.

– Vadå främmande!

Lindell reagerade instinktivt när Stockholm nämndes. Det hade gluckats om att ta hjälp utifrån men det hade hon avvisat. Ottosson hade stöttat henne. Vi har de resurser som krävs, hade han sagt, det är värre på bonnlandet, dit kan stockholmarna åka och glänsa.

– Ja, jag vet, att du inte gillar pojkarna på Rikskrim, men dom sitter faktiskt på en hel del erfarenhet.

– Okej, vad sa han?

– Han tyckte det är konstigt att vi inte hittat en enda fiber, inte en hudflaga, inte ett hårstrå, ingenting främmande med andra ord.

– Du tror inte teknikerna gjort sitt jobb?

– Jodå, nej, jag vet inte, jag blev osäker.

Fredriksson nöp sig i näsan, kikade förstulet på Lindell. Se inte så skuldmedveten ut, tänkte hon.

– Du tror inte de var så noga för att det var en svartskalle? Är det du vill säga?

– Nej, det tror jag inte, men jag fick för mig att alla trodde det var självmord och man därför inte var så nogsam.

Lindell blev betänksam. Nu börjas det, tänkte hon, nu ska syndabockar letas fram. Fredrikssons antydningar gjorde henne nedstämd. Hon trodde inte på hans teori, men den var framme i ljuset och måste bemötas, den skulle dyka upp igen om nu inte mordet löstes.

– Jag tror det stod klart för dom flesta att det var mord.

– Jag hörde ju lite snack i korridorerna.

Vad är det han vill antyda? Lindell hoppade ned från det låga arkivskåp där hon suttit under deras samtal. Jag vill inte höra mer! Definitivt inget korridorsnack!

– Vi struntar i det nu! Jag tänker på Edvard Risberg, varför sticker han iväg på det viset? Vad tror du? Ska vi ringa och fråga efter honom och höra vart han tagit vägen? "Havet" låter lite diffust.

– Det kan vi göra, sa Fredriksson. Han har inte varit i bra form, det lilla jag sett av honom.

– Det förstår man ju. Jag tror inte han har jobbat på länge. Han verkar ha tappat orienteringen, släppt alla förankringar. Jag ringer, avgjorde hon. Kanske jag åker ut.

– En sak, sa Fredriksson snabbt, pojkarna, ska vi släppa dom?

– Vi väntar till i morron tycker jag, men prata med Fritzén. Han får bestämma.

– Men Rosanders vittnesmål då?

– Jag vet, men vi väntar en dag. Jag kan tala med mamma Risberg, det ska jag, lugna henne lite. Men jag skulle vilja prata med Edvard innan vi släpper greppet om pojkarna.

39

HON FANN HONOM nere vid havet. Hon fann honom vacker. Stenen han satt på låg som ett stort grått dinosaurieägg i strandkanten med den toppiga änden ut mot vattnet. Hon såg honom i profil. Håret tillbakastruket, händerna vilande på låren, blickstilla satt han, såg ut över det spegelblanka vattnet. En man som flytt, en man som satt på en sten som om det vore hans plats i livet, en man som aldrig mer skulle bli den han varit.

Hon tog några steg närmare. Det krasade i strandlinjens klapperstenar och grus. Han vände sakta på huvudet, log som han hade gjort på Turelundsvägen när utredningen just kommit igång, när de gick bredvid varandra, när hon hade talat om sin far och drickabilen och han hade pratat om jorden. Så länge sedan! Nu satt han vid havet.

– Här är brevbäraren från civilisationen, sa hon och höll upp ett kuvert.

Han förblev på stenen men vred på kroppen. Ansiktets blekhet, som hon sett den sista veckan i Ramnäs, hade ersatts av friskhet. Skäggstubben gjorde honom äldre, tyngre.

– Vad är det för brev?

Han lät inte avspisande men avvaktande. Hon sträckte honom brevet och han lutade sig fram, grep det och läste texten på framsidan.

– Rosander, sa han bara. Det var fan.

Han vände på det, synade baksidan, tittade ned på Lindell.

– Det är inte rört, om du tror det, sa hon snabbt.

– Det tror jag inte, men det är lustigt att du säger det.

Önskade han att det funnits fler brev från Ramnäs? Han visste inte själv. Han kikade på Rosanders kråkfötter, vägde brevet i handen. Det kanske fanns inuti detta brev? Nej. Rosander var den ende som skrev, säkert var det så.

– Hur är det annars, sa Lindell. Blåskatarr?

Edvard skrattade till. Ett torrt skratt.

– Tack bra. Jag gör inte många knop, sitter mest här nere. Promenerar. Pratat med Viktor som är den lokala sambandscentralen. Han håller mej informerad. Han berättar historier, pratar nästan ihjäl mej ibland.

– Hon verkar lite tvär, din värdinna.

– Hon tror väl att du är min fru och att brevet är en stämningsansökan.

Lindell skrattade.

– Du har hört att vi släppt pojkarna? Det var åklagarens beslut.

– Nej, det har jag inte.

Han gav henne ett snabbt ögonkast. Hon såg flera saker i hans blick: förvåning, lättnad, men också tvivel.

– Det var ett vittnesmål av Rosander som medverkade till hans beslut.

– Var det ett riktigt beslut?

Hon kände hans blick.

– Jag vet inte, ärligt talat så var jag motståndare till beslutet. Det gick lite snabbt.

– För grabbarna har det nog gått långsamt. Vad var det Rosander sa som var så viktigt?

– Han hade träffat Enrico efter slagsmålet i gläntan. Det styrker deras berättelse om hur det hela gick till.

– Jaha, sa Edvard.

Han tycktes tappa intresset, gled ned från stenen, hoppade in på fast mark och slog några åkarbrasor.

– Vill du ha kaffe? Viola har nog pannan igång.

Helst ville hon prata mer med Edvard men såg att han frös så hon nickade.

De drack kaffe under tystnad. Viola dukade fram i köket men satt inte själv med vid bordet, trots deras ihärdiga uppmaningar. Hon lämnade dem i fred, men fanns någonstans i huset. De hörde henne rumstera om. De växlade några ord, ingenting allvarligt eller nämnvärt.

Kuvertet från Rosander låg på bordet, påminde om en annan verklighet än kökets värme och knäppande spis. Lindell kände en viss otålighet. Vad stod det i brevet? Det verkade som om Edvard visste vad det skulle innehålla. Hade det med utredningen att göra? Hon hade under resan till Gräsö sneglat på det, lekt med tanken att öppna det, men i samma stund slagit det ur hågen. Två mäns förtroende för henne hängde på om hon skulle leverera brevet på ett juste sätt. Skulle hon bryta det, lockas att läsa, så skulle utredningen haverera. Men om det inte skulle märkas? Hon hade omedvetet kört den sista biten långsamt, oviss om hon skulle gripa chansen, men nu låg det på bordet. Det kanske inte heller skulle bidra på något sätt. Det var med säkerhet ett privat brev som hon inte hade med att göra.

Hon hade ringt Marita Risberg och frågat vart Edvard tagit vägen. "Fråga insektsforskaren", hade hon sagt. I repliken låg all den spydighet, vrede och rädsla som Lindell kunde ana i hennes avvisande tonfall.

Hon hade ringt Rosander. Jo, han visste. Edvard hade hört av sig. Skulle hon kunna ta med sig ett brev? När hon hämtat upp det hade hon i förbigående undrat vad det hela handlade om. Hon avskydde att fråga, kanske han skulle säga något, men Rosander låtsades inte ha hört den försiktiga frågan.

När de satt en trappa upp, nedsjunkna i en knarrig korgmöbel med utsikt över fjärden kände Lindell hur kroppen kopplades bort, musklerna slappnade och en behaglig känsla av lugn kom över henne. Hon sneglade på Edvard som satt med benen utsträckta framför sig. Hon fick känslan av att de befann sig på ett pensionat. Edvard hasade sig upp i stolen, den knarrade och han log. Gör du dej till, tänkte han, varför ler du så förbannat? Jag kan inte låta bli, så enkelt är det. Jag styr inte mina uttryck. Skitsnack! Du fjäskar för kriminalinspektör Ann Lindell. Du är sällskapssjuk, du är rädd att hon strax ska resa på sig, säga något artigt och fara iväg. Hon har ju ett jobb. Edvard sa något meningslöst om vyn. Lindells hummande svar tog han ändå som en uppmuntran.

– Jag har alltid velat bo vid havet. Allt sen jag var grabb. Nu sitter jag här. Det kanske är för sent, men jag tror jag stannar ett tag.

– Du hyr här?

– Ja, så länge. Gumman vill att jag ska hjälpa till, det finns hur mycket som helst att göra, så det kan bli billigt. Hon vill nog ha sällskap också. Det är bara hon och Viktor kvar, plus lite sommarstugor.

– Marita och barna då?

Han gjorde en grimas. Nog hade han tänkt så det knakade men inte bestämt sig, men sa ändå:

– Det är ett avslutat kapitel.

– Jobbet då?

Hon rätade på ryggen, strök undan en slinga av håret med en gest som han nu lärt känna. Det är märkligt vad hon blivit bekant, tänkte Edvard.

– Jag slutar, det finns alltid jobb. Jag har varit lantarbetare för länge.

Inom sig bar han tanken på att stanna kvar på ön. Han hade lyssnat på Viola och Viktor, funnit att han skulle kunna trivas med det språket. Men han uttalade inte tanken, knappt för sig själv. Han tittade ut över fjärden. Lantarbetaren och havet, det låg något motsägelsefullt i orden. Han hade i strandkanten på gränsen mellan land och hav formulerat motsatsen: Lantarbetaren och havet. Det lät som poesi och nu upprepade han orden gång efter annan, önskade att han kunde uttala dem inför Lindell. Hon kanske skulle kunna se, hon var ju ändå uppfödd på Östgötaslättens vetehav. Drickabilen hade rullat genom vetehavet. Hennes fars sång hade klingat över vetehavet. Edvard hade träffat många östgötar på kurser och konferenser. Han mindes svagt en ombudsman med pipa i munnen.

Skulle Lindell förstå det drömska i orden? Han älskade sitt arbete, han var stolt över sin insats i matproduktionen men såg sedan några år tillbaka att i allt detta kulturarbete som han sysslat med, det var Rosander som brukade kalla honom kulturarbetare, fanns en fattigdom, ett slags slaveri. Han närde en önskan att spränga de givna måtten, gårdens givna areal. Hur skulle han göra det? I det fackliga fastnade det i organisationsfrågor och sedan storavdelningen kom fanns inte ens de gamla rösterna kvar. Han var uppväxt med det fackliga, kampen för lantarbetarnas rättigheter, stoltheten från Upplands Lantarbetareförbund hade inympats i honom. Det politiska? Han hade aldrig varit organiserad men röstat på socialdemokraterna i alla val, utan att på allvar ifrågasätta deras politik. Nu gled det utför, nu kände han bara förakt för företrädarna. Han hade kommit på sig många gånger att skämmas när han hörde sig själv hålla med Bengt Ramnäs´ grova karikatyrer över sossepolitikerna. Han ville försvara arbetarrörelsen, men kunde inte. Han tystnade. Bengt fick stå oemotsagd trots att han inte hade någon legitimitet att tala om arbetarrörelse, rättvisa och solidaritet. Sedan upprepade han bondens nedrigheter vid köksbordet med Marita som publik. Han övertog bondeförbundets inskränkta bytänkande. Det måste väl ändå finnas annat? Schyman litade han inte ett ögonblick på. Inte för hennes supande, det kunde han köpa, men han ansåg henne hal och för mån om att bli omtyckt. Edvard ville ha någon som var oönskad i salongerna, inte nån som trippade med, fram till snittarna. Skulle han byta parti så skulle det vara ett rejält byte. Det måste väl finnas annat? Fanns det bara den privata flykten kvar?

– Jag tror havet har gjort dej gott, avbröt Lindell hans tankar.

Han ryckte till, såg på henne med den där blicken som

hon fruktade. Han höll med, såg aktiv ut.
– Stanna du med, sa han.
Hon vågade inte se på honom utan tittade intensivt ut över vattnet. Hon beslöt sig för att skämta, hon måste ta hans ord så, vad annars?
– Jag menar allvar, sa han och hon blev osäker om han drev med henne. Det var det värsta att hon inte visste. Hon knyckte till med huvudet, drog en obefintlig hårslinga bakom örat. Hon beslöt sig för att retirera.
– Vad är det för brev, jag måste fråga, jag är så nyfiken.
– Det är en text som farfar skrev, som Rosander nu översatt från franska.
– Kunde han franska?
– Han kunde mängder med språk. Han levde i många länder, trots att han bara var utomlands en enda gång.
– Ni är en märklig familj, sa Lindell.
– Hur går det nu då, med utredningen menar jag?
– Pojkarna är släppta tills vidare, vi får se, sa hon defensivt.
Skulle hon redogöra för sina misstankar mot Rosander? Han tycktes nu vara lantarbetarens ende vän i byn.
– Vi famlar lite, saknar den sista länken.
– Den viktigaste.
Hon nickade.
– Så är det väl ofta, sa han lite kryptiskt.
Lindell reste sig.
– Det vore kul om du kom tillbaka. Jag blir väl kvar här ett tag.
Hon log men sa ingenting, ställde sig vid fönstret. En gammal man kom stolpande på vägen. Han antog att det var den Viktor Edvard hade pratat om. Bakom ryggen kände hon hans närvaro. Hon sträckte på sig, rätade ut ryggen. Korgstolen knarrade. Hon stod tätt intill fönstret, kände draget. Viktor var nu framme. Hon hörde hur Viola öppnade verandadörren. Edvard hostade.
– Jag blir väl här ett tag, upprepade han.
Hon andades tungt genom näsan. Tystnaden var så total att hon tyckte sig höra sjöfåglars skrin. Dörren där nere slog igen. Hon tyckte om att se långt. Hon såg över träden, fjärdens vatten, som nu krusades av en kraftig bris och långt

309

borta skären, klipporna. Korgstolen knarrade och plötsligt stod Edvard bredvid henne.

– Där ute ligger bådorna som svinryggar, sa han. Jag tycker om att stå här. På ett sätt påminner det om Ramnäs, utsikten från övervåningen. Där är det träden som sticker ut likt en udde i åkern, här är det havet som omger skäret med de taggiga konturerna. Du ser där borta, sa han och pekade, där fjärden är som smalast.

Han stod så nära att hon kände hans kroppsvärme stråla. Hon tog hans hand i sin, kramade den lätt.

– Jag måste åka nu, sa hon och släppte handen, men det var kul att se hur du har det, att du lever.

40

De satt i fikarummet: Haver, Fredriksson, Lundin, Nilsson, alla tycktes vara på benen och dessutom i fikarummet samtidigt. Till och med Ottosson var där, hällde upp kaffe, sa nånting till Riis men tystnade när han fick syn på Lindell.

Alla blickar vändes mot henne. Hon stannade och blev stående. Nilsson fick en hostattack, Lundin reste sig och gick bort till fönstret. Ottosson tog ett steg med den fyllda koppen i handen, spillde litet och sa:

– Bra att du kom.

Vad i helvete är det som hänt, tänkte hon.

– Ricardo Mendoza är död, sa Fredriksson.

Hon var tvungen att ta stöd för att inte falla, så upplevde hon det i alla fall. Hon trevade efter en stolsrygg, drog stolen åt sig och satt sig, utan att ta blicken från Fredriksson.

– Varför? När?

– Han hoppade från balkongen på Lagergatan. För två timmar sen.

– Varför?

– Vi vet inte, sa Ottosson.

– Visst fan vet vi, bröt Haver in. Det är ju löjligt att säga

310

nåt annat!

– Vad hände?

– Lundkvist och Forsman plus en piketbil var där för att hämta honom. Han vägrade öppna. När dom gick in fanns han inte i lägenheten. Han låg nere på gården.

Lindell förmådde inte säga något, stirrade på Haver, noterade hans upprördhet, lät blicken gå från kollega till kollega. Ottosson såg mest generad ut, Nilsson skalade en tuggummiförpackning och Lundin tittade i golvet.

– Skulle dom ta in Ricardo? Varför?

– Lundkvist fick för sig det.

– För sig!!

Lindell kastade sig upp, slängde väskan i golvet och röt, de halvt infekterade stämbanden bröt slutgiltigt ihop och hennes vanmakt och vrede tonade ut i ett hest väsande. Fredriksson rös.

– Era jävla svin, fick hon fram.

– Lugna dej lite!

Ottosson såg olycklig ut.

– Varför gjorde ni inget.

– Det var Lundkvists beslut, ingen annans. Vi visste inte ett skit, sa Haver.

– Den där jävla smygkuken!

Ottosson gick fram till henne, lade sin arm om hennes axlar.

– Vi är lika upprörda som du.

Lindell grät. Haver tittade i golvet. Lundin tittade ut. Nilsson tuggade frenetiskt. Fredriksson stod mitt i rummet. Riis hade slagit sig ned i soffan. Ett fruset ögonblick. Kolleger, vänner, sammanbunda av miljoner trådar och gemensamma erfarenheter. Ottosson kramade Lindell som hulkade i hans famn.

– Jag lovade den där pojken att han skulle få se sin bror, fick hon fram. Vilket jävla svek. Var är Lundkvist?

Hon sköt rotelchefen ifrån sig, torkade sina tårar med baksidan av handen.

– Skriver rapport, sa Fredriksson.

– Rapport, det är då typiskt!

Haver reste sig.

– Han hänvisar till att Ricardo var lyst och att han måste

311

höras. Det var, är, en mordutredning, sa han.

Lindell tittade på Haver och de övriga.

– Hur många visste att Ricardo troligen gömde sig på Lagergatan?

Ingen sa något.

– Alla? Även du Ottosson?

Rotelchefen nickade. Lindell sjönk ned på stolen. Alla visste om det och här har jag gått och tigit, trott att jag bar på en hemlighet. Hon såg på Riis som gjorde en min av att vilja säga något, men han skakade bara på huvudet. Hon lät blicken vandra vidare till Lundin som säkert hade ett privat helvete i dessa förkylningstider, det blev många handtag att putsa. Han såg uppriktigt ledsen ut.

– Han levde ett tag, sa Riis. Nån halvtimme kanske.

– Var han medveten?

– I början på sjukhuset.

– Sa han nåt?

– Lundkvist sa att han bara stirrade, men en av killarna i piketbilen påstod att han hörde nåt. Det lät som ett namn.

Lindell blev plötsligt medveten om väskan på golvet och hukade sig ned för att ta upp den. Ottosson hann före. Ett namn, tänkte hon. Jag slutar som polis! Jag säger upp mig! Hon såg på Ottosson som tycktes läsa hennes tankar, för han skakade stillsamt på huvudet som för att säga: Nej Ann, tänk inte så. Hon stirrade oseende på blocket som ramlat ur väskan hon höll i handen. Hennes kollegieblock där hon försökte förstå, tyda, pussla, betrakta från alla håll, vrida och vända. Inte hade de gripit någon mördare, de hade sett till så att ytterligare en dog. Jag slutar! Ricardo, hon såg hans allvarliga ansikte framför sig. Hans historia om godsägarens död, så osannolik i sin grymhet, så sann bortanför tevens trubbiga rapporter om "våldsdåd". Våldet i samhället. Sju män slår ihjäl en hel familj, till och med hundarna. Hon hade dagligen tänkt på hans ord. Till en början hade hon enbart förfasats. Jag åker till Peru, slog det henne. Någon måste väl finnas kvar? Vad ska de tro när nyheten kommer fram om att bröderna Enrico och Ricardo dött, den ene mördad, den andra självmördad. De sista i syskonskaran. De som for iväg för att säkra livet.

Hon sa inte upp sig, hon sa ingenting, lämnade fikarummet och polishuset, körde hemåt. Fick ett infall att återvända till Gräsö, men besinnade sig, mekaniskt körde hon gatorna hem. Herr Sund syntes inte till och det var hon glad för.

På kvällen ringde hon hem till Ottosson.

– Jag måste få prata.

– Sjukskriv dej en vecka, åk hem till Ödeshög.

Vet han att jag är från Ödeshög? "Hem till Ödeshög". Det här är mitt hem, tänkte hon, och såg ut över lägenheten. Jag är inget barn längre som kan fly hem till mamma och pappa. Det är här jag måste ta matchen. Det sa hon också till Ottosson.

– Det handlar inte om nån boxningsmatch. Du är trött, slutkörd, måste vila upp dej lite. Du får självfallet full lön.

Vilken chef jag har! Utredningen då?

– Jag går aldrig tillbaks och jobbar ihop med Lundkvist! Bara så du vet! Hellre blir jag trafikpolis.

– Det löser sej, sa Ottosson defensivt. Jag har pratat med Forss, vi får se hur det blir. Det kommer ju att bli ett satans liv i tidningarna. Du kan tänka dej rubrikerna i morron.

Fortfarande satt lappen från British Airways kvar. Hon slet av den med ett kraftigt ryck, slängde iväg den. Den hamnade på nattduksbordet. Så lätt går det inte! Hon sträckte sig över sängen, snappade åt sig den skrynkliga pappersbiten igen och gick fram till papperskorgen. Det var ett år sedan. London med Rolf.

Hon packade alltid noga, trots att hon var upprörd, trots att hon tycktes gå i en dimma, gjorde hon det även denna gång. Det egna sveket mot Ricardo pinade henne. Jävla Lundkvist, mumlade hon. Hon fick impulsen att ringa honom men fann sig stående med luren i handen, oviss om vad hon skulle säga, rädd för sin vrede, hans lugna kyla och avvisande ton. Vad var det för namn Ricardo nämnde? Var det hans brors? Manuels, farbroders? Rosanderns, kanske hennes eget, han kanske förbannade henne? Att hon svikit? Men hade hon givit något löfte? Hon hade lämnat honom hos Rosander, medgivit hans fortsatta undanhållande, han kunde inte ha tolkat det på annat sätt än ett löfte.

Hon kastade i en varm tröja. Undrade hur Forsman tog

det? Han är egentligen hygglig, men så förbannat osjälvständig, det var typiskt att Lundkvist tog med honom.

Klockan var halv åtta när hon packade in väskan i bilen. Hon brukade köra hem på fyra timmar, hemma före midnatt. Hon måste nog ringa från bilen och förvarna. Det var kyligt, några snökorn singlade i luften, temperaturen hade fallit ytterligare och hon tänkte på halkan.

Det var en befrielse att sätta sig i bilen. Hon koncentrerade sig helt på körningen, var vid E4:an efter fyra minuter. En lastbil med saltspridare låg före henne. Hon körde om och var strax vid rondellen. Hon vred på bilradion. En stillsam trumpet fyllde bilen, i bakgrunden bas och gitarr. Hon vred upp volymen. Hon rös. Den lite hesa släpiga tonerna fick henne att gråta.

Vid Knivstaavfarten körde hon åt sidan. "Det var Lasse Törnqvist på kornett och hans Sweet Jazz Trio i *What a wonderful world*", sa radiorösten. Kornett, inte trumpet. Allt är inte det man tror. Kornett, hur ser en sån ut? Lindell knäppte av radion, lutade sig bakåt, hon ville ha kvar den vemodiga klangen så länge hon förmådde. I tio minuter satt hon så innan hon två gånger svängde vänster och återigen körde upp på E4:an, men nu norrut, tillbaka mot Uppsala. Vilken underbar värld!

Hon kunde inte säga att det var ett beslut fattat i all hast. Hon hade tänkt så hon tyckte sig sprängas. Orörlig han hon suttit i bilen. Efteråt kunde hon säga att det var jazztrion som utlöste hennes tvekan att fortsätta mot Ödeshög. En kornett vände bilen.

Saltbilen kom hon ifatt en andra gång, nu var den på väg österut. Hon hakade på, stannade på Rasbomacken, köpte tuggummi och en läsk. För andra gången under samma dag körde hon mot kusten. Nu behövde hon inte tveka om vägen, nu var all tveksamhet bortblåst.

Strax efter klockan tio kom hon fram. Edvard satt en trappa upp och hade slagit över till TV2 för att titta på regionala nyheter. Han såg strålkastarna från bilen spela i rummets tak. Han ställde sig i fönstret. Den mörka roslagsnatten, snön som drev in från nordost, den smala vägen, ljuset som stod som käglor upp mot himlen, föll och kastade långa skuggor över betesmarkerna, för att återigen resa sig

vid nästa lilla uppförsbacke. När bilen körde upp på gårds-
planen kände han omedelbart igen den. Han greps av en stor
oro. Pojkarna, tänkte han genast, men blev lika snabbt lugn
när han såg hennes väska. Han gick ner. Viola stod i hallen,
såg skeptiskt på honom, men sa ingenting. Hon bar en fotsid
morgonrock.

– Väckte bilen dej?

– Nej då, oroa dej inte för det!

Edvard öppnade dörren. Viola blängde på Lindell, drog åt
skärpet runt sin magra kropp. Lindell såg skuldmedveten ut,
fick ur sig ett "ursäkta", medan hon drog av sig handskarna.

– Vilket väder, det blev bara värre och värre, sa hon. Jag
väckte väl inte dej?

Hon vände sig till Viola, som om hon inte riktigt upptäckt
Edvard.

– Nej då, jag har mina korsord!

– I Uppsala snöar det just ingenting.

– Vi får alltid mer här ute, sa Viola med en viss triumf i
rösten.

– Är det så?

– Javisst! Ni vet inte vad snööväder är för nåt.

– Var det halt, sköt Edvard in.

Vilket märkvärdig konversation, tänkte han, medan han
sträckte sig fram för att ta Lindells väska. Hon såg på honom
i samma ögonblick. Deras blickar möttes över väskan. Hon
doftade snö. Själv kände han sig klibbig. Han drog väskan
till sig.

– Vilken vacker veranda, hörde han Lindell säga, medan
hon tog av sig jackan. Men så mycket jobb att putsa alla föns-
ter.

Han gick upp för trappan, väskan var inte helt lätt. Viola
var nu igång. Han hörde henne säga något om kaffe. Hur
många koppar dricker kärringen om dan? Han log i mörkret,
ställde ifrån sig väskan, smet in på toaletten, tvättade av an-
siktet, borstade tänderna, betraktade sig själv i spegeln. Hon
kom tillbaka. Lite märkligt var det. Dessutom med en stor
resväska. Han andades djupt några gånger, drog in mellan-
gärdet, fyllde lungorna, andades ut.

Lindell drack te. Viola kaffe. Själv hade han tagit en öl
med sig från kylskåpet en trappa upp. Det var fortfarande

mycket varmt i köket. Lindell var blossande röd i ansiktet.
Vad vacker hon är! Han lutade sig mot diskbänken med ölen
i handen. Viola pratade fortfarande väder. Lindell och Ed-
vard sneglade på varandra. Han tyckte sig kunna spåra ett
litet jagat uttryck i hennes ögon. Hon drack med små, stela
rörelser, läppjade försiktigt på teet. Hon hade blå jeans, en
lång stickad tröja som gick ner långt på låren, över den en
mörk väst. Hon såg annorlunda ut. Fötterna hade hon stuc-
kit in under stolen. Han ville vara ensam med henne, han
ville att hon följde honom upp men förstod att pratstunden i
köket var nödvändig.

Efter en stund kände han värmen från spisen och stark-
ölen som gjorde honom lite rusig, han blev plötsligt mycket
trött.

– Ska vi gå upp?

Det blev ett ögonblicks tystnad. Lindell såg snabbt över
bordet på Viola.

– Du stannar väl lite, frågade han.

Han visste inte varifrån han fått känslan att Lindell skulle
bli kvar några dagar, det var inte bara väskan, utan mer något
i hennes sätt som övertygade honom att hon kommit för att
stanna, inte bara över natten.

– Mej spelar det ingen teater, sa Viola. Stanna hur länge ni
vill!

Edvard gick uppför trappan, medan Lindell fick famnen
full av sängkläder och handdukar. Han hörde hur de pratade
medan han gick in i badrummet, klädde av sig och ställde sig
i duschen. Spänningen låg som ett band över hans mag-
muskler. Han kom ut ur badrummet samtidigt som han hör-
de henne gå uppför trappan. När hennes diskreta knackning
kom hade han fått på sig byxor och t-shirt.

– Hon kan prata, sa Lindell utmattad och slog sig ned i en
fåtölj.

Teven stod fortfarande på och Edvard gick fram och stäng-
de av den. Vad skulle han säga? Han tordes knappt titta på
henne, rädd att förråda sina känslor. Han satte sig på sängen.
Jag låter henne prata. Det var hon som kom hit.

Lindell kände doften av tvål. Hon ville helst av allt gå
fram till honom, hålla om hans huvud, trycka det mot sin
mage. Hon huttrade till, såg hans beråd, blev osäker själv.

Det var så länge sedan. Hon ville inte prata om vad som hänt, hon ville bara ha honom nära. Hon hade åkt tio mil, hon var trött, hon var less.

– Jag tror jag duschar också, sen kommer jag till dej, sa hon och gick hastigt ut ur rummet.

41

HAN VAKNADE AV att hennes hår kittlade honom i ansiktet. Hon vände sig om, han kände hennes skinkor mot sina lår. Doften från hennes hår och hud fick honom att känna en jublande glädje. Han såg på hennes tunna axel, den rundade armen, kände hur lusten kom. Han ville kyssa hennes skuldror men låg helt stilla, såg på henne, tänkte för första gången sedan han kom på Marita. Han kände ingenting, ingen ånger, ruelse. Det var som en blank plåt dragits för.

Han drog sig försiktigt ur sängen, angelägen att inte väcka henne. Just det att hon sov gjorde honom på något oförklarligt sätt lycklig. Han var vaken, hon sov fortfarande i deras gemensamma säng. Det skapade en känsla av värme, att det trots alltings djävlighet, kunde finnas stunder av lycka, av sällhet, där doften av en annan människas hud verkade likt balsam. Fortfarande fanns det ögonblick då han kunde tala med låg stämma, bli trodd och älskad.

Han stod länge och betraktade henne. Viola var igång och de dämpade ljuden från nedervåningen förstärkte den lyckokänsla han kände. Snön hade avtagit, med lite tur skulle solen orka bryta igenom molntäcket. Han tassade efter sina kläder, vände sig om i dörren och tog en sista titt. Hon hade vänt på sig, oroad av hans rörelser, täcket hade glidit ned och blottat brösten och magen. Han drabbades av en overklighetskänsla: det här händer inte mig. Det syntes oförklarligt att hon kommit ut till ön, till honom. För ett ögonblick lekte han med tanken på att väcka henne, men stängde dörren och gick ner till Viola.

Han åt frukost. Viola var ovanligt tystlåten, höll honom sällskap en stund men försvann sedan ut. Han skymtade henne på backen ner mot hönshuset.

– Jag ska slå ihjäl dom där asena, hade hon upprepat flera gånger under gårdagen.

Var det det hon gjorde, nackade hönorna? Var det därför hon sett så sammanbiten ut. Han drack kaffe med mjölk vilket var åratal sedan, en ingivelse, mjölken stod framme på bordet, det kändes helt enkelt rätt, som han var på semester, på Lanzarote.

Viktor och han hade dagen innan bestämt att de skulle fälla flaggstången. Viktor skulle ta med sig en yngre kusin som hade en gammal jordbrukstraktor. De skulle nog lista ut något sätt. Edvard hade sprayat rostlösning på bultarna. Viktor skulle ta med sig verktyg.

Nu kom Viola knallande igen. Äggkorgen hade hon i handen. Edvard såg att hon haltade något, det hade han inte upptäckt tidigare. Inte skulle hon slå ihjäl några höns! Undra hur många gånger hon bestämt sig för det? Hon stannade, kikade mot vägen. Där kom en Grålle, med en flakvagn efter. På vagnen satt Viktor och två gubbar till. Ekipaget svängde upp på gårdsplanen i en vid båge, stannade framför Viola, föraren steg ovigt av, de tre på flaket likaså. Viktor pratade på, de tre övriga stod i en grupp för sig. Att de var bröder rådde det ingen tvekan om. De var mellan sextio och sjuttio år, klädda i identiskt gröna overaller så man kunde tro att de var trillingar.

Edvard gick ut. Solen sken. Samtalet på planen tystnade, alla vände sig mot nykomlingen, väntade in honom.

– Det är Edvard, sa Viola.

Gubbarna nickade. Viktor log menande. Han hade väl sett bilen, säkert hört den redan i går kväll, nu spred sig nyheten att Viola fått en hyresgäst till.

– Morning, sa Viktor. Jag tog med mig kusinerna.

– Jag trodde det var en kusin.

– Det är samma pris för tre, sa gubben.

– Desto bättre, sa Edvard, och en fin traktor. Är det en femtietta?

– Femtitvå.

– Fotogenare?

318

En av kusinerna, den äldste kanske, nickade. Han ställde ifrån sig verktygslådan och sträckte fram handen.

– Sven-Olle, sa han, och det här är Kurt och Tore.

Det tog två timmar att lossa bultar, bygga bockar, fälla flaggstången och inspektera den. De tre bröderna sa inte många ord, det var Sven-Olle som pratade litet, dividerade med Viktor. Kurt skötte Grållen, Olle var den som var händigast och bäst på att ta i. Viktor pratade mest. Viola kom ut, stod på planen i en lång rosa kofta, avklippta gummistövlar på fötterna och en röd basker över de spretiga lockarna. Hon hade händerna i sidorna och betraktade skådespelet.

– Det blir kaffe sen, sa hon och gick in.

Edvard såg vid ett tillfälle Lindell skymta i fönstret. Han nickade åt henne men var osäker om hon uppfattat. Hon fanns där uppe, osannolikt nog fanns hon där. De fyra gubbarna, alla med en hand på den flagade flaggstången, diskuterade vädret, om det var lönt att stryka den. Olle ville, men Viktor menade att det skulle bli kallt och snö. Sven-Olle trodde att det skulle vända. Kurt sa ingenting. Han såg bara fundersam ut.

Edvard stod lite vid sidan om. Gubbarnas muttranden, solen som värmde hans rygg, doften från havet och det faktum att hon fanns en trappa upp fick honom lyckligare än på mycket länge. Han hade inget dåligt samvete att han flytt hemmet. Kanske skulle han resa hem igen. Kanske skulle han stanna här. Kanske skulle han resa någon annanstans. Valet fanns. Innerst inne visste han nog svaret.

Han hörde hur beslutet växte fram: det skulle bli målning. Som på en given signal gick de mot huset. Gubbarnas ryggtavlor försvann in genom verandadörren, det blev lite stockning innan de tog sig in i huset. Stövlarna skulle av. Han skymtade dem genom fönstren, dröjde kvar en stund på gårdsplanen innan han följde efter.

42

I TVÅ DAGAR LEVDE Edvard och Ann i ett berusat tillstånd.
De älskade, gick längs havet och sa inte så mycket till
varandra. Det var som om de hade nog med sig själva, att
reda ut varför de överhuvudtaget befann sig på Gräsön. De
betraktade varandra, inte med den förälskades blick, utan
förstulet studerade de den andres rörelser, upptäckte detaljer
som de inte registrerat tidigare. Ann kände hans blickar.
Hon såg sig själv i badrumsspegeln, frågade sig gång på gång
vad hon skulle göra.

Hon pratade med Ottosson som bedyrade att det var helt
okej att hon tog igen sig. Han var den ende som visste var
hon befann sig. Hon tänkte ringa Fredriksson vid flera till-
fällen, men ångrade sig varje gång. Hon skrev ett kort till
Ödeshög för att de inte skulle bli oroliga. Hon skrev också
ett kort till Sussi, vilket förvånade henne själv. När hon lagt
på brevet i lådan vid färjfästet slog det henne att hon kanske
bara skrev ett par gånger om året till henne. Varför nu? Hon
gick i rask takt längs vägen tillbaka och blev klar över orsa-
ken. Hon var förälskad, Sussi var den som förstod, som
skulle kunna känna spänningen i det till synes oskyldiga
kortet från en roslagsö i november. Hon skulle ana. Ann ville
meddela sig med någon. Hon och Sussi skulle säkert ses till
jul. Hon ville kunna säga: du vet, det var den där karln som
jag träffade på den där isolerade ön. Hon gick den backiga
vägen med snabba kliv, hem till deras tillfälliga läger.

Edvard rustade flaggstången tillsammans med Viktor. Ku-
sinerna hade inte setts till sedan fällningen, men de skulle
återkomma när den skulle upp igen. Han hade fått åka in till
Öregrund för att köpa färg, flagga, lina och kula. Viola hade
skickat med honom en lång inköpslista med mat också,
stuckit åt honom tre tusen kronor och uppmanat att köpa
brännvin också, kanske vin till Ann, hade hon undrat. Det
tog tre timmar att uträtta alltsammans. Han njöt av varje
steg, han log i varje butik.

När han körde ombord på färjan nickade färjkarlen. Det måste vara Gustavsson. Edvard nickade tillbaka och när han körde av så satte han upp handen till hälsning.

Han hade ringt till Marita från Öregrund. Det drog kallt i automaten och han frös, kände sig billig att prata med henne från en sketen automat. Det var inte rätt, men nu var det så. Han ringde i alla fall och hade samma utsikt från automaten som den där gången när skulle köpa båt. Samma bryggor, samma pizzeria och sjöräddningsfartyg. Kom hem, sa Marita. Vi måste prata, hade hon upprepat flera gånger. Det var som det argumentet inte bet på Edvard, han tog det inte till sig. Han frågade hur det var med pojkarna, vad tror du, hade hon svarat. Vad tror jag? Bengt är förbannad hann hon också säga innan samtalet bröts. Han stod med den kalla luren tryckt mot örat och visste inte någon råd.

Han tog upp fler mynt, men när han skulle slå numret igen ångrade han sig och ringde Rosander istället. Jag kommer ut, var dennes oväntade meddelande. Det går inte så bra, hade Edvard sagt och berättat att Lindell var tillsammans med honom på ön. Desto större anledning, hade Rosander sagt.

Vad fan menade han? Edvard körde in på Violas väg med en stigande nervositet. Det skramlade av bolagskassarna och han önskade sig en rejäl sup. Jag ska tametusan ta en när jag kommer fram, tänkte han. I samma ögonblick dök Anns gestalt upp framför honom. Hon hade stigit åt sidan och väntade på honom. Hon log. Han öppnade dörren men hon ville inte stiga in.

– Jag går sista biten, sa hon och när han skulle slå igen dörren, så sa hon snabbt:

– Jag har längtat efter dej!

Edvard klev ur bilen, tog henne i famn, tryckte henne till sig. Hon luktar så gott, jag är lycklig, tänkte han. Jag är lycklig. Han ville ha henne. Han sa det.

Rosander kom dagen därpå. Edvard tyckte inte om det, men ville inte visa något, än mindre säga något. Rosander hade varit hygglig när han så snabbt översatte Alberts text och han skulle inte ha kommit ut om det inte var angeläget, det förstod Edvard. Det var också som om Ann livades av besöket. Hon och Edvard hade under de här dagarna inte pratat om bröderna Mendoza alls. Det var som om Ramnäs, mordet och självmordet sjunkit undan. Nu flöt det upp med Rosander, och Edvard såg på Ann att hon nu ville prata, han såg det på hennes iver, i hennes blick. Edvard kände ett styng av svartsjuka.

Ann hällde upp lite öl till Rosander. Han hade inte frågat något om Paristexten och det var Edvard glad över. Han hade inte läst den, bara stoppat den längst ned i trunken. Rosander gjorde ett tecken att det var bra med öl.

– Hon frågade hur länge jag skulle stanna, sa han och menade Viola.

– Hon börjar bli orolig att hela Uppsala kommer hit, sa Ann och skrattade.

– Hon frågade om jag behövde sängkläder. Det kändes lite som att komma till en barnkoloni på 50-talet.

– Hon är bra, sa Edvard, och vad sa du?

– Att jag far snart.

– Hur är det med Eva-Lena?

– Bara bra, sa Rosander, men både Ann och Edvard kunde se att det inte stämde.

Han rättade sig också snabbt.

– Hon har ett helvete.

Han drack ur sin öl, reste sig och ställde sig vid fönstret. Det var som om havet drog alla till sig, att spana över fjärden och klipporna blev en nödvändighet.

– Axel säljer ut sitt varulager, sa han plötsligt. Det är lika bra att lägga av, sa han till mej i går. Han har satt upp stora skyltar vid vägen. Kärringarna är som tokiga. Ramnäs håller på att gå under. Alice halkade på bron men bröt inget. Eva-Lena hjälpte henne upp och sen for dom in till Akkis. Och du har flytt, sa han och vände sig till Edvard.

Edvard nickade.

– Är det för gott?

– Jag vet faktiskt inte, sa Edvard med en snabb blick på Ann.

Han kände hur det hettade i ansiktet.

– Jag har kommit för en sak som jag tror ni måste få veta. Jag litar på dej, Lindell, sa Rosander.

– Tack för det! Bättre sent än aldrig.

Han ignorerade hennes kommentar.

– Jag vet inte hur jag ska börja.

Tystnaden i rummet blev total. Lindell kände igen det från förhörsrum, avgörande tiondelar av en människas liv, när meningarna var formulerade och orden låg på tungan men när lojalitet, skam eller skräck gjorde att man tvekade. Det var en spänning som många gånger var svår att ta. En del reagerade med omedelbar tystnad, andra med aggressivitet, men de flesta började trots allt tala.

– Jag vet hur Enrico dog, sa Rosander.

Lindell kände för ett ögonblick svindel.

– Nu kan jag tala om det, men jag vill inte att det kommer ut.

Han såg på Lindell. "Inte kommer ut", tänkte hon, vad tror han?

– Jag är ingen präst, sa hon.

– Lägg av, sa Edvard. Sluta snacka om det här! Valle, vi tar det en annan gång.

Han reste sig, men det var som om Rosander inte hört honom, utan lutade sig framåt och skärskådade Lindell.

– Jag litar på dej, sa han långsamt som för att verkligen betona innebörden.

– Det funkar inte så. Jag är polis.

– Det vet jag, men jag vet också att du inte kommer att avslöja mördaren.

Edvard satte sig bredvid Lindell.

– Säg åt honom att du inte vill höra, sa han till Ann.

Hon såg på honom, begrundande, som om hon verkligen övervägde hans uppmaning, lyfte handen i en milt avvisande gest, satte upp den framför honom, som för att säga: Det här sköter jag, där här är mitt bord. Edvard reste sig, slog ut med armarna i en gest av hopplöshet.

– Som du vill, mumlade han. Som du vill.

– Är du rädd för att höra sanningen, sa hon.

– Nej, den kan jag ana, sa han, men jag vill inte . . .

Han tystnade hastigt, gick och ställde sig vid fönstret.

– Jag går ut en sväng, sa han oväntat.

– Men du, det rör också dej! Kan du inte stanna?

– Nej, sa Edvard, det rör inte mej längre, sa han och försvann nerför trappan.

Lindell vände sig mot Rosander.

– Varför säger han så, undrade Lindell.

– Han är slut. Det har tagit på krafterna att gå från gården, från Marita och jobbet. Farfar Albert betydde nog också mer än vad han nånsin anade. Och så det här med pojkarna, han kan liksom inte ta det till sig.

Fasligt vad Rosander har blivit psykologisk, tänkte Lindell.

– Du sa att du visste hur Enrico dog?

– Jag har vetat sanningen i ett par veckor, sa han när ekot av den sista verandadörren klingat ut. Han kom till mej tidigt en morgon. Jag tror att jag förstått det redan tidigare. Det kanske är en efterkonstruktion, men känslan fanns där hela tiden. Han grät. Jag grät ockå, jag förlorade inte bara Enrico, utan också en vän. Jag ville inte att det skulle vara sant, jag kunde se hur högern och rasisterna skulle utnyttja det hela, men det var sant. Det förstod jag direkt.

Det kröp av otålighet i Lindell. Hon började bli nervös på den saktmodige forskaren som inte vek undan sin blick, men hon ville inte avbryta, det fick ske i hans takt. Nu kom det genombrott som hon tidigare trott på, antingen med hjälp av Vitrosen eller Rosander.

– Det är en gudason, sa Rosander. En av Zeus söner. Men denna gång stämmer inte myten. Jag tror ändå att dom tycker om varandras närhet på himlen. Två olyckliga stjärnor.

– Vad snackar du om?

– Har du läst grekisk mytologi?

Lindell svarade inte.

– Där berättas om Castor och Pollux, Edvard känner till det här. Vi har pratat om det, jag nämnde det för honom för att han möjligen skulle förstå, i alla fall ana, börja tänka åt det hållet. Han studerar stjärnorna.

– Jag vet det, sa Lindell hest.

– Jag tror han förstod, han har blivit så förändrad sen ...

– Tala om vad du vet! Är det Edvard, så säg ut!

Lindell röst brast.

– Jag älskar honom, snyftade hon.

– Jag vet det.

– Din jävla, skenheliga utpressare, väste Lindell.

– Det är inte som du tror. Det är inte Edvard. Du borde

läsa mytologi. Castor och Pollux var bröder.

Lindell stirrade på Rosander. Sakta gick det upp för henne vad han sagt.

– Ricardo, sa hon tyst och tonlöst.

Rosander nickade. Lindell reste sig och ställde sig liksom Edvard gjort några minuter tidigare, vid fönstret. Hon såg honom på stigen ner mot havet. Han gick lite lufsigt, barhuvad, med händerna i jackfickorna. Han gick mot havet. Hon vände sig till Rosander, mötte hans blick.

– Varför berättar du det för mej?

– Jag vill att du ska veta.

– Jag är tvungen att prata med mina kolleger och åklagaren, det förstår du väl.

– Det kan du göra om du vill. Jag kommer att förneka allt, sa Rosander enkelt.

– Vad är det då för vits att berätta för mej?

– Förstår du inte det?

Hon tittade ut, Edvard har försvunnit bakom alarna och snåren av havtorn.

– Varför? Varför tog han ihjäl sin egen bror?

– Enrico kom hem på måndan, dan efter det att han försvunnit. Ricardo var ensam hemma och de beslöt sig för att leta rätt på duffeln. Dom grälade på vägen. Det fanns något ouppklarat från Peru, det hade jag märkt. Ricardo ville inte säga vad grälet handlade om. Enligt Ricardo började brodern reta honom, det var precis när dom hittat duffeln. Enrico började skrika och gapa i skogen, Rocardo blev rädd att dom skulle höras, bli upptäckta. Han täppte till Enricos mun med jackan för att få tyst på honom. Ricardo använde ordet "panîco" om hur Enrico reagerade. Han dog i broderns armar. Han satt ett par timmar hos brodern, sen bar han honom mot vad han trodde var vägen, i själva verket gick han åt motsatt håll. Efter ett bra tag var han så slut att han gömde brodern under granen, där Edvard hittade honom. Sen virrade han runt i skogen och kom till slut fram på vägen där han kände igen sej.

Rosander suckade, hällde upp mer öl och såg med en sorgsen blick ner i bordsskivan, lyfte sakta huvudet.

– I två veckor höll han masken, sen bröt han samman.

Polisen i Lindell hade nu vaknat till. Hon slog sig ned

mitt emot Rosander.

– Det här var på måndagen, sa du, dan efter ni letade efter Enrico?

Rosander nickade. Lindell såg fundersam ut.

– Vad grälade dom om, tror du?

– Jag vet inte. Jag fick för mej att det var någon surdeg som flöt upp. Det hade att göra med en farbror till dom tror jag. Det var ett känsligt område som jag aldrig fick beträda, trots att dom litade på mej.

– Var det farbrorn som slog ihjäl godsägarfamiljen?

Rosander tittade förvånat upp.

– Ricardo berättade för mej, sa Lindell. Men han måste väl ha sagt något mer? Åtminstone för att urskulda sej. Fanns det ingenting annat han nämnde?

Rosander svarade nekande.

– Hade det någonting med den exilperuanska gruppen i Sverige att göra?

– Jag vet inte.

– Nämnde han nån grupp i Rinkeby? Nämnde han Flemingsberg?

Rosander såg på henne med en blick som hon inte riktigt kunde bli klok på. Han svarade inte, vred sitt ölglas mellan händerna.

– Var tillbringade Enrico natten mellan söndag och måndag?

– Det har jag också frågat mej.

– Hos Vitrosen?

– Nej, jag tror inte det.

Lindell tänkte på hembygdsgården och tekoppen, men sa ingenting till Rosander. Brodermord. Det kunde förklara varför han kastat sig ut från balkongen. Han brydde sig inte längre. När polisen kom så var det lika bra att göra slut på allt.

– Edvard, sa hon plötsligt.

Det var som en kall hand grep henne om livet, hon for upp från korgstolen, såg på Rosander med en vild blick.

– Edvard, upprepade hon.

Rosander förstod först nu. De slet åt sig ytterkläderna, kastade sig ned för trappan, ut genom verandan och sprang stigen ned. Rosander med en förvånandsvärd hastighet.

326

Viola iakttog dem från fönstret. Hon hade sett Edvard gå ner tidigare. Hon kände inte sammanhanget, men den språngmarsch mot havet som Rosander och Lindell gjorde, var ingen vanlig kapplöpning.

Det är inte som du tror, mumlade Lindell oavbrutet medan hon sprang. Tårarna rann nedför hennes kinder, hon drog in den kyliga luften i sina lungor, såg Rosanders gestalt strax framför sig, förblindad snubblade hon och stöten genom benet, när stenen träffade knäskålen, fick henne att skrika rakt ut. Smärtan var obeskrivlig, hon tappade för någon sekund medvetandet, rullade runt på marken och blev med ens övertygad om att hon var för sent ute. Det var som en förlamning och hon låg på rygg tvärs över stigen. Rosander vände sig villrådigt om, han hade kommit femton meter längre, tvekade en kort stund, men sprang sedan vidare mot havet.

Rosander fann honom vid äggstenen, vid det dinosaurie-ägg där Lindell sett honom vid hennes första besök, med fötterna i vattnet, vänd mot stenen, med den ena kinden tryckt mot den lavklädda, skrovliga ytan, armarna famnande stenens mjuka kurva.

Rosander sjönk ned på stranden, totalt utpumpad av anspänningen och språngmarschen. Hans ben skakade, han genomfors av rysningar som fick hans överkropp att rista.

– Det var inte dina pojkar, flämtade han. Det var inte dina pojkar. Förlåt mej!

Efter någon minut kom Lindell linkande. Hon såg först Rosander som hörde hennes tunga andhämtning och rasslandet mot strandens stenar. Han lyfte armen och pekade. Då fick hon syn på Edvard, inte omedelbart, för han tycktes ett med stenen, med sedan: hans armar runt stenen som en förälskad, desperat man. Jag vill ha dig, tycktes han säga i en omöjlig kärlek till en sten, uppspolad på havsstranden för tusentals år sedan.

43

LINDELL OCH EDVARD stod tätt tillsammans och betraktade hur Rosander steg in i sin gamla Taunus. Ett gråsvart rökmoln stod upp kring bilen när han startade. Den tjuvstannade ett par gånger innan Rosander kunde komma iväg.

Edvard tyckte sig se hur han satte upp högerhanden när han försvann bakom den sista kullen. Det skulle nog dröja innan de sågs igen.

Lindell hade alltsedan dan innan varit tystlåten. Att Rosander blev kvar över natten var ingenting som hon hade önskat. Tvärtom, ju längre gårdagen hade lidit, sedan de fann Edvard på stranden, ju mer hade hon önskat Rosander bort från ön. Hon hade iakttagit honom med en ny blick. Hon kom att tänka att han gjort mer skada än nytta, plötsligt slog det henne att hans övertygelse och handlingar hade lett till olycka för många andra. Hon hade nämnt det för Edvard, som dock inte höll med. Jag känner Rosander bättre, hade han sagt, han är mer helgjuten än de flesta. När hon talat om Jerkers och Jens ´ oro att behöva vara anklagad för mord, att Rosander kunnat fria dem direkt, hade Edvard avbrutit henne. "Pojkarna var inte oskyldiga".

De hade druckit tre flaskor vin på kvällen. Lindells knä hade bultat av värk och hon hade haft svårt att följa Edvards och Rosanders resonemang, svårt med koncentrationen och kände att hon helst skulle vilja sitta med ett kollegieblock framför sig, rita pilar, skriva frågor och bygga scheman.

Det var som en lättnad kommit över de två från Ramnäs medan hon blev allt oroligare. Hon hade inte druckit så mycket vin, för att om möjligt bibehålla skärpan, snappa upp något i deras konversation. Hon hade en känsla av att något inte stämde. Var det mellan henne och Edvard?

Hon visste inte. Var det någonting som trätt fram för hennes medvetande när hon såg Edvard vid stenägget på stranden? Hon visste inte. Hon var för trött, benet värkte och vinet gjorde henne yr.

Hon somnade innan Edvard kom in. Hon hörde honom

långt borta när han gled ner bredvid henne i sängen.

Edvard smög in sin hand mellan hennes arm och bröstkorg, tryckte till.
– Hur känns det?
– Bra, sa hon, bättre i alla fall.

Om det var knät eller något annat hon menade visste han inte. Han hade sett hennes avvaktande hållning kvällen innan, lyssnat till hennes synpunkter på Rosander. Kanske det hade blivit litet väl mycket vin i går. Han hade önskat att de skulle fått en stund för sig själva. Nu kändes det spänt.
– Ska vi sätta oss?

Lindell hoppade till på sitt friska ben, vred kroppen och tog sig till soffan, sträckte ut vänsterbenet. Viola hade lagt om det, men blånaden och svullnaden hade snarare blivit värre.
– Jag tror inte att det var Ricardo, sa hon plötsligt.

Edvard såg upp. Han visste inte vad han skulle tro. Skojade hon?
– Jag tror att det var Rosander.
– Nu går du för långt. Du gillar honom inte, va?
– Det handlar inte om det och det vet du.

Ja, det visste han. Hon var en alltför duktig polis för att låta privata förhållanden på allvar skymma sikten i en mordutredning. Det visste han redan om henne. Hon hade berättat om det positiva gensvar hon fått hos biodlarn och avskyn hon känt hos Lindgrenarna, hur hon hade hoppats på Vitrosen, hur allt detta självklart påverkat henne, delvis styrt hennes handlade. Hon hade till om med berättat om Rolf, hur han skymtade till ibland, lade sin näsa i blöt. Vad hade hennes möte med Ricardo betytt? Lindell hade inte pratat så mycket om deras samtal, vad han berättat, inte heller hur det påverkat hennes förehållande till sina kolleger, men Edvard hade förstått att hon hade problem att vänta när hon väl kom tillbaka till Uppsala. Hon hade begått tjänstefel, så mycket var säkert. Fattade hon inte det?
– Du känner skuld för hans död, sa han.
– Det är inte så!
– Du anklagar dej själv, att du berättade för Lundkvist.

Lindell svarade inte, såg bara sammanbiten ut.

– Det är inte ditt fel, fortsatte Edvard. Ibland går det snett. Det är väl syftet med vad man gör som måste räknas, att det gick på tok kan ingen lasta dej för.

Lindell såg kollegerna framför sig där de stod i fikarummet och väntade på att hon skulle få veta om Ricaros hopp från balkongen.

– Jag var en dålig polis, jag lät mej förvirras av hans berättelse.

I deras ögon och hållning hade det funnits beklagande och medömkan. Till och med Riis hade varit mänsklig. Men det hade också funnits en outtalad kritik av hennes sätt att driva utredningen, det hade hon känt.

– Jag tror att det var Rosander, upprepade hon, och jag ska bevisa det också!

– Du sa ju att det inte finns nån bevisning, att det i princip måste till ett erkännande för att fälla någon.

Han såg på henne, men Ann tittade bort.

– Du har ju fått ett erkännande.

– En död mans erkännande, i andra hand dessutom. Vad är det värt? Inte ett skit!

– Jag tror på Rosander.

– Varför det?

– Om det vore han så skulle han erkänna, sa Edvard.

– Du tror det?

Edvard nickade.

– Vänta ett tag, sa han och reste sig, gick fram till trunken som låg slängd i ett hörn, drog fram kuvertet med Alberts berättelse, på svenska och gav det till Ann.

Hon såg på kuvertet, vred det i handen.

– Vad är det här?

– Läs det, så kan vi prata sen, sa Edvard. Jag går ner till Viola.

Han iakttog henne från trappan, med ena foten på det första steget, hur hon försiktigt pillade upp kuvertet. Han hörde Viktors röst där nere, Ann tittade upp och deras blickar möttes. Han nickade mot henne och tog de första stegen nedför trappan.

LINDELÖW
— pocket

Ann-Charlotte Alverfors: Barn av samma ögonblick
roman (2002. 212 s. ca 50:-)

Lars Åke Augustsson & Stig Hansén: De svenska maoisterna
fakta (2001. 207 s. ca 50:-)

Ari Behn: Trist som fan
noveller (2002. 114 s. ca 50:-)

Charles Bukowski: Factotum
roman (2004. 212 s. ca 58:-)

Charles Bukowski: Postverket
roman (2004. 216 s. ca 58:-)

Kjell Eriksson: Den upplysta stigen
kriminalroman (2003. 320 s. ca 50:-)

Rolf Fridholm: Medborgare! Vänbok om Cornelis
biografi (1996. 116 s. ca 50:-)

Rolf Fridholm: Kort & koncist
aforismer (2004. 123 s. ca 58:-)

Lars Görling: 491
roman / klassiker (2002. 296 s. ca 50:-)

Stig Hansén: Lindholmen berättar
intervjubok (2002. 74 s. ca 50:-)

Stig Hansén: 4 x FAR
roman (2004. 410 s. ca 62:-)

Erik Johansson: Fabriksmänniskan x 2
roman (2004. 328 s. ca 58:-)

Toivo Jokkala & Pelle Strindlund: Djurrätt och socialism
fakta (2003. 286 s. ca 50:-)

Torgny Karnstedt: Låtsaskungen
roman (2003. 228 s. ca 50:-)

Gun Ninnisdotter: Spilld mjölk och röda tulpaner
självbiografi (1990. 137 s. ca 47:-)

Aino Trosell: Jäntungen
roman (2000. 125 s. ca 47:-)

Lindelöws bokförlag
www.lindelow.se

ANN-CHARLOTTE ALVERFORS
GUNDER ANDERSSON
LARS ÅKE AUGUSTSSON
ARI BEHN
CHARLES BUKOWSKI
GUNILLA CAISSON
KJELL ERIKSSON
VICTOR & STEFAN ESTBY
FOROUGH FARROKHZAD
DEAN WILLIAM FERM
ROLF FRIDHOLM
GÜNTER GRASS
LARS GÖRLING
RONNIE HAAG
STIG HANSÉN
PER HERNGREN
EDVARD HOEM
ERIK JOHANSSON
TOIVO JOKKALA
TORGNY KARNSTEDT

ARNE LARSSON
SIMON LEIJSNE
HOLGER LINDELÖW
JAN MEHLUM
RAWIA MORRA
PER NATTZÉN
AZIZ NESIN
GUN NINNISDOTTER
VÍCTOR ROJAS
KARIN RUUTH-BÄCKER
RAFÍK SABER
INGRID SEGERSTEDT WIBERG
CARINE SIMONSSON
STIG SJÖDIN
MATS SJÖLIN
PELLE STRINDLUND
JOANNA TRAYNOR
AINO TROSELL
RENÉ VÁZQUEZ DÍAS
ZEBAOT X

Beställ katalog:
Lindelöws bokförlag
Box 17133, 402 61 Göteborg
tel & fax 031–84 67 10